PNL

PARA

DUMMIES™

PNL

PARA

DUMMIES™

Romilla Ready
Kate Burton
y Xavier Guix (asesor)

Obra editada en colaboración con Centro Libros PAPF, S.L.U. – España

Edición publicada mediante acuerdo con Wiley Publishing, Inc.
© ...For Dummies y los logos de Wiley Publishing, Inc. son marcas
registradas utilizadas bajo licencia exclusiva de Wiley Publishing, Inc.

Traducción: Parramón Ediciones, S.A. (sello Granica)
© Fotografía de la portada Geo Martínez, en contrato con Freire S. L.

© 2010, Centro Libros PAPF, S.L.U.
Grupo Planeta
Avda. Diagonal, 662-664
08034 - Barcelona

Reservados todos los derechos

© 2011, Editorial Planeta Mexicana, S.A. de C.V.
Bajo el sello editorial CEAC M.R.
Avenida Presidente Masarik núm. 111, 2o. piso
Colonia Chapultepec Morales
C.P. 11570 México, D. F.
www.editorialplaneta.com.mx

Primera edición impresa en España: marzo de 2011
ISBN: 978-84-329-2077-6

Primera edición impresa en México: mayo de 2011
ISBN: 978-607-07-0753-7

Impreso en los talleres de Litográfica Ingramex, S.A. de C.V.
Centeno núm. 162, colonia Granjas Esmeralda, México, D.F.
Impreso en México – *Printed in Mexico*

¡La fórmula del éxito!

Tomamos un tema de actualidad y de interés general, añadimos el nombre de un autor reconocido, montones de contenido útil y un formato fácil para el lector y a la vez divertido, y ahí tenemos un libro clásico de la serie ...para Dummies.

Millones de lectores satisfechos en todo el mundo coinciden en afirmar que la serie ...para Dummies ha revolucionado la forma de aproximarse al conocimiento mediante libros que ofrecen contenido serio y profundo con un toque de informalidad y en lenguaje sencillo.

Los libros de la serie ...para Dummies están dirigidos a los lectores de todas las edades y niveles del conocimiento interesados en encontrar una manera profesional, directa y a la vez entretenida de aproximarse a la información que necesitan.

www.paradummies.com.mx

¡Entra a formar parte de la comunidad Dummies!

El sitio web de la colección ...para Dummies está pensado para que tengas a mano toda la información que puedas necesitar sobre los libros publicados. También te permite conocer las últimas novedades antes de que se publiquen.

Desde nuestra página web, también, puedes ponerte en contacto con nosotros para resolver las dudas o consultas que te puedan surgir.

Asimismo, en la página web encontrarás muchos contenidos extra, como por ejemplo los audios de los libros de idiomas.

También puedes seguirnos en Facebook (facebook.com/dummies.mx), un espacio donde intercambiar tus impresiones con otros lectores de la colección ... para Dummies.

10 cosas divertidas que puedes hacer en www.paradummies.com.mx y en nuestra página de Facebook:

1. Consultar la lista completa de libros ...para Dummies.
2. Descubrir las novedades que vayan publicándose.
3. Ponerte en contacto con la editorial.
4. Recibir noticias acerca de las novedades editoriales.
5. Trabajar con los contenidos extra, como los audios de los libros de idiomas.
6. Ponerte en contacto con otros lectores para intercambiar opiniones.
7. Comprar otros libros de la colección en línea.
8. ¡Publicar tus propias fotos! en la página de Facebook.
9. Conocer otros libros publicados por Grupo Planeta.
10. Informarte sobre promociones, presentaciones de libros, etc.

Las autoras

Romilla Ready es profesora experta en programación neurolingüística y directora de Ready Solutions, fundada en 1996. Dirige talleres profesionales en una amplia gama de áreas y ha entrenado clientes en el Reino Unido y en el extranjero, haciendo buen uso de sus habilidades interculturales para crear buena compenetración y comunicación entre personas de distintas nacionalidades. Concede entrevistas para emisoras de radio locales y ha publicado artículos en prensa sobre el control del estrés y las aplicaciones de la PNL.

Kate Burton es guía y formadora en PNL y hace posible que, tanto individuos como organizaciones, aprendan a concentrar sus energías de manera eficaz. Su carrera empresarial empezó en el departamento de publicidad y marketing corporativo en Hewlett-Packard. Desde entonces ha trabajado en varios negocios en distintas industrias y culturas sobre cómo convertirse en un excelente comunicador. Lo que más le gusta es desarrollar programas de formación y entrenamiento por encargo. Se siente a gusto dando apoyo a la gente para incentivar la motivación, la autoconciencia y la seguridad personal. Está convencida de que todo el mundo tiene talentos, habilidades y valores esenciales únicos y que es nuestra responsabilidad desarrollarlos al máximo.

El asesor

Xavier Guix es sobre todo un comunicador. Licenciado en psicología, se ha especializado en comunicación y en programación neurolingüística. Compagina su labor terapéutica con cursos de crecimiento personal y de habilidades directivas en EADA.

Su compromiso con la divulgación en temas de reflexión psicológica se traduce en conferencias, colaboraciones en radio y televisión y en la creación de libros como *Sentido de la vida o la vida sentida* (2008), *Contigo pero sin ti* (2007), *Descontrólate* (2006), *Si no lo creo, no lo veo*, *Mientras me miran* (2005) y *Ni me explico, ni me entiendes: los laberintos de la comunicación* (2004).

Sus libros han sido publicados en España, América Latina, Portugal y Brasil.

xavierguix.com
http://xavierguix.wordpress.com

Agradecimientos de las autoras

De Romilla: Me resulta extraño pensar que encontraré en las librerías un libro llamado *Programación neurolingüística para Dummies.* Cumplir este sueño hubiera sido imposible sin la ayuda y apoyo de un montón de personas maravillosas, a todas las cuales quiero extender mis más sentidas gracias. A mi "cómplice", Kate Burton: no sabes la alegría que me da que aceptaras colaborar en este proyecto cuando yo, de manera más bien desenfadada, te pregunté si te gustaría escribir conmigo un libro sobre PNL. Gracias también a ti, mamá, por todo tu amor, apoyo e ideas… que sigan llegando; a Ángela, mi hermana, que siempre ha estado allí, a las buenas y a las malas, y ha hecho un gran trabajo al convertirse en la primera *dummy* de prueba para nuestro libro, además de que se ha asegurado de que no se pasaran ciertos errorcillos de sintaxis. Oswyn, por ser el abuelo perfecto de *Brattus*, y a Derek por revisar mi estilo mientras yo redactaba el libro; a mi hijo, Derwent, quien me rescataba cuando tenía problemas con mi computadora portátil, y a sus maravillosos amigos, Ben, Ezra y Matt, por nombrar sólo algunos, que tanto me han enseñado sobre la tolerancia y la risa; a Carol, quien a Dios gracias nos mantiene en orden; a algunos de mis compañeros de juego en PNL: David Staker, Anne-Marie y Rintu que me ayudan a aprender y a exigirme; a los cuadrúpedos de mi vida, tanto caninos como felinos, quienes me enseñaron aquello del amor incondicional; a mi maestro de yoga, el swami Ambikananda Saraswati, por su paciencia ante todas mis preguntas; a David, mi guía en PNL, que me brindara un peldaño más en mi escalera para lograr el cambio personal. Por último, pero no por ello menos importante, quisiera darle las gracias a Jason por haber dado un salto de fe al vacío al darnos la oportunidad de escribir este libro. A Daniel y su magnífico equipo editorial, que le dieron una dimensión extra a nuestra redacción con sus incisivas preguntas y brillantes sugerencias. A Sam y al resto de su equipo de apoyo y marketing, que también fueron magníficos.

De Kate: Cuando Romilla y yo nos dispusimos a escribir este libro, nuestra intención era aprender y divertirnos un poco. De manera que muchas gracias, Romilla… porque además de que hicimos ambas cosas, desarrollamos una profunda amistad y conocimiento mutuo. Quiero también dar las gracias a toda mi familia, especialmente a Bob, Rosy y Jessica por su apoyo y amor incondicional, pero de manera muy particular por la inquebrantable capacidad para nutrirme de modo que pudiera seguir sacando capítulos adelante. A todos mis muy especiales amigos, muchas gracias por seguir ahí, al pie del cañón, incluso en los momentos en los que estaba demasiado ocupada para salir a jugar juntos. Quiero también darle las gracias a Ian por haberme enganchado a la PNL y decirle que sigo admirada de sus habilidades, y a Jan, por haberme demostrado la alegría pura de formar y guiar a otros en PNL. A mis clientes y colegas, especialmente a Lynda y Helen, gracias por las innumerables oportunidades que me brindaron para aprender y practicar la PNL con ustedes. A Jason, Sam, Dan, Julia, Shaun y todos los otros profesionales en Wiley, por haber convertido esta idea en una realidad. Demostraron el poder de creer. Y sobre todos gracias a ti, amable lector, porque gracias a ti este libro ha salido a la luz. Ojalá te cautive e inspire.

Programación neurolingüística para Dummies™

Los cuatro pilares de la PNL

✔ **Compenetración o _rapport_:** Cómo construir una buena relación con los demás y contigo mismo.

✔ **Conciencia sensorial:** El mundo es distinto cuando utilizas todos tus sentidos para observarlo.

✔ **Pensar en resultados:** Cómo pensar en lo que quieres.

✔ **Comportamiento o conducta flexible:** Cómo hacer las cosas de manera distinta cuando tu forma de actuar actual no está dando resultados.

Los niveles lógicos en la PNL

Los niveles lógicos son una poderosísima herramienta a la hora de pensar respecto al cambio porque fragmentan el proceso en categorías de información distintas. Cuando empieces a pensar en un cambio que quisieras hacer, formúlate un par de preguntas respecto a los distintos niveles:

✔ Por **entorno** se entienden aquellos factores que constituyen oportunidades o restricciones externas. Contesta a las preguntas **¿dónde?**, **¿cuándo?** y **¿con quién?**

✔ El **comportamiento** o la **conducta** lo constituyen aquellas acciones o reacciones que tienen lugar en el entorno. Contesta a la pregunta **¿qué ocurre?**

✔ Las **capacidades** tienen que ver con el conocimiento y las habilidades, aquel "cómo hacerlo" que suele guiar y dirigir el comportamiento. Contesta a la pregunta **¿cómo?**

✔ Las **creencias** y los **valores** suministran el refuerzo (la motivación y el permiso) que respalda (o no) nuestras capacidades. Contesta a la pregunta **¿quién?**

✔ Los factores que constituyen la **identidad** determinan nuestro ser, lo que somos. Contesta a la pregunta **¿quién?**

✔ El **propósito** va más allá de la autoconciencia y entra en relación con el panorama más amplio de la misión. Contesta a la pregunta **¿por qué o para quién?**

Comparar la mente consciente y el inconsciente

La mente consciente es buena para...	El inconsciente es mejor para...
Trabajar linealmente	Trabajar holísticamente
Procesar secuencias	La intuición
La lógica	La creatividad
El lenguaje verbal	Gobernar las funciones del cuerpo
Las matemáticas	Las emociones
El análisis	Almacenar recuerdos

Interrógate

Para no que no te alejes del camino que conduce a donde quieres llegar, ya sea en el día a día o a largo plazo, puede ser muy útil que te interrogues a ti mismo. De manera que permítenos darte una lista de preguntas para que te las formules todos los días:

¿Qué quiero?
¿Cómo me afectará eso?
¿Qué me detiene?
¿Qué es lo que me importa?
¿Qué cosas están saliendo bien?
¿Qué puede mejorar?
¿Qué recursos me respaldan?

Programación neurolingüística para Dummies™

La fórmula del éxito en 4 pasos

1. Saber cuál es el resultado que te espera. Es muy importante especificar de manera precisa qué es lo que quieres. Calibra el resultado que esperas con relación al encuadre o marco y así cumplirás con la condición de que se trata de algo bien formado.

2. Tomar medidas. Si no das ese primer paso y después los que siguen, no ocurrirá algo que te ayude a lograr los resultados que esperas... no importa lo claros que los tengas.

3. Tener en cuenta la conciencia sensorial. Si puedes ver, oír y sentir todo aquello que no está funcionando, te será posible modificar tu comportamiento de manera que hacerlo te lleve al resultado que deseas.

4. Ser flexible en la manera de comportarse. Lo anterior encaja de maravilla con el siguiente presupuesto PNL: "Cuando se interactúa con otros, la persona de comportamiento más flexible es la que puede controlar la situación". También podríamos decirlo así: "Si no funciona, haz algo distinto".

Ayudarse de la música para cambiar de estados

A continuación presentamos un par de maneras distintas de pensar respecto a la música que oyes. Quizás estés repitiendo un disco rayado debido a tus gustos musicales.

✔ **Diversifica la gama de CD que compras:** Del barroco al periodo clásico, jazz y blues, reggae, pop y rock, salsa, baladas, ópera…

✔ **Cambia el ritmo:** Compara ritmos predecibles con otros distintos y poco conocidos para estimular tu creatividad.

✔ **¿Música instrumental o cantada?** Las palabras pueden distraernos… los solos instrumentales suelen ser buenos para relajarnos.

✔ **Intuición:** Confía en tu gusto. Si no te gusta una pieza musical, no luches contra ella; apágala… es probable que no te ayude a sentirte bien.

✔ **Empieza el día de manera distinta:** Cuando nos sentimos bien por la mañana, empezamos con el pie derecho. Intenta cambiar las noticias polémicas de la radio por música que te inspire y te levante los ánimos.

La cura rápida de fobias en la PNL

1. Identifica en qué momentos generas una respuesta fóbica a un estímulo o recuerda un hecho desagradable o traumático que quieras superar.

2. Recuerda que estabas a salvo antes y también lo estuviste después de la experiencia desagradable.

3. Imagínate sentado en un cine observándote en una pequeña pantalla en blanco y negro.

4. Ahora imagina que sales flotando del cuerpo de ese tú que está sentado en el cine y te diriges a la cabina de proyección.

5. Ahora podrás verte dentro de la cabina de proyección, observándote sentado en la silla mirando la película sobre ti en la pantalla.

6. Proyecta la película en blanco y negro sobre la pequeña pantalla empezando antes de que te embargara el recuerdo que quieres superar y déjala rodar hasta el momento posterior a la experiencia, cuando estuviste a salvo de nuevo.

7. Ahora congela la película o deja la pantalla en blanco.

8. Sal flotando de la cabina de proyección, luego de la silla y dirígete al final de la película.

9. Rebobina la película al revés en cámara rápida, en cuestión de uno o dos segundos y a todo color, como si estuvieras reviviendo la película, hasta el comienzo, cuando de nuevo estabas a salvo.

10. Repite los pasos 8 y 9 hasta que te sientas cómodo con la experiencia.

11. Ahora viaja al futuro y ponte a prueba en un tiempo imaginario donde sería posible padecer una reacción fóbica.

Sumario

· ·

Introducción

· ·

*E*s muy probable que cada vez oigas hablar con más frecuencia sobre la programación neurolingüística (PNL) en tu vida cotidiana: en corporaciones, universidades y cafés. Este libro lo escribimos porque nuestra experiencia con la PNL transformó nuestras vidas. Por tanto, queremos despertar tu curiosidad respecto a todas las posibilidades que ofrece. También pensamos que ya era hora de que la jerga de la PNL abandonara la academia y fuera posible pasar a explicarla en español sencillo, en beneficio de todos nuestros amigos. Por amigos nos referimos a todo el mundo, particularmente a ti, amable lector.

La popularidad de la PNL ha aumentado, entre otros motivos porque ofrece muchos de esos instantes en los que no tenemos más remedio que asentir con un "ajá" categórico; en otras palabras, porque la PNL tiene muchísimo sentido. Sin embargo, el mero nombre de *programación neurolingüística* y la jerga con la que se le asocia suelen constituir una barrera para muchas personas. En pocas palabras, por "programación" se entienden todos aquellos patrones de conducta que primero aprendemos y luego repetimos; el prefijo "neuro" alude a todo aquello que ocurre en nuestra mente; el término "lingüística", al lenguaje y a la manera como lo usamos. Algunos definen la PNL como "el estudio de la estructura de la experiencia subjetiva"; otros la llaman "el arte y la ciencia de la comunicación". Nosotros preferimos decir que la PNL nos permite entender por qué hacemos lo que hacemos y somos como somos: cómo pensamos, cómo sentimos, cómo entendemos y damos sentido a la vida cotidiana en medio del mundo que nos rodea. Armados con este conocimiento, la totalidad de nuestras vidas —en el trabajo y en el juego— puede convertirse en algo mágico.

Sobre este libro

Este libro pretende fascinar a cualquier persona a la que le guste la gente. Gracias a su aproximación experimental y práctica, la PNL nos invita a tomar cartas en el asunto de dar forma a nuestras vidas, y por eso creemos que les parecerá atractivo a quienes estén dispuestos a "lanzarse al ruedo" y abrir su mente a nuevas posibilidades.

Hemos hecho lo posible para que aproximarse a la PNL resulte una experiencia agradable, práctica, accesible y útil. Esperamos, por tanto, que puedas tirarte de cabeza a cualquier capítulo del libro y allí encuentres rápidamente ideas prácticas sobre cómo utilizar la PNL para resolver problemas concretos o hacer cambios personales positivos.

Hemos sido cuidadosamente selectivas a la hora de escoger el contenido de nuestro libro. Para quienes se acercan por primera vez al término, hemos querido ofrecer un apetitoso menú. Para quienes ya conocen algo sobre el tema, esperamos que estas páginas sirvan para digerir mejor lo que ya se sabe y además ofrecerles unas cuantas nuevas ideas y puestas en práctica. Con este objetivo, nos esmeramos por facilitar la búsqueda de información sobre asuntos como los siguientes:

✔ Cómo descubrir qué cosas son importantes para alcanzar tus metas con energía y convicción.

✔ Cuáles son los principales presupuestos de la PNL y por qué son importantes para ti.

✔ Cuál es la mejor manera de entender el estilo de otra gente y así ayudarse uno mismo a transmitir un mensaje con claridad.

✔ Cuándo buscar buena compenetración y cuándo terminarla.

✔ Cómo lograr que tu inconsciente trabaje al unísono con tu mente consciente formando un sólido equipo.

Además, y teniendo en cuenta que la mejor manera de aprender PNL es mediante la experiencia, te recomendamos sacar el mayor provecho posible jugando con los ejercicios que aquí te ofrecemos. Es probable que muchas de las ideas y ejercicios que encuentres en este libro difieran mucho de tu estilo de hacer las cosas. Del mismo modo, el enfoque de la PNL consiste en intentarlo, primero, dejar a un lado la incredulidad, después, y luego comprender y poner en práctica lo aprendido.

Convenciones usadas en este libro

Para ayudarte a navegar a lo largo de este libro hemos establecido algunas convenciones:

✔ La letra *cursiva* se utiliza para resaltar nuevas palabras o términos allí definidos. También cuando se usa un término en un idioma distinto al español.

✔ La **negrita** se utiliza para indicar la parte de una acción constituida por distintos pasos enumerados.

✔ Para las direcciones de internet se utiliza esta tipografía.

Lo que no tienes que leer

Hemos redactado este libro de manera que puedas entender con la mayor facilidad posible lo relacionado con la PNL. Entonces, a pesar de que tras todo este esfuerzo de nuestra parte nos gustaría que leyeras todas y cada una de las palabras contenidas en sus páginas, también hemos hecho lo posible para que puedas identificar con facilidad el material "prescindible". Es decir, aquellas cosas que, aunque interesantes y pertinentes, en realidad no es esencial que las conozcas:

✔ **El texto en recuadros:** Los recuadros vienen sombreados en gris y aparecen de vez en cuando. Por lo general, en ellos se comparten historias y observaciones personales, pero su lectura no es indispensable.

✔ **La información en la página de los derechos de autor:** Aquí no encontrarás nada del menor interés a menos que, por alguna inexplicable razón, te encante la terminología jurídica y la información sobre reimpresiones...

Algunas suposiciones

Al escribir este libro asumimos un par de cosas respecto a ti, amable lector. Asumimos que eres una persona normal y corriente que quiere ser feliz. Que probablemente te interesa conocer nuevas ideas. Que quizá ya hayas oído hablar de la PNL, o que ya trabajaste con algunos de sus conceptos o incluso, que todo el asunto te parece completamente nuevo pero te intriga ligeramente. No se necesita ningún conocimiento previo de la PNL, pero la PNL te vendrá bien si te resulta familiar cualquiera de los siguientes puntos:

✔ Estás harto de alguna de tus actuales circunstancias.

✔ Te interesa hacer que tu actual experiencia vital conduzca a nuevos logros y niveles de felicidad, aventura y éxito.

✔ Te produce curiosidad saber cómo podrías influir sobre otros de manera fácil pero ética.

✔ Eres una persona a la que le encanta aprender y crecer.

✔ Estás dispuesto a hacer realidad tus sueños.

Cómo está organizado este libro

Hemos dividido este libro en siete partes y cada parte, a su vez, está dividida en capítulos. En el sumario encontrarás información más detallada sobre cada capítulo; incluso hemos incorporado una caricatura al comienzo de cada parte para tenerte contento.

Parte I: Bienvenido a un mundo feliz

Alguien dijo una vez: "Si siempre haces lo mismo que siempre has hecho, conseguirás lo mismo que siempre haz conseguido". Sabias palabras que bien vale la pena tener en mente al iniciar este viaje al territorio de la PNL. En esta parte empezarás a entrever todo aquello que la PNL puede llegar a hacer por ti. Al empezar, hay una cosa que debes tener en cuenta: deja a un lado la incredulidad o cualquier suposición que pueda interponerse con tu aprendizaje.

Parte II: Los códigos de la autopista del cerebro

¿Te has sorprendido alguna vez preguntándote "cómo pudo ocurrirme esto a mí"? De ser así, ya estás preparado para tener la experiencia de uno de esos instantes "ajá", que te proporcionarán la clave para entender qué nos motiva realmente. En esta parte te invitamos a que pienses en la mejor pregunta de todos los tiempos, "¿qué quiero?", y a que acto seguido empieces a hurgar en busca de aquello que ocurre tras las bambalinas de tu cerebro y de tus pensamientos inconscientes. Interesante asunto... esperamos que estés de acuerdo.

Parte III: Hacer amigos... influir sobre la gente

¿Te has preguntado alguna vez lo fácil que sería la vida si los demás hicieran exactamente lo que tú quisieras que hicieran? Son palabras mayores. Ahora bien, no estamos diciendo que seamos magos y que, por tanto, vas a poder hacer con tus peores enemigos lo que te venga en gana, pero la compenetración es un tema tan importante en la PNL que el meollo de este libro reside en explorar tal asunto, llevándote de la mano. En esta parte te proporcionamos las herramientas necesarias para aprender a entender el punto de vista de los demás. Te indicaremos cómo asumir la responsabilidad de hacer cambios en tu forma de comunicarte y conectar con aquellas personas claves en tu vida y, así, hacer más flexible tu comportamiento.

Parte IV: Para abrir la caja de herramientas

A estas alturas ponemos en tus manos un verdadero toque mágico que yace en el corazón de la PNL. Por fin te escucharemos decir que estás preparado para que te dejen jugar a tu antojo con la caja de herramientas que es la PNL en esencia. Encontrarás aquí muchos asuntos prácticos sobre los que podrás volver una y otra vez. Aprenderás a adaptar tu manera de pensar para hacer frente a situaciones que encuentras difíciles; a encontrar los recursos para cambiar todos aquellos hábitos que ya no te sirven; a correr al futuro y trabajar con conceptos de tiempo para resolver viejos asuntos y crear en adelante un camino más persuasivo y absorbente.

Parte V: Palabras seductoras

Esta parte se centra en cómo el lenguaje que usamos no se limita a describir una experiencia sino que además tiene la capacidad de crearla. Simplemente imagina lo que se siente al tener un público completamente absorto en lo que decimos. A partir de las capacidades y estilos de grandes comunicadores, aquí explicamos cómo lograr que ese público no deje de volver a nosotros con ganas de más y, si consideras que la vida podría describirse como una serie de historias o cuentos, descubrirás también cómo te sería posible escribir tu propia historia triunfal.

Parte VI: Los decálogos

Si te sientes impaciente y quieres respuestas rápidas a las preguntas que te suscita la PNL, acércate primero a esta sección. Aquí te ofrecemos consejos y recomendaciones en grupos de diez: usos y aplicaciones de la PNL, recursos que pueden servirte de guía y mucho más. Esta parte la hemos diseñado pensando en aquellos de ustedes que prefieren leer primero el final del libro para saber por dónde buscarle la sustancia al caldo.

Parte VII: Apéndices

En los apéndices hemos incluido una lista de direcciones electrónicas y páginas web que pueden serte útiles y de interés, además de las siguientes dos importantísimas plantillas para tu uso diario:

✔ Haz realidad los resultados que esperas (más información en el capítulo 3).

✔ Compenétrate con los demás (más al respecto en el capítulo 7).

Iconos utilizados en este libro

Los iconos le ayudarán a encontrar cierto tipo de información que puede serte útil.

Este icono resalta aquella terminología de la PNL que quizá te suene a chino básico pero que tiene un significado muy preciso en el campo de la PNL.

Este icono sugiere ideas para que reflexiones y actividades con las que puedes practicar técnicas de PNL.

Este icono resalta alguna recomendación que contribuye a que la PNL trabaje para ti.

Este icono es un recordatorio de asuntos concretos de los que debes tomar nota.

Encontrarás este icono junto a los relatos que cuentan experiencias de la PNL aplicada a la vida real; a veces los nombres de las personas han sido cambiados; en otros casos, se trata de una combinación de experiencias y personajes.

Este icono señala todo aquello que debes evitar a la hora de practicar tus capacidades de PNL por ti mismo.

¿Y ahora qué?

No es absolutamente necesario que leas este libro de cabo a rabo. Sin embargo, serán muchos los beneficios que alcanzarás si logras leerlo siguiendo el ritmo y el orden que mejor te convenga. Echa una ojeada al sumario para ver qué te llama más la atención. Por ejemplo, si te interesa comprender mejor a alguien, intenta empezar por el capítulo 7. Si lo que quieres es saber mejor por qué te comportas como lo haces, en ese caso empieza por el capítulo 6 y descubre el poder de tus sentidos. Sea lo que sea, recuerda que tienes entera libertad para zambullirte por donde mejor te parezca.

Si cuando hayas leído el libro quieres saber más, te recomendamos que sigas acercándote a la PNL mediante talleres y entrenamiento con otros. Busca fuentes e información adicional para que prosigas tu viaje.

Parte I

Bienvenido
a un mundo feliz

The 5th Wave   Rich Tennant

@RICHTENNANT

PRIMER AÑO – SER RESCATADOS
SEGUNDO AÑO – ¡SER RESCATADOS!
TERCER AÑO – ¡¡¡SER RESCATADOS, YA!!!
CUARTO AÑO – SER RESCATADOS (GRITAR MÁS FUERTE)
QUINTO AÑO – CONSTRUIR UN CAMPO DE GOLF PARA LAS VACACIONES

"DURANTE EL ÚLTIMO AÑO HA CAMBIADO UN POCO
MI FORMA DE PENSAR."

En esta parte...

Te enterarás de qué se trata la PNL y por qué la gente habla sobre este asunto. Desde contarte cómo empezó todo gracias a un grupo de gente inteligente en California hasta llevarte a que reflexiones sobre tus prejuicios y presupuestos; te ayudamos a que arranques en la dirección correcta, en pos de lo que en realidad quieres en la vida.

Capítulo 1

PNL: explicación

*H*e aquí una pequeña leyenda sufí sobre un hombre y un tigre:

Un hombre, perseguido por un tigre hambriento, se dio la vuelta para enfrentarse a él y le gritó: "¿Por qué no me dejas en paz?" El tigre le replicó: "¿Por qué no dejas tú de parecerme tan apetitoso?"

Cuando dos personas se comunican, o en este caso un hombre y una bestia, siempre hay más de una única perspectiva. Sin embargo, a veces no nos percatamos de este hecho porque no vemos más allá de nuestras narices.

Pues bien, la PNL es una de las metodologías actuales más elaboradas y eficaces para ayudarte a lograr justamente eso. Gira en torno a la comunicación y el cambio. Hoy por hoy, necesitamos de todo lo que esté a nuestro alcance para hacernos tan flexibles como nos sea posible. Pero truquitos y mentirijillas no son suficientes: es preciso aterrizar en la realidad.

De manera que bienvenido al inicio de este viaje; en este capítulo te ofrecemos un primer y rápido aperitivo para que degustes los temas esenciales de PNL.

¿Qué es la PNL?

Todos nacemos constituidos por la misma neurología básica. Nuestra capacidad para realizar cualquier cosa en la vida, ya sea hacernos un par

de piscinas, cocinar una cena o leer este libro, depende de cómo contro-
lamos nuestro sistema nervioso. Así, buena parte de la PNL se dedica a
aprender cómo pensar y comunicarnos de manera más eficaz con nosotros mismos y con los demás.

✔ **Programación:** Para cada cosa que hacemos existe un programa en
nuestro sistema nervioso. Por esta razón, todas las actividades
que realizamos y todo lo que aprendemos se traduce de manera
codificada y ordenada en el cerebro. A medida que ese aprendizaje se refuerza, se va convirtiendo en un *patrón de conducta*.

✔ **Neuro:** Todo comportamiento es el resultado de una serie de procesos neurológicos. Así pues, lo que aprendemos se almacena y se
expresa mediante nuestra red neuronal.

✔ **Lingüística:** Es la expresión, o el eco, de lo que ocurre en nuestro
sistema nervioso, y determina el impacto que eso tiene en nosotros y en quienes nos escuchan. Es nuestro instrumento de comunicación (verbal y no verbal).

Para observar este proceso en plena acción, empieza a fijarte bien en
cómo piensas. Imagina un cálido día de verano: llegas a casa tras un
día de trabajo y, de pie, en la cocina, coges un limón recién sacado
de la nevera. Obsérvalo bien, su cáscara amarilla y cerosa con visos
verdes. Siente el frío limón en la mano. Acércalo a la nariz y huélelo.
Mmmm. Oprímelo ligeramente y percátate del peso del limón en la
palma de la mano. Ahora coge un cuchillo y corta el limón por la mitad.
Escucha correr el zumo que empieza a rodar y nota cómo el olor es
ahora más intenso. Pégale un mordisco y deja que el zumo te inunde la
boca.

Palabras. Meras palabras y, sin embargo, capaces de hacerte salivar.
Basta oír una palabra, "limón", y la mente entra en acción. Las palabras
que acabas de leer le decían a tu cerebro que tenías un limón en la
mano. Podemos pensar que las palabras sólo describen significados:
pero lo que hacen es crear nuestra realidad. Aprenderás mucho más al
respecto a medida que continuemos nuestro viaje.

Un par de definiciones rápidas

Es posible describir la PNL de distintas maneras. La definición formal es
que se trata del "estudio de la estructura de la experiencia subjetiva". A
continuación encontrarás otro par de maneras de contestar a la pregunta
"¿qué es la PNL?"

✔ El arte y la ciencia de la comunicación.

✔ La clave del aprendizaje.

✔ Trata sobre por qué somos como somos y hacemos lo que hacemos.

✔ Es el camino que nos permite obtener los resultados que queremos en todas las áreas de nuestra vida.

✔ Influir sobre los demás con integridad.

✔ Un manual para nuestra mente.

✔ El secreto de quienes tienen éxito.

✔ La forma de crear tu futuro.

✔ La PNL ayuda a la gente a entender su realidad.

✔ La caja de herramientas para el cambio personal y organizacional.

Dónde empezó todo y hacia dónde va

La PNL empezó en California a comienzos de 1970 en la Universidad de Santa Cruz. Allí, Richard Bandler, mientras cursaba sus licenciaturas en Informática y Matemáticas, se convirtió en ayudante del Dr. John Grinder, un profesor de lingüística, para estudiar y examinar a personas que consideraban excelentes comunicadores y agentes de cambio. Les fascinaba ver cómo algunas personas, contra todo pronóstico, eran capaces de llegar a gente "difícil" o muy enferma, individuos con quienes ya muchos habían fracasado en su intento por conectar.

Así las cosas, la PNL hunde sus raíces en el ámbito terapéutico gracias a los tres psicoterapeutas de fama mundial que estudiaron Bandler y Grinder: Virginia Satir (quien desarrolló la terapia familiar sistémica), Fritz Perls (fundador de la psicología gestáltica) y Milton H. Erickson (responsable en gran parte de los avances de la hipnoterapia clínica).

En su trabajo, Bandler y Grinder también recurrieron a los conocimientos y las habilidades de los lingüistas Alfred Korzybski y Noam Chomsky, el antropólogo social Gregory Bateson y el psicólogo y filólogo Paul Watzlawick.

Desde aquellos tiempos, el campo de la PNL se ha expandido hasta abarcar muchas disciplinas en numerosos países alrededor del mundo. Nos sería imposible nombrar a todos los grandes maestros y practicantes de la PNL de hoy.

Entonces, ¿cuál es el futuro de la PNL? Ciertamente ya es mucho el camino que ha recorrido desde sus comienzos en Santa Cruz. De manera que son muchos los pioneros que han retomado el cuento para llevarlo adelante: hacer de la programación neurolingüística una cosa práctica y ayudar a transformar las vidas de gente de verdad, como tú y yo. La literatura en torno a la PNL es abundante. Hoy por hoy, encontrarás la PNL aplicada entre médicos y enfermeras, taxistas, vendedores, entrenadores deportivos y contadores, profesores y adiestradores de animales, padres, obreros, jubilados y adolescentes... todos por igual. En la sección de "Los decálogos" mencionamos unos cuantos.

Cada nueva generación retoma aquellas ideas que resuenan en su propio campo de interés, las cierne y refina, y añade su propia experiencia. De manera que si la PNL alienta otras formas de pensar, abre nuevas opciones y reconoce la intención positiva que subyace a toda acción, entonces no podemos menos que decir que su futuro brilla con posibilidades. Lo demás es asunto tuyo.

Una nota sobre la integridad

Es probable que hayas escuchado los términos de integridad y manipulación asociados a la PNL, de manera que queremos dejar las cosas claras desde este instante. Influimos sobre los demás todo el tiempo. Sólo cuando lo hacemos de manera consciente para lograr lo que queremos, surge la cuestión de la integridad. ¿Manipulas a otros para obtener lo que quieres a costa de los demás? La pregunta que nosotras, las autoras, nos hacemos cuando nos encontramos en una situación de venta, es muy sencilla: ¿cuál es nuestra intención positiva respecto al otro, independientemente de si se trata de un individuo o de una compañía? Si nuestra intención es buena y lo que queremos es que la contraparte se beneficie, entonces somos íntegros... estamos ante una de aquellas situaciones en las que todos ganan. De lo contrario, sí hay manipulación. Siempre que apuntemos a una situación buena para las dos partes, vamos camino del éxito. Y como es bien sabido, siempre se nos pagará en la misma moneda.

Los pilares de la PNL: hacia arriba y al frente

Lo primero que se debe entender es que la PNL trata sobre cuatro ideas conocidas como los pilares de la PNL (ver figura 1-1). Estas cuatro piezas se explicarán en las secciones que verás a continuación.

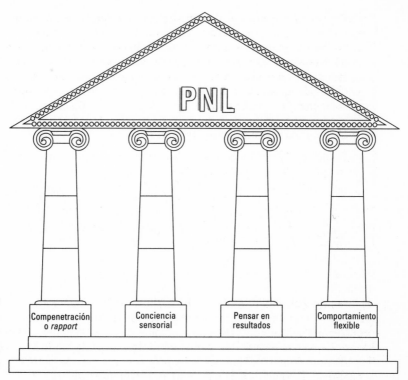

Figura 1-1:
Los pilares de
la PNL

✔ **Compenetración o *rapport*:** Construir una relación con los demás y consigo mismo es quizás el regalo más importante que brinda la PNL a la mayoría de los lectores. Dado el ritmo al que vivimos y trabajamos la mayoría de nosotros, una gran lección en la buena compenetración es cómo nos es posible aprender a decir "no" cuando solicitan nuestro tiempo, conservando nuestras amistades o relaciones profesionales. Para saber más sobre la compenetración o *rapport* ¿cómo construirla y cuándo deshacernos de ella?, dirígete al capítulo 7.

✔ **Conciencia sensorial:** ¿Has notado cómo, cuando entras en una casa ajena, los colores, los sonidos, los olores son ligeramente distintos a los de la tuya? ¿O esa mirada un tanto preocupada de tus colegas cuando hablan de su trabajo? Quizás tú registras el color del cielo por la noche o de las tiernas hojas verdes cuando llega la primavera. Igual que el famoso detective Sherlock Holmes, empezarás a notar lo mucho más rico que es el mundo cuando prestas atención a lo que te rodea utilizando los cinco sentidos que tenemos. En el capítulo 6 encontrarás todo lo que necesitas saber sobre las percepciones sensoriales y cómo utilizar los sentidos naturales de vista, tacto, gusto, olfato, oído y tu capacidad de sentir emociones para beneficio propio.

✔ **Pensar en resultados:** Con frecuencia, a lo largo de este libro, escucharás las palabras logros y resultados. Lo que esto significa en realidad es que empiezas a pensar qué es lo que deseas y quieres en vez de estancarte interpretando problemas negativos. Los principios de enfocarse en el resultado final pueden ayudarte a tomar las mejores decisiones y opciones, ya se trate de qué vas a hacer el próximo fin de semana, cómo realizar un proyecto importante o cómo encontrar el verdadero y profundo propósito de tu vida. Acércate al capítulo 3 para obtener los resultados que te mereces.

✔ **Comportamiento o conducta flexible:** Esto significa hacer algo distinto cuando lo que estés haciendo en el momento no funcione. Ser flexible es un asunto clave en la PNL; en todos los capítulos encontrarás herramientas e ideas con este fin. Te mostraremos nuevas perspectivas y te diremos cómo incorporarlas a tu repertorio. Quizá quieras aproximarte al capítulo 5 para empezar a ver cómo puedes maximizar tu flexibilidad.

Veamos un primer ejemplo sobre lo que esto puede significar en la vida diaria. Imagina que solicitaste un producto por correo. Bien puede tratarse de un *software* para archivar nombres, direcciones y teléfonos de amigos o clientes. Lo instalas en tu computadora, lo utilizas un par de veces y, de pronto, misteriosamente, deja de funcionar. El sistema genera un error a pesar de que has pasado horas instalándolo e introduciendo la información de todos tus contactos. Llamas a los proveedores pero la gente de servicio al cliente no sólo no es servicial sino abiertamente grosera.

Tendrás que hacer acopio de todas tus capacidades para compenetrarte con el encargado del servicio al cliente antes de que alguien preste atención a tu queja. Necesitarás recurrir a todos tus sentidos, en particular al oído, para escuchar con atención qué está diciendo el proveedor y estar muy atento a controlar tus emociones para decidir cuál es la mejor manera de responder. Y para eso has de tener muy claro cuál es el resultado que quieres obtener: ¿qué quieres que ocurra una vez hayas expuesto tu queja? Por ejemplo, ¿quieres que te devuelvan el dinero o que te cambien el *software*? Y por último, quizás encuentres necesario no sólo ser flexible en lo que concierne a tu comportamiento sino considerar otras opciones en caso de no lograr en el primer intento lo que quieres.

Modelos y construcción de modelos

La programación neurolingüística (PNL) surgió como un modelo de cómo nos comunicamos con nosotros mismos y con los demás. La desarrollaron Bandler y Grinder a partir de su estudio de grandes comunicadores. De manera que tiene mucho que decir respecto a modelos y construcción de modelos.

El trabajo de la PNL consiste en elaborar modelos de excelencia en todos los campos. La premisa es la siguiente: si es posible encontrar a alguien que es bueno para algo, entonces es perfectamente posible hacer un modelo de cómo aquella persona hace lo que hace y aprender de ella. Esto quiere decir que es posible hacer un modelo de quienquiera que admires: importantes figuras del mundo de los negocios o personalidades del mundo de los deportes, el camarero de tu restaurante preferido o tu enérgico profesor de aeróbics.

El modelo de comunicación

El modelo de la PNL explica cómo procesamos la información que nos llega de fuera. Según la PNL, nos movemos en la vida sin responder al mundo que nos rodea; respondemos a nuestro propio y personal modelo o mapa de ese mundo.

Uno de los presupuestos esenciales de la PNL es que "mapa y territorio no son lo mismo". Esto quiere decir que, aunque tú y yo nos enfrentemos a un mismo suceso, quizá lo hagamos de manera distinta. Imagina que asistimos a una celebración relacionada con la colección ...*para Dummies*: ambos pasaríamos un buen rato, conoceríamos una gran cantidad de gente amable, disfrutaríamos de buena comida y bebida, quizá viéramos un espectáculo. Sin embargo, si al día siguiente se nos pidiera que narrásemos lo que ocurrió, cada uno tendría una historia distinta que contar. Por eso, las representaciones internas que hacemos de un acontecimiento externo no coinciden de manera exacta con el acontecimiento en sí.

La PNL no cambia el mundo: simplemente nos ayuda a cambiar la manera como observamos/percibimos nuestro mundo. La PNL nos ayuda a diseñar un mapa diferente que, a su vez, nos ayuda a ser más eficaces.

Juan es un arquitecto que renta despachos de oficinas en alguna localidad céntrica. Se queja con frecuencia de que la limpieza de las oficinas deja mucho que desear, que el personal encargado es perezoso y que el gerente de la empresa jamás da una explicación satisfactoria. Al encontrarnos con Juan en su oficina, descubrimos que trabajaba en medio del caos, que deja la oficina llena de planos y diseños sobre toda superficie disponible y que no recoge nada. Con frecuencia trabaja hasta tarde y se enfurruña si le interrumpen, de manera que las personas encargadas de la limpieza entran y salen sin atreverse a molestarlo. Obviamente, jamás ha considerado el punto de vista de nadie distinto a él y no tiene idea de lo difícil que es limpiar su oficina moviéndose a su alrededor sin molestarlo. Su "mapa" de la realidad es muy distinto al del personal y la dirección de la agencia de limpieza.

Modelos de excelencia

Modelos de excelencia es otro tópico sobre el que oirás hablar. Esencialmente, el enfoque de la PNL consiste en que cualquier cosa que otra persona puede hacer se puede aprender siempre y cuando segmentemos el aprendizaje en partes lo suficientemente pequeñas. Se trata de un enfoque que abre y hace viable convertir enormes proyectos en una cantidad de proyectos pequeños... como comerse un elefante a trocitos.

Consejos para sacarle mayor provecho a la PNL

Como pronto descubrirás, la implementación práctica de la PNL consiste en aumentar las opciones cuando resultaría muy fácil caer en la trampa de limitarnos, dada nuestra experiencia, y decir simplemente: "Yo hago las cosas así y así se harán". Para sacar provecho a la PNL necesitamos ser muy abiertos y darnos y dar a los demás el beneficio de cuestionar las normas, apoyándonos unos a otros. Veamos a continuación algunos consejos para que no olvides lo anterior.

La actitud es lo primero

En esencia, la PNL es una actitud frente a la vida y una tecnología que nos otorga las herramientas y la capacidad de cambiar cualquier cosa que no refleje lo que realmente somos hoy. Cualquier cosa es posible si tenemos una actitud y un modo de pensar que respalden nuestro éxito. Si tu actitud en general no respalda tu deseo de llevar una vida rica y gratificante, entonces quizá haya llegado la hora de cambiar. Cambiar tu actitud y tu modo de pensar sí te cambiará la vida.

Mucha gente pasa el tiempo viendo el lado negativo de su vida: lo mucho que odian su trabajo o lo bueno que sería dejar de fumar o adelgazar. Sin embargo, si te condicionas para centrarte en lo que quieres, te será posible conseguir resultados positivos con rapidez.

La curiosidad y la confusión son buenas

Hay dos atributos que sería muy bueno que trajeras contigo para realizar este viaje: la curiosidad, es decir, aceptar que no conoces todas las respuestas y estar dispuesto a sentirte confundido, ya que las dos cosas siempre preceden todo nuevo entendimiento. Como dijo el gran hipnoterapeuta Milton H. Erickson (más sobre él en páginas posteriores): "La confusión siempre antecede a toda iluminación".

Si sientes que lo que se dice en este libro te confunde, dale gracias a tu inconsciente, ya que es el primer paso del camino al entendimiento. Considera la confusión una señal de que, en efecto, sabes más de lo que creías.

El cambio depende de ti

Atrás quedaron los tiempos en los que estabas condenado a permanecer en una espiral en caída repitiendo conductas y respuestas no sólo aburridas sino ineficaces. La PNL no es más que una ayuda para producir resultados mensurables que mejoran la calidad de vida de la gente sin necesidad de un largo y doloroso viaje al pasado.

Una vez te introduzcas en los capítulos que siguen, descubrirás la naturaleza de la PNL, es decir, que se trata de intentar cosas, de lanzarse al ruedo. Sin embargo, prueba tú mismo las ideas que aquí se exponen... no las engullas.

La responsabilidad por el cambio es sólo tuya: este libro no es más que un formador, de manera que, si no estás dispuesto al cambio, acabas de perder tu dinero. Así las cosas, te recomendamos hacer los ejercicios, tomar nota de lo que aprendes y luego enseñarlo y compartirlo con otros porque, al enseñar, se aprende dos veces.

¡Diviértete en el camino!

Durante una entrevista televisada que Michael Parkinson le hizo a Clint Eastwood, el actor ofreció un sabio consejo: "Tomémonos el trabajo en serio... no a nosotros mismos". La PNL conlleva reírse y divertirse. Si te dispones a encontrar la perfección, a ser perfecto, la cantidad de presión poco realista que te impondrás será enorme, de manera que más bien llévate una buena dosis de tu espíritu juguetón mientras haces este viaje y haz todo lo posible por ir entendiendo un mundo cambiante. Aprender es un trabajo serio que a la vez implica divertirse en serio.

Capítulo 2

Algunos presupuestos básicos de la PNL

*B*renda es una amiga mía (Romilla) y tiene una hija única a la que adora, Mary. Sin embargo, a los diez años, Mary era una criatura más bien malcriada en buena parte porque, cuando nació, Brenda y Jim ya habían perdido la esperanza de tener un hijo. Mary era proclive a unas rabietas que, gracias a Dios, tú no tienes que padecer. La niña solía revolcarse en el suelo dando gritos, moviendo brazos y piernas. Brenda no parecía hacer ningún progreso con las pataletas de Mary hasta que, un buen día... Mary, echada en el suelo, ejercitaba sus pulmones con extraordinario abandono; entonces, su muy sufrida madre optó por coger un par de sartenes metálicas que sacó del armario de la cocina y se unió a Mary en el suelo. Brenda empezó a golpear las sartenes contra el suelo de madera y a lanzar patadas y alaridos que superaron con creces los desmanes de Mary. ¿Sabes qué ocurrió? Que Mary se paralizó observando perpleja a su madre. Y en ese mismísimo instante, decidió que jamás sería capaz de igualar una rabieta como las de su experta madre, de manera que sería inútil persistir con este tipo de acción... y se acabaron las pataletas. Brenda asumió el control de su interacción con Mary porque su comportamiento dio muestras de mayor flexibilidad.

Esta pequeña anécdota ilustra cómo *la persona capaz de mayor flexibilidad en medio de un sistema, influye sobre el sistema*. Sin embargo, esta aseveración no es el resultado de un experimento realizado en un laboratorio. Se trata de uno de los presupuestos o suposiciones de la PNL; un supuesto que, de adoptarlo y practicarlo, podría facilitarte el camino a lo largo de la vida. La anterior historia es un ejemplo de sólo una de las muchas "creencias convenientes" que constituyen la base de la PNL.

Presupuestos de la PNL

Los presupuestos de la PNL no son más que generalizaciones sobre el mundo. En este capítulo explicamos algunos de los supuestos que consideramos más influyentes entre muchos otros que desarrollaron los fundadores de la PNL para que tú mismo los consideres.

No confundir el mapa con el territorio

Uno de los primeros presupuestos es que "el mapa no es el territorio". Esta afirmación apareció por primera vez en un ensayo titulado *Science and Sanity*, 1933, escrito por un conde polaco que era matemático. Korzybski aludía al hecho de que percibimos el mundo a través de los sentidos (vista, oído, tacto, olfato y gusto), es decir, el territorio. Luego, tomamos ese fenómeno externo y hacemos una representación interna del mismo dentro de nuestro cerebro, es decir, el mapa.

Este mapa interno que hacemos del mundo exterior, moldeado por nuestras percepciones, jamás es una réplica exacta. En otras palabras, lo que está fuera de nuestro cerebro jamás puede ser igual a lo que tenemos dentro.

Hagamos una analogía: mientras yo (Romilla) escribo sentada y desde mi invernadero, observo el roble que crece en mi jardín. Al cerrar los ojos, la representación que hago del árbol es completamente distinta a la del roble del jardín. Como no soy botánica, es muy probable que se me escapen algunos rasgos de los que con seguridad un botánico sí habría tomado nota. Sin embargo, el mero hecho de que yo no me percate o no vea tales rasgos y por lo tanto no formen parte de mi representación interna, no significa que dichos rasgos no existan. Intentemos otra analogía: imagina que conduces un automóvil por la ciudad de Londres; con seguridad las calles que te muestra el mapa de la ciudad son completamente distintas a las que tú estás viendo con tus ojos y por las cuales conduces en este momento; para empezar, las estaciones de metro por las que pasas son tridimensionales, mientras que las que muestra el mapa no son más que un círculo azul cruzado por una franja roja.

Todas las percepciones pasan por nuestro filtro

Nuestros sentidos nos bombardean con dos mil millones de *bits* de información por segundo, pero nuestra mente consciente sólo puede atender entre cinco y nueve fragmentos de información en un instante, de manera que la cantidad de información que queda por fuera tras pasar el filtro es enorme. Este proceso de filtración, además, se realiza bajo la influencia de nuestros valores y creencias, recuerdos, decisiones, experiencias, y claro, nuestro bagaje cultural y social, permitiendo que sólo entre aquello que nuestro filtro personal está preparado para recibir, es decir, sólo aquellas cosas para las que dichos filtros han sido sintonizados, por decirlo de algún modo.

Una amiga mía (Romilla) cree con pasión en la importancia del bienestar de los animales y, en efecto, tiene vínculos muy estrechos con ellos. Cuando conduce, no deja de ver animales detrás de los árboles, al lado de la carretera, o cruzando bajo una cerca mucho antes que cualquiera de los otros pasajeros que viajan con ella a pesar de que, en principio, ellos tendrían más tiempo para ir observando lo que ocurre a la redonda.

Es probable que algunos europeos y norteamericanos sufran un choque cultural considerable al visitar países como México o la India. Esto ocurre porque, debido a su entorno, no están acostumbrados a los niveles de pobreza presentes en algunas áreas de aquellos países; sin embargo, los lugareños aceptan esa pobreza como algo normal de la vida.

Territorio desconocido: al viajar por el mapa de otro

Lo que significa el subtítulo anterior es que cada uno de nosotros tiene un mapa muy personal del mundo y que, para que la comunicación sea fácil, resulta útil entender esa realidad interna o mapa de la persona con la que nos estamos comunicando.

Hace poco, mientras compraba una hamburguesa en un local nuevo, se me pidió que llenara un formulario para dar mi opinión respecto a la calidad, atención y precio de lo que me acababa de comer. Las mujeres tras el mostrador estaban muy alteradas porque un hombre, que acababa de salir, se había negado, de manera muy descortés, a llenar el formulario. Pregunté a las mujeres si habían considerado la posibilidad de que el pobre hombre no supiera leer en inglés y que, por tanto, su mala educación no fuera más que el resultado de su propia vergüenza. El cambio en las dos mujeres fue fenomenal. "¡Dios mío, jamás pensé en eso!", exclamó una de ellas. La conducta de ambas pasó en el acto de la furia y el resentimiento a una actitud de profunda lástima. Ellas se sintieron mejor y fueron capaces de dejar atrás los sentimientos negativos que las embargaban hasta el momento.

Cuando te encuentres en una situación en la que la reacción de otra persona te sorprenda o irrite o simplemente te confunda, puedes utilizar la misma estrategia que usé yo en aquella ocasión. O, cuando te encuentres cara a cara con una persona que consideras un verdadero dolor de cabeza, sigue estos pasos para cambiar la idea que tienes de esa persona (incluso en el caso de que todos tus asuntos anden bien por el momento, igual puedes poner en práctica la técnica que acabo de señalar: basta que pienses en alguien cuyo comportamiento francamente no soportes).

1. **Da gracias por las muchas cosas que tienes.**

2. **Toma ejemplos sacados de situaciones de tu propia cosecha y disponte de una manera más generosa.**

3. **Pregúntate qué podría estar pasando en el mundo de esa otra persona para explicar su comportamiento.**

Cuando empieces a dominar este procedimiento, quizás encuentres que no sólo estás más contento con lo que te tocó en suerte sino que podrás aceptar a la gente y su idiosincrasia con tranquilidad.

La gente reacciona según su mapa del mundo

Reaccionamos según el mapa del mundo que hemos diseñado en nuestra mente. El mapa está montado sobre la base de lo que creemos que son nuestra identidad y nuestros valores, creencias, actitudes, recuerdos y ámbito cultural.

Algunas veces el mapa del mundo desde el que opera otra persona puede parecernos incomprensible. Sin embargo, un poco de comprensión y tolerancia puede enriquecernos la vida.

Cuando mi (Romilla) madre acababa de licenciarse en Medicina, solía visitar un hospital psiquiátrico. Uno de sus pacientes era un profesor de inglés muy bien hablado y educado. Una de sus pequeñas flaquezas consistía en que le daba por deambular por la noche armado con un paraguas abierto. Estaba convencido de que los rayos de luz de la luna podían afectarlo. A pesar de ello, el profesor solía deleitarse compartiendo su pasión por la literatura inglesa con el personal del hospital, que a su vez se veía enriquecido gracias a su intercambio diario con el profesor. De haber sido ellos intolerantes con el "profesor chiflado" y de haberlo ignorado, quizá sus vidas se hubieran empobrecido (aunque no se dieran cuenta de ello) sin conseguir la riqueza de sus anécdotas literarias y su sentido del humor: él mismo solía autodenominarse el "paciente impaciente".

El mapa del mundo de un niño

A veces, el mapa del mundo de un niño puede llevar a un adulto a que piense las cosas dos veces. Esto lo ilustra un encantador fragmento de un correo electrónico que circuló por ahí.

Un policía, sentado dentro de su camioneta en compañía de su perro guardián, vio a un niño que los observaba con atención. El niño preguntó si era un perro lo que estaba dentro de la camioneta. El policía le confirmó que, en efecto, se trataba de un perro. El niño, muy confundido, preguntó: "¿Y qué hizo para que lo arrestaran?"

El fracaso no existe, simplemente hay resultados de los cuales podemos aprender

Lo anterior es un supuesto por el que vale la pena vivir. Todo el mundo comete errores y sufre reveses. Tú puedes dejarte atribular por todo lo que no te sale bien u optar por aprender las lecciones que se te presentaron, levantarte e intentar a saltar el obstáculo de nuevo.

Yo (Romilla) asistí a un curso dirigido por un maravilloso kahuna hawaiano, Serge Kahili King, durante el cual dijo que él nunca cometía errores. Lo dicho provocó no pocas risitas ahogadas, ya que ninguno de los asistentes le creímos y además porque un curioso brillo en sus ojos traicionaba la seriedad de su rostro. Entonces, el hombre matizó su afirmación agregando que quizá no siempre lograba lo que quería, pero que jamás cometía errores.

Piensa en un marinero que navega de Southampton a Sidney. ¿Alzará los brazos en señal de desesperación, llorando y pañuelo en mano, porque su nave se sale ligeramente de curso, o más bien hará los ajustes necesarios, corregirá la posición del timón y de ahora en adelante atenderá lo que le indica su brújula?

Por lo general asociamos la palabra "retroalimentación" a información que recibimos o a una respuesta o reacción de otra persona. En nuestro caso, hemos ampliado su significado para incorporar también los logros o el resultado que obtenemos de una situación particular.

Thomas Edison es la persona indicada para aprender algo sobre la retroalimentación. Aunque se le conoce como inventor de la bombilla eléctrica, sus inventos fueron muchos más. Su genio radica en que, primero, ponía a prueba sus ideas, luego, aprendía de los resultados "inesperados" de sus pruebas, y por último, reciclaba los conceptos de experimentos que habían fallado usándolos para otros inventos. Al tiempo que mucha gente consideró los miles de intentos fallidos de Edison en su camino para inventar la bombilla eléctrica como fracasos, él veía cada intento como una manera más de aprender cómo no se hacía una bombilla eléctrica.

Preocuparse por los "fracasos" hace que sigamos concentrados en el pasado y en los problemas. En cambio, si examinas los resultados obtenidos, aunque no sean los deseados, te será posible centrarte en otras posibilidades y dar un paso adelante.

Siempre que te enfrentes al fracaso puedes recurrir a este presupuesto de PNL para hallar posibilidades de crecimiento y desarrollo haciéndote las siguientes preguntas.

Piensa en algo en lo que crees que "fracasaste" y pregúntate:

✔ ¿Qué quiero lograr?

✔ ¿Qué he conseguido hasta ahora?

✔ ¿Qué retroalimentación he recibido?

✔ ¿Qué lecciones he aprendido?

✔ ¿Cómo puedo usar de manera positiva tales lecciones?

✔ ¿Cómo puedo medir mi éxito?

✔ ¡Ahora pon manos a la obra de nuevo!

¿Te imaginas un mundo en el que te hubieras negado a aprender a caminar simplemente porque te caíste en el primer intento? ¡Imagina lo que sería una de esas estaciones de metro congestionadas a la hora punta si sólo un par de personas dominaran el arte de caminar!

El significado de toda comunicación es la respuesta que esta suscita

No importa lo respetables que sean tus intenciones a la hora de comunicarte, el éxito de la interacción depende de la manera como el oyente recibe el mensaje y no cuál fuera tu intención. En otras palabras, el sentido y significado de toda comunicación es la respuesta que suscita.

Lo anterior es otro más de los muy poderosos presupuestos en torno a la comunicación, entre otras cosas porque ubica el peso de la responsabilidad, cuando se trata hacer llegar un mensaje, al pie de tu puerta. Cuando asumas este presupuesto, ya no te será posible culpar al otro por cualquier malentendido. Si la respuesta que recibes no es la que esperabas, entonces tú, en tanto estudiante de PNL, contarás con los elementos necesarios para comprender, con la ayuda de tus sentidos, que la otra persona no está entendiendo de qué se trata el asunto. Tendrás también la flexibilidad necesaria para hacer las cosas de otro modo, con tu conducta y tus palabras.

Así, empieza con el propósito final en mente y piensa cuál es el resultado que esperas de tu comunicación. ¿Qué ocurriría si un obrero de la construcción empezara a colocar ladrillos sin ton ni son? ¡Seguro que no levantará una catedral! Para poder construir algo con cimientos sólidos se necesita empezar con la visión final de un arquitecto. Esto, además, es una excelente manera de mantener las emociones a raya cuando uno se ve involucrado en una situación dura y comprometida.

Si quieres saber algo más respecto a la conciencia sensorial, ve al capítulo 7. En el capítulo 5 se te indican otras maneras de practicar la flexibilidad en el comportamiento y se te da otro par de consejos para lidiar con las emociones cuando la situación se complica.

Si lo que estás haciendo no funciona, haz algo distinto

Tan sencillo... y sin embargo, no siempre modificamos nuestro comportamiento. Después de todo, es mucho más fácil pasar por la vida deseando que los demás cambien y, claro, disfrutar con la angustia que nos generan esas horribles reflexiones sobre los demás (sólo me estoy burlando).

No todo el mundo dispone de recursos internos, pero el mero hecho de que estés leyendo este libro significa que has mostrado iniciativa para hacer cambios en tu vida. Entonces, nos atrevemos a decirte que te costará mucho menos esfuerzo y energía cambiarte a ti mismo que intentar que alguien se ajuste a tus ideales.

Si aceptas este presupuesto de la PNL, entonces reconoces que es mucho mejor cambiar de táctica que continuar dándote contra las paredes o pasar el resto de la vida lamentándote de tu mala fortuna. Sin embargo, antes de cambiar de táctica o de hacer algo diferente, has de entender por qué lo que haces ahora no está funcionando.

Entonces, ¿por qué no funcionan las cosas tal como ahora las haces? ¿Será que no has podido comunicar con precisión lo que quieres? Es posible que aquella otra persona no haya descubierto los recursos que necesitas para contribuir a tu anhelo, en cuyo caso, ¿por qué no haces algo diferente para obtener los resultados deseados?

Por ejemplo, si no te están dando todos los abrazos que crees desear, quizá lo mejor sea decírselo a tu pareja de inmediato. Eso sí, recuerda que la retroalimentación positiva funciona de maravilla, de manera que, si tu pareja empieza a manifestarse con expresiones físicas de cariño, asegúrate de que se entere de lo mucho que aprecias ese contacto.

Piensa en el siguiente caso. Patricia era una estudiante que aprendía más y mejor a través de las emociones y el tacto. Esto significaba en términos concretos que le costaba mucho trabajo seguir las clases típicas de "pizarrón y gis" más adecuadas para quienes tienen una inclinación visual o auditiva. Como resultado, Patricia encontraba cada vez más difícil estar al día en sus tareas de clase y no estaba rindiendo lo que podía. Afortunadamente, su maestra comprendió que Patricia necesitaba aprender a estudiar y a implementar sus lecciones de manera más práctica. Un profesor menos dotado hubiera culpado a Patricia o la hubiera tildado de tonta o de que no tenía una buena actitud frente a sus estudios. Tuvo la suerte de encontrar a una profesora que comprendió las razones de su problema y asumió la responsabilidad de hacer algo diferente ajustando sus métodos pedagógicos para ayudar a que Patricia aprendiera utilizando todo su potencial. La profesora de Patricia era una buena profesora: no sólo fue flexible, sino que asumió la responsabilidad por la eficacia de su enseñanza. En lugar de culpar a Patricia por su incapacidad para aprender, la profesora encontró otra manera de acercársele.

Tu sistema de representación primordial

Percibimos el mundo a través de nuestros cinco sentidos: visual (ojos), auditivo (oídos), cinestésico (emociones y tacto), olfativo (nariz) y gustativo (gusto). Es probable que prefieras utilizar uno de estos sentidos a la hora de recoger información sobre el mundo que te rodea, particularmente en los momentos de mayor estrés. Dicho sentido se conoce como tu *sistema figurativo* o *de representación primordial*. Y claro, este incide sobre tu forma de aprender y representa tu mundo externo dentro de tu cabeza. Hablaremos más sobre esto en el capítulo 6.

Es imposible "no comunicar"

¿Te ha ocurrido alguna vez que, tras amable sonrisa y algún acto de cortesía dirigidos a alguien, la respuesta de ese alguien es tal que tú no puedes menos que pensar que te está diciendo "¡Ay, Dios, váyase al infierno!"? ¿No? Bueno, qué suerte la tuya, ya que, de lo contrario nosotras, las autoras, apostaríamos que la postura de tu cuerpo o la manera como rechinaste los dientes no hubieran engañado a nadie. Estamos seguras de que, si la persona receptora del mensaje sabe algo de PNL o si tiene una pizca de agudeza sensorial, se percatará de la falta de calor en tus ojos, de la mueca de tu sonrisa o del leve gruñido en el tono de tu voz. De manera que, aunque no hubiera proferido el "váyase al infierno", ese era el mensaje que estaba comunicando.

Esto lo confirma un fascinante estudio, uno de cuyos pioneros fue el profesor Albert Mehrabian, quien estableció que, cuando hablamos de emociones y actitudes, lo que realmente decimos tiene mucho menos impacto que el tono que usamos y nuestra postura corporal. La influencia (o impacto), en porcentajes, es la siguiente:

✔ Verbal: 7 %

✔ Tono: 38 %

✔ Lenguaje corporal: 55 %

Todo individuo dispone de todos los recursos necesarios para lograr los resultados que quiere

¡Adoramos esta premisa! Es muy positiva. En pocas palabras, lo que significa es que todo el mundo tiene la capacidad de desarrollarse y crecer. Ahora, el punto importante es señalar que quizá no todos tenemos todos los recursos internos que necesitamos, pero sí que tenemos los recursos internos suficientes para procurarnos nuevos recursos internos y externos.

A Tomás, un niño de ocho años, lo acosaban en el colegio. Tuvo los recursos suficientes para pedirle a su padre que le ayudara a enfrentarse a los matones. Su padre le recomendó que se portara con más firmeza, seguridad y confianza en sí mismo. Pero Tomás no sabía cómo hacer eso. Al pequeño le encantaban las películas de Terminator y su héroe era Arnold Schwarzenegger. El padre de Tom le enseñó el ejercicio del *círculo de la excelencia* y le pidió a su hijo que, cuando entrase en el círculo, imaginara que era Arnie. La confianza recién encontrada de Tom incidió sobre su comportamiento, su lenguaje corporal y su actitud. Como resultado de ello, sus verdugos desaparecieron y su prestigio se elevó por los cielos cuando otras pequeñas víctimas se le acercaron implorando que les enseñara su técnica. El círculo de la excelencia es una estupenda técnica para mentalizarnos positivamente construyendo un estado pleno de recursos sobre el que podrás saber más si te diriges al capítulo 9.

Toda conducta conlleva una intención positiva

Desgraciadamente, lo anterior también es cierto tanto sobre el buen comportamiento como sobre el mal comportamiento (o conducta no productiva). Con una intención positiva oculta detrás de un mal comportamiento, esta se eclipsa.

Toda conducta, por muy extraña, compleja o terrible que parezca, tiene una intención positiva para la persona que la realiza. Siendo así, la PNL trabaja a partir de conductas limitadoras (o que no funcionan): se observa qué quiere conseguir o evitar una persona con una determinada conducta limitadora, y se encadenan los resultados hasta que esa persona consigue identificar cuál es la intención positiva que la anima a adoptar esa conducta, aunque aparentemente sea negativa.

Por ejemplo, un niño puede hacer el payaso en clase (conducta no positiva) para ser aceptado por sus compañeros (intención positiva), a pesar de que sus maestros y padres encuentren que ese papel es muy destructivo.

Tomemos también el ejemplo de Julia. Era la menor de cinco hermanos y había sufrido de la espalda desde que tuvo memoria, pero los médicos no encontraban la causa de su dolor. La madre de Julia era una mujer frívola y egocéntrica, más interesada en salir de fiesta que en criar a su familia. Cuando nació Julia, su padre se encargaba de hacer todas las compras y de cuidar a la recién nacida. Luego, los hermanos de Julia la ayudaban a llevar los libros al colegio y vivían pendientes de que siempre estuviera bien atendida. Cuando Julia por fin aceptó consultar a un terapeuta, con su ayuda pudo reconocer que el problema de su espalda era psicosomático. Comprendió que era su manera de recibir el amor y la atención que añoraba de su madre pero que nunca recibió.

El comportamiento de Julia es una excelente demostración del presupuesto que aquí tratamos, ya que, para ella, la intención positiva estribaba en tener a toda su familia alrededor, cuidándola, mientras que en el fondo todo lo que deseaba era satisfacer sus ansias de amor y atención. Cuando Julia comprendió la naturaleza de su necesidad, también fue capaz de reconocer que recibía enormes cantidades de amor y atención de su padre y de sus hermanos. Uno de los "efectos secundarios" de la terapia fue que Julia pudo entender que el comportamiento de su madre era producto de los problemas de su madre y no culpa suya.

Si te es posible entender la intención positiva que está llevando a una persona a tener un comportamiento peculiar, también te será posible ser más flexible y así ampliar tu capacidad para comunicarte. Entonces podrás ayudar a cambiar el comportamiento indeseable y nocivo simplemente satisfaciendo la intención real pero oculta de dicho comportamiento de manera más positiva.

Cuando una de las autoras trabajó para una compañía multinacional, un gerente de ventas, Patrick, solía ocupar uno de los tres escritorios desocupados que había en la esquina donde trabajaba la primera siempre que hacía una visita. Detestable, repelente y poco considerado eran los adjetivos más amables con que la gente solía calificarlo. Patrick desplegaba su presencia física: se despatarraba sobre su silla empujándola lejos del escritorio de manera que la gente que trabajaba al lado de la autora no tenía más remedio que apartarse y encogerse para pasar por su lado. El tipo vociferaba, daba órdenes a todo el mundo y trataba a su secretaria a patadas. Un chisme que corría en la oficina nos hizo saber que el comportamiento del pobre Patrick era el resultado de una madre dominante y una esposa aún más exigente. Desgraciadamente, su necesidad de ser aceptado, y particularmente de que se le respetara, lo llevaba a comportarse de manera que lograba justo lo contrario de lo que deseaba. Uno de los beneficios de habernos enterado del pasado de Patrick fue que la mayoría de nosotros pudo pensar en él con un poco más de conmiseración, y su presencia dejó de subirnos la presión arterial. Mostrándole un poco de aceptación, fuimos capaces de satisfacer un poco sus necesidades y suavizar su conducta.

La gente es mucho más que su comportamiento

El otro día (Romilla) estaba mirando un programa de televisión sobre discursos de importantes figuras históricas. Lo único que me llamó la atención, aunque en retrospectiva, fue algo que le escuché decir a Martin Luther King Jr. en respuesta a la pregunta de un periodista sobre cómo lidiar con los racistas. Bien podría Martin Luther King estar citando nuestro presupuesto de que la gente es más que su comportamiento cuando dijo: "Estoy hablando de un tipo de amor que hará que usted ame a la persona que procede mal a pesar de que siga odiando el mal que hizo dicha persona".

La cuestión es que portarse mal no hace mala a la persona. Realmente es muy importante separar el comportamiento de la persona. La gente se puede portar mal si no tiene los recursos o la capacidad de portarse de manera diferente. Quizá se encuentren en un medio que les impide sacar lo mejor de sí. Ayudar a alguien a desarrollar sus capacidades o conducirlo a un medio más propicio puede, con frecuencia, cambiar radicalmente su comportamiento y conducirlo a nuevos niveles de excelencia.

(Romilla) Conocí a un joven muy dulce y amable, Bob, a quien le habían diagnosticado dislexia. Bob adora los animales y es extremadamente bueno cuando alguna de esas criaturas se ha lastimado. Desgraciadamente, debido a las circunstancias, Bob fue tildado de complicado y alborotador y se había metido en problemas con la policía por asuntos de droga. La gente en su barrio lo consideraba una mala persona. Sin embargo, una vez se le ayudó a cambiar lo que él pensaba sobre sus propias capacidades, se convirtió en un miembro muy valorado de la comunidad, y trabaja en una organización protectora de animales.

Cada uno de nosotros se comporta de manera distinta en distintas áreas de la vida. En el capítulo 11 podrás leer sobre lo que llamamos niveles lógicos, donde verás cómo la gente opera a distintos niveles:

✔ Identidad

✔ Valores y creencias

✔ Capacidades, destrezas y talentos

✔ Comportamiento

✔ Entorno

Al ayudar a Bob a cambiar sus capacidades, lo que creía sobre sí mismo también empezó a cambiar. Esto le permitió introducirse en un medio, en un entorno en el que él sentía valioso; todo lo demás no fue más que una profecía que transformó su identidad —"soy un fracaso"— en "la verdad es que puedo contribuir". Así, a pesar de que el comportamiento de Bob era malo, eso no lo hacía necesariamente una persona mala; Bob es mucho más que lo que su comportamiento deja ver, es un hombre cariñoso y amable, como pudimos comprobar.

Cuerpo y mente están entrelazados e inciden uno sobre la otra

La medicina holística opera sobre el principio de que la mente incide sobre el cuerpo y viceversa. De manera que, para mantener saludable y sano a un ser humano, el médico practicante debe hacer algo más que eliminar los síntomas; debe examinar cuerpo y mente y tratarlos de forma simultánea.

Recientes investigaciones han mostrado lo bien integrados que están cuerpo y mente. Los neurotransmisores son sustancias químicas que transmiten impulsos a lo largo de nuestro sistema nervioso. Son el medio a través del cual nuestro cerebro se comunica con el resto del cuerpo. Cada uno de nuestros pensamientos alcanza hasta la última, más lejana, recóndita y minúscula célula de nuestro cuerpo por medio de los neurotransmisores. Investigaciones posteriores han descubierto que esos mismos neurotransmisores, que en principio deben estar en el cerebro, también pueden ser producidos por nuestros órganos internos. La idea de que los mensajes se inician y transmiten en una sola dirección a lo largo de las neuronas ya no es verdad; estos mensajes también pueden iniciarse y ser transmitidos desde otros órganos. El Dr. Pert, del National Institute of Mental Health, habla de "cuerpo-mente", es decir, el cuerpo y la mente operando como un todo integral ya que, a nivel de los neurotransmisores, no existe tal separación entre la mente y el cuerpo.

Para entender un poco mejor esta conexión y verla en acción, sigue estos pasos:

1. **Haz un círculo con el pulgar y el índice de la mano izquierda.**

2. **Ahora haz lo mismo con la mano derecha pero de manera que el nuevo círculo esté dentro del primero.**

   (La intersección de los círculos sólo podrá deshacerse tirando hacia fuera una mano.)

3. **Piensa en alguien que te cae muy bien y tira con fuerza para separar los círculos.**

   Difícil, ¿no?

4. **Piensa en alguien que te cae muy mal y procede a separar los círculos.**

   Mucho más fácil, ¿verdad?

¿Te ha resultado más fácil separar los círculos cuando pensabas en alguien que no te cae bien? Si pensar en algo tan sencillo puede afectar a la cantidad de presión que ejercen tus músculos, ¿qué crees que ocurre cuando tu cuerpo está sometido a permanente estrés?

Poder escoger es mejor que no poder hacerlo

La PNL promueve la idea de que tener opciones es sano para el individuo. A veces podemos pensar que no tenemos la alternativa de cambiar de trabajo, irnos a otro país, romper una nefasta relación. Quizá te encuentres en uno de esos momentos en los que te dices: "No tengo salida" o "Tengo que hacer esto". El miedo al cambio, la falta de confianza en nuestras capacidades, o incluso, en ocasiones, el desconocimiento de nuestras fortalezas, nos pueden impedir hacer cambios urgentes y necesarios. La PNL dice "¿qué ocurriría si el problema fuera diferente?" y pretende abrirte el horizonte haciéndote ser consciente de todos los recursos de los que ya dispones y de los muchos que puedes adquirir. La PNL te ayuda a explorar las razones por las que quieres provocar dicho cambio aunque no se trate más que de una minúscula insatisfacción. Cierto, un cambio puede ser como navegar en mar picado, pero del mismo modo, la gente que conocemos y que ha sorteado con éxito las aguas turbulentas, tras decidir por sí misma realizar el cambio, suele estar más contenta y controla mejor su vida. En el capítulo 3 encontrarás ayuda respecto a qué deseas hacer con tu vida y cómo empezar a realizarlo.

Curiosamente, lo anterior resultó ser particularmente cierto en mi caso, cuando trabajaba para una multinacional que, en ese momento, estaba haciendo recortes de personal. La mayoría de los empleados simplemente se sentó a esperar con la esperanza de que no los obligaran a irse. La industria informática estaba de capa caída y el trabajo escaseaba. La opinión general era que la gente no tenía más remedio que aferrarse al puesto que tenía, sin importar cuánta presión ejerciera la compañía. No tenían alternativa. Quienes sentían alivio de alejarse del estrés al que estaban sometidos eran personas que sabían lo que esperaban de sus trabajos y, por tanto, habían hecho los preparativos necesarios para pasar a otras carreras alternativas o que estaban dispuestas a contemplar otras opciones, sin importar lo exigentes que fueran.

Construir modelos de rendimiento exitoso conduce a la excelencia

Cuando observo a una atleta como Paula Radcliffe cruzar la meta, siempre me llena de admiración. ¿Cómo será sentirse en tan óptimo estado físico? Entonces se me ocurrió que, si aspiramos ser Paula Radcliffe y tenemos un cuerpo sano, siempre y cuando contemos con la determinación inquebrantable y la red de apoyo con la que cuenta la atleta, bastaría desarrollar nuestras creencias y valores para que se ajustaran a nuestro entorno, alinear nuestras capacidades y nuestro comportamiento y cumplir nuestras aspiraciones.

La PNL te ofrece las herramientas que necesitas para elaborar un modelo de alguien, tomar lo que esa persona hace bien y reproducirlo o "modelarlo". Sin embargo, el asunto no tiene que ser un sueño tan enorme como convertirse en el próximo campeón de los 100 metros planos. Puede ser algo tan sencillo como repetir el modelo de las habilidades de un colega que siempre entrega sus proyectos a tiempo o de un amigo que siempre sabe qué decir en el momento oportuno. A esa persona que deseas emular, puedes preguntarle qué la inspira, cómo sabe cuál es el momento indicado para hacer lo que hace y cómo logra mantenerse centrada en sus metas. En el caso del colega es posible que dicha persona recurra a una serie de estrategias para cumplir con las fechas de entrega que quizás tú mismo puedas aprender a reproducir. Hacer un modelo del éxito de alguien es una excelente manera de transformar posibles sentimientos de envidia o celos en un proceso constructivo y así tener la experiencia del éxito uno mismo.

Una última palabra sobre los presupuestos: absórbelos y observa qué pasa

Prueba los presupuestos y las suposiciones como si fueran generalizaciones ciertas. Practica aquellos que encuentres particularmente útiles hasta que se conviertan en un acto reflejo. Al tiempo que practicas los presupuestos de la PNL, haz una lista y escoge uno para asumirlo en el día a día. Encontrarás, de pronto, que estás viviendo en carne propia el presupuesto y que vivir es un poquito más fácil.

Una buena manera de ampliar tu conocimiento sobre la PNL consiste en explorar tus suposiciones y presupuestos básicos respecto a la vida. No importa qué pienses ahora sobre distintos problemas y personas, cómo te comunicas con los demás y qué te parece importante. A veces es útil asumir nuevas perspectivas. Hacerlo bien puede provocar un nuevo comportamiento.

Recuerda: No existen respuestas correctas. A medida que le vayas tomando el gusto a cada uno de los presupuestos, considéralos con cuidado. No tienes que estar de acuerdo con todos y cada uno de ellos. Sólo póntelos encima un rato para ver cómo te quedan y luego observa, escucha y siente lo que quieras que ocurra al hacerlo.

Capítulo 3

Asume el control de tu vida

· ·

En este capítulo

▶ Entender que podemos optar por sentirnos bien o por sentirnos mal

▶ Influir sobre cómo nos trata el mundo

▶ Llevar con firmeza las riendas de nuestra vida

▶ Trabajar con nuestro cerebro para alcanzar nuestras metas fácilmente

▶ Descubrir la fórmula secreta del éxito

· ·

*N*uestros recuerdos pueden ser un don maravilloso o una fuente de sufrimiento. Pueden envolvernos con delicadeza en sedas o atarnos con alambre de púas. Pueden impulsarnos hacia nuestros sueños o atraparnos en el pasado. Sin embargo, con la ayuda de la PNL y entendiendo que te será posible programar tu mente, tu pasado no tiene por qué crear tu futuro.

Este capítulo trata sobre todo aquello que lleva a que seas el conductor y no el pasajero en la historia de tu vida. De manera que pongámonos en marcha. Es la hora de divertirse.

Asumir el control de nuestros recuerdos

Nuestros recuerdos los registramos en imágenes, sonidos y emociones y, ajustando los mandos que corresponden a cada una de estas cualidades, nos es posible intensificar los recuerdos positivos y quitarles el veneno a los negativos. Te invitamos a que leas más sobre cómo ajustar la cualidad y calidad de tus recuerdos en el capítulo 10, "Controlar los mandos". Sin embargo, por el momento, puedes empezar a ejercitar tus músculos para-controlar-recuerdos haciendo los siguientes ejercicios.

Con este primer ejercicio aprenderás a recordar y manipular un recuerdo positivo para que puedas sentirte bien. Sigue estos pasos:

1. **Piensa en un día en el que fuiste verdaderamente feliz.**

2. **Fíjate bien en qué cosas ves, oyes, sientes al rememorar tu recuerdo.**

3. **Si el recuerdo es una imagen, ajusta su calidad de manera que esta sea más grande, nítida, luminosa y la veas desde más cerca. Si te ves a ti mismo, intenta entrar en la imagen para averiguar si hacerlo te hace sentir aún mejor.**

    Encontrarás más información sobre este "entrar en la imagen" en el capítulo 10, en la sección "Asociarse o disociarse". Verás cómo, al ajustar la calidad de la imagen, es posible intensificar las emociones positivas y sentirse mejor y más feliz.

4. **Intenta registrar sonidos que hubieran podido escucharse entonces en el recuerdo. ¿Aumentan las sensaciones placenteras al subirles el volumen o al ubicarlos por dentro o por fuera de tu cabeza?**

5. **Pondera los sentimientos o emociones que te embargan. ¿En qué parte del cuerpo las sientes? ¿Acaso tienen color, textura o peso? Al cambiar la ubicación de las emociones o su color, textura y peso, ¿se alteran tales emociones? Ajusta todos estos parámetros de manera que realcen tus emociones.**

Una vez realizado el ejercicio anterior, no has hecho otra cosa que manipular la calidad y cualidad de las experiencias de tu pasado y, más importante, has visto cómo te es perfectamente posible alterar la estructura de tus recuerdos para disminuir los efectos de las experiencias negativas y revivir e intensificar las jubilosas.

Por supuesto, no todos los recuerdos son buenos. Este segundo ejercicio te indica cómo cambiar la calidad de un recuerdo poco placentero. Al cambiar los atributos del recuerdo negativo, te será posible deshacerte de emociones igualmente negativas que quizá todavía te tengan atrapado. Sigue estos pasos:

1. **Piensa en un recuerdo medianamente desagradable**. Para realizar este ejercicio, y mientras te haces más ducho en esto de las técnicas de la PNL, piensa en un recuerdo más o menos desagradable. Por favor, deja de lado los recuerdos de peso pesado, como los traumas, para tratarlos en compañía de un terapeuta profesional.

2. **Fíjate bien en las imágenes, sonidos y emociones que tal recuerdo suscita.**

3. **Si tú estás dentro de la imagen, sal de allí para convertirte en un mero observador.**

Encontrarás más información sobre esto de salir y entrar en la imagen de un recuerdo en el capítulo 10, en la sección "Asociarse o disociarse". Por ahora, simplemente imagina que te encuentras detrás de una cámara cinematográfica filmándote a ti mismo mientras representas el recuerdo con el que estás trabajando.

4. **Cambia cualquier sonido que registres de manera que se suavice o quizás haga que la gente de la imagen hable como Mickey Mouse.**

   Así, si en tu recuerdo surgen sonidos como por ejemplo de sirenas o llantos, te será posible suavizarlos, o si lo que escuchas es a alguien diciendo algo desagradable, bien puedes ponerlo a hablar con la voz tonta con la que hablan en los dibujos animados.

5. **Ajusta la calidad de la imagen.**

   Hazla más pequeña, oscura y en blanco y negro; aléjala hasta convertirla en un punto casi invisible. Quizá te apetezca ponerla a plena luz del sol para que entre en combustión. Al dar este paso, estarás deshaciéndote de las garras del recuerdo que te tenía atrapado.

Ahora bien, cambiar o alterar un recuerdo no significa que el incidente no haya ocurrido. Sin embargo, significa que tienes la opción de decidir cómo te afecta tal recuerdo hoy por hoy y el impacto que pueda tener en el futuro.

Lo ves porque crees en lo que ves

Si tú formaras parte de un grupo de gente que presencia un asalto, es muy probable que ninguno de ustedes contara a la policía la misma versión. Esto ocurre porque todo el mundo recibe la información con la que crea su propia realidad a través de sus cinco sentidos: visual (la vista), auditivo (sonidos), cinestésico (el tacto), gustativo (gusto) y olfativo (olores). Sin embargo, nuestros sentidos bombardean nuestro cerebro con tal cantidad de información que, para no perder la cordura, sólo procesamos una diminuta fracción de toda esa información que entra. Ahora, aquello a lo que accede nuestro cerebro lo dictaminan unos filtros que son combinaciones entre lo que creemos ser, nuestros valores y creencias, y nuestros recuerdos. Encontrarás más información sobre estos filtros en el capítulo 5, "Pulsando los botones de la comunicación".

Igual que tus filtros orquestan y dirigen lo que percibe, también afectan a lo que tú proyectas al mundo. Si te ves rodeado de gente iracunda, egoísta o celosa, podría ser porque tú albergas una ira no resuelta o porque quizás operas desde un modelo del mundo amenazado por la escasez, o quizás estés celoso del éxito de alguien.

Una de mis (Romilla) clientas, Mary, estaba incómoda en su trabajo porque la intimidaban y maltrataban. La supervisora y el secretario de la sección se habían confabulado para portarse de manera desagradable y mezquina con ella. Ayudé a Mary a que comprendiera que la supervisora era una mujer sola y mayor, que prácticamente no tenía amistades y además era muy poco estimada en el lugar de trabajo. Recomendé a Mary que, cada vez que viera a la supervisora, la imaginara con un cartel colgado en el que se leía: "Me siento despreciable y antipática". Mary empezó a sentir compasión en lugar de miedo. Comprendió, también, que su propia autoestima necesitaba un aliciente y empezó a no ceder terreno aprendiendo a decir no. Al principio no fue fácil, pero Mary no sólo logró aumentar su autoestima sino que ya no le afectaba el comportamiento de su supervisora. En el caso de Mary, es posible que, al proyectar su falta de autoestima, terminara por sentir que la maltrataban. El hecho es que, al cambiar su ser por dentro, ganando confianza en sí misma, terminó por ver un cambio correspondiente en el comportamiento de la gente que la rodeaba. Una de las formas de cambiar nuestro entorno es examinando y cambiándonos a nosotros mismos, y esto es posible haciéndonos responsables de nuestros actos y pensamientos, superando obstáculos como, por ejemplo, el de culpar a los otros.

El juego de echarles la culpa a los demás

Es mucho más fácil culpar a alguien de nuestros infortunios que asumir la responsabilidad de poner las cosas en orden nosotros mismos. No es fácil darse cuenta de que, al culpar a alguien, lo que hacemos es entregar nuestro poder a ese otro. Al culpar a otro, asumimos el papel de víctima.

Además de sentirse maltratada, Mary se quejaba de que su jefa "se negaba a subirle el sueldo". Y era cierto. Sin embargo, Mary era excesivamente modesta respecto a sus logros en el trabajo y, dado que su jefa no era precisamente una lumbrera, la mujer no se percataba del buen trabajo que Mary estaba realizando. Me aseguré de que Mary se preparase bien antes de su siguiente evaluación de rendimiento. Así, Mary pudo presentar una lista de éxitos logrados desde la última evaluación y a la vez señalar unas cuantas áreas en las que podía mejorar. Habló sobre las metas que se proponía alcanzar en su trabajo y sugirió maneras de lograrlas trabajando con la colaboración de su jefa. En términos de la PNL, Mary dejó de culpar a su jefa por la cuestión del salario y tomó cartas en el asunto. Cuando comprendió que su jefa era incapaz de reconocer sus fortalezas, mostró la flexibilidad de un maestro en el arte de la comunicación cambiando su comportamiento de manera que lograra la respuesta que esperaba de su jefa... y sí, en efecto, logró no sólo un aumento del salario sino un ascenso en el cargo.

Para cambiar por tu propio bien, es necesario abandonar el juego de echarles la culpa a otros y tomar las medidas necesarias para asegurarte de que conseguirás lo que quieres.

Quedarse atascado en un problema

Dado que nuestra cultura se centra en aquello de resolver problemas, se ha generalizado de manera burda la tendencia a mirar atrás siempre que algo sale mal para analizar qué fue lo que no funcionó. Uno de los desagradables efectos secundarios de proceder así es que encontramos a quién o a qué culpar. El problema con esta actitud frente al "problema" es que nos impide:

✔ Pensar en los resultados que realmente queremos.

✔ Examinar éxitos previos y reconstruir sus modelos.

✔ Aprender de lo que sí funcionó a otros y emular sus estrategias.

Cuando volvemos la vista atrás para analizar por qué aquello no salió como hubiéramos querido, tendemos a centrarnos en lo siguiente:

✔ Qué está mal.

✔ Cuánto hace que tengo este problema.

✔ Quién tiene la culpa de que yo tenga este problema.

✔ Por qué surgió el problema.

✔ Por qué no he hecho nada al respecto.

Preguntar "por qué" suele hundir aún más a la gente en su problema, se pone a la defensiva y así se aleja cada vez más de la posibilidad de encontrar una solución positiva. Quizás una manera más constructiva de plantearte la pregunta sea "¿qué esperaba lograr cuando hice X?" o "¿cuál era mi propósito cuando hice Y?"

Piensa en alguna ocasión en la que te estancaste en un problema al que no le encontrabas solución. Quizá sea ese mismo problema el que ahora te mortifica. Pregúntate: ¿estoy centrándome en el resultado que espero o más bien me encuentro maniatado por las emociones y, por tanto, no puedo ver ni pensar con claridad?

Encontrarás ayuda sobre este tema siguiendo las preguntas que te asisten a encuadrar el resultado en la sección "Crear resultados bien estructurados", más adelante en este capítulo.

Aprender a encuadrar el resultado

Este proceso, no sólo más inteligente sino más constructivo, nos sugiere una forma distinta de pensar sobre nuestros problemas. Lo llamamos "encuadrar el resultado". Se trata de un enfoque que nos ayuda a identificar y a tener en mente aquello que se desea positivamente. Si además se le suma un proceso eficaz para ir estableciendo metas y así monitorear cada paso que damos, nos es posible corregir cualquier desviación del plan trazado y así obtener los resultados esperados de manera fácil y oportuna.

El camino a la excelencia

El cerebro humano es una máquina de aprendizaje que necesita mantenerse ocupada. De lo contrario, se detendrá a pensar en las cosas negativas y su dueño se verá metido en toda suerte de problemas. Sin embargo, como ser humano, te es posible utilizar todo tu ingenio e inventiva para dirigir tu cerebro de manera que te ayude a alcanzar las metas que te has propuesto. Si eres capaz de imaginarte un futuro convincente, imperioso e irresistible, tu cerebro se encargará de ayudarte a alinear tu comportamiento de manera que te conduzca al resultado que quieres rápida y fácilmente. *El primer paso consiste en descifrar qué quieres.*

Saber lo que se quiere

Cuando Alicia (*Alicia en el país de las maravillas* de Lewis Carroll) le pregunta al gato de Cheshire, "Me dice, por favor, ¿qué camino debo seguir a partir de aquí?" sin saber muy bien a dónde quiere llegar (Alicia quiere ir a cualquier lado, no importa dónde), el gato le responde que con seguridad llegará a cualquier lado siempre y cuando camine lo suficiente. Igual que Alicia, imagina qué ocurriría si llegas a una estación de tren y pides un billete para cualquier parte.

Si realmente quieres dar un paso adelante y alcanzar tus metas, necesitas saber muy bien qué quieres. Con cuánta frecuencia en la vida nos vemos atrapados pensando en lo que no queremos y cuánta energía, física y emocional, gastamos evitando el resultado indeseable.

Para averiguar qué quieres e invertir toda tu energía para lograrlo, siéntate y escribe tu propio epitafio. Después de hacerlo, podrás decidir qué legado quieres dejarle a la posteridad y los pasos que tienes que seguir para que así sea. Para mayor información sobre esta técnica, ve al capítulo 4. Allí descubrirás que tu inconsciente será un estupendo aliado a la hora de alcanzar los objetivos que quieres… ¡y los que NO quieres!

Una clienta que vino a buscarme para que le ayudara a "escapar" de su segundo matrimonio me dijo: "No soy buena para las relaciones". Trabajando sobre su asunto descubrimos que había perdido a un abuelo al que adoraba siendo todavía una niña. El trauma que generó este suceso en particular había afectado lo más profundo de su psique y su miedo al abandono y a la pérdida la había conducido a terminar sus relaciones antes de que se repitiera el dolor de esa experiencia. Como la clienta se concentraba, a nivel inconsciente, en lo que no quería, a saber, sufrir el dolor de una pérdida, su inconsciente insistía en ayudarle a mantener un comportamiento que le evitara dicho dolor. Pero, desgraciadamente, también creaba otros problemas. De manera que para que la mujer pudiera establecer la relación que buscaba, tendría que pensar y esbozar con exactitud el tipo de relación que deseaba y concentrarse en crear dicha relación en la vida real.

Una buena manera de descubrir qué es lo que realmente queremos es adentrarnos en nuestro futuro. Imagínate ya convertido en un abuelo canoso. Estás sentado sobre una roca, bajo un cielo estrellado, frente a una rugiente hoguera y, a tus pies, te rodean tus nietos pidiéndote que les cuentes otra historia más sobre tu vida. ¿Te gustaría contarles de aquella época en la que perdiste la oportunidad de cumplir un sueño porque te embargaba el miedo, porque te dejaste influir por el "no puedes" de otra persona? ¿O preferirías contarles que, a pesar de todas las dificultades y fiel a tus valores, hiciste algo espectacular?

Adelanta años en tu vida y contempla desde allí tu vida actual. Ahora haz una lista de los sueños que te atreverías a vivir si contaras con todo el dinero y la influencia del mundo y, por tanto, supieras que no podrías fallar.

Puedes llegar a decidir que lo que deseas son cosas materiales, como una buena suma ahorrada y coches bonitos, o quizá lo que quieres es ser influyente en el mundo de la política. Volver a trabajar sobre aquello de "crear resultados bien estructurados", tema que se trata en este capítulo, y luego dar un salto al capítulo 5, podría ayudarte a descubrir las razones por las que quieres alcanzar las metas que te propones y encontrar las teclas clave que debes pulsar para que llegar allí.

Para superar incluso a los mejores: crear resultados bien formados

Hace unos años, en el mundo de las grandes corporaciones, hicieron furor los conocidos objetivos SMART (por su sigla en inglés: *Specific, Measurable, Achievable, Realistic, and Timed*); la idea era que toda meta debía ser específica, mensurable, alcanzable, realista y oportuna. Bien; sin embargo, lo que hace la PNL es añadir información sensorial específica que puede ayudarte a modificar tu comportamiento o a buscar la ayuda de otros recursos más, entre los que se incluyen guías y mentores.

Gracias a la PNL tenemos la capacidad de recomendar una mejor forma de salir adelante, una que hace que los objetivos SMART sean aún mejores, ayudándote a resolver qué es lo que deseas recurriendo al proceso que hemos llamado "resultados bien formados". La PNL supera el enfoque SMART en tanto que te obliga a utilizar todos tus sentidos a la hora de diseñar un objetivo o una meta, a afinarla de manera que sea mucho más que específica, mensurable, alcanzable, realista y oportuna. Dicho proceso implica que tú contestes a una serie de preguntas que en realidad te ayudarán a explorar los cómo y los por qué de los resultados que deseas. Si sigues el proceso, empezarás a comprender los verdaderos motivos detrás de tus metas y entonces te será posible ponderar los pros y los contras del éxito *versus* el fracaso. Un ejemplo bastante común de lo que puede constituirse en un resultado bien estructurado es, por ejemplo, querer un trabajo mejor remunerado.

Si el resultado que deseas coincide con los criterios que veremos a continuación, se sostiene desde la PNL que dicho resultado satisface las condiciones de encontrarse bien formado. Te sugerimos que te hagas las siguientes preguntas para cada uno de los resultados que esperas alcanzar:

- ✔ ¿He formulado la meta en positivo?
- ✔ ¿Es una meta de mi propia cosecha, mantenida en el tiempo y bajo mi control?
- ✔ ¿Puedo comprobar si he logrado resultados?
- ✔ ¿Está bien definido el contexto?
- ✔ ¿Se señalan los recursos necesarios?
- ✔ ¿Me he preguntado si es ecológica?
- ✔ ¿Se indica cuál es el primer paso que debo dar?

En las siguientes secciones se explican estos puntos con mayor detalle.

¿Estás formulando la meta en positivo?

¿Qué es lo que quieres? O mejor, ¿qué preferirías obtener a cambio?

Son preguntas que ayudan a clarificar el resultado que se desea dada la importancia de saber a ciencia cierta qué es lo que queremos para poder enfocarnos en esa dirección. Lo que deseas ha de quedar muy claro. Un deseo etéreo, como "quiero más dinero", no sirve, entre otras cosas porque quizá te haga ilusión encontrarte un billete de cien pesos en el suelo. Una meta mejor formulada podría ser "quiero pesar 70 kilos" o "quiero diez mil pesos en mi cuenta bancaria" o "quiero un salario de 500 000 pesos al año". Imponerse metas negativas como "no quiero seguir en este trabajo" puede tener consecuencias funestas, de manera que, cuando te encuentres diciendo "no quiero...", pregúntate "¿qué quiero a cambio?"

¿Se trata de una meta autónoma, mantenida y bajo tu control?

Con frecuencia nos cruzamos con alguien que quiere dejar de fumar pero que, al preguntarle por el cigarrillo, responde: "Mi esposa quiere que lo deje". Cualquier persona tiene más probabilidades de tener éxito en su empeño si la motivación viene de dentro. Por ejemplo: "Quiero disfrutar de una vida larga y saludable... para mí". Por el contrario, si tu meta es "Quiero pasar dos semanas al sol en marzo", tu jefe puede no estar de acuerdo y el asunto no está bajo tu control.

De manera que hazte las siguientes preguntas:

✔ ¿Lo hago por mí o por alguien más?

✔ ¿El resultado depende exclusivamente de mí?

En mi trabajo como consultora de marketing (Kate) comprendí que muchos de los proyectos implicaban trabajar codo con codo con clientes de empresas corporativas que estaban extremadamente estresados, muy ocupados y muy desorganizados. Me vi, por tanto, pasando largas reuniones sentada, con los clientes frente a sus caóticos escritorios, al tiempo que hacían llamadas telefónicas o empezaban a reunir el material y la información sobre el proyecto en cuestión mientras yo esperaba. De allí que, en adelante, mi meta con posibles futuros clientes fue "trabajar con calma, eficacia y de manera rentable". Observando mi nueva meta, en primera instancia puede no parecer muy claro que yo pudiera tener algún control sobre los resultados porque yo dependía de que mis clientes también desempeñaran bien su papel. Sin embargo, al desarrollar los principios de la PNL respecto al resultado bien formado, pude imponer mis expectativas con mayor claridad a mis desorganizados clientes. Entre mis estrategias incluí reubicar las reuniones, de manera que se celebrasen en oficinas protegidas del ruido y movimiento ajeno, o de lo contrario llevarlas a cabo mediante videoconferencias antes que asistir a casa del cliente. Implicaban, también, establecer límites específicos, como por ejemplo fijar el horario del comienzo y fin de las reuniones y distribuir por escrito los objetivos, la agenda, la información y las acciones pertinentes. Al desglosar el tiempo utilizado (y cobrar por cada hora perdida, como hacen los abogados), todo tuvo un impacto directo en la eficiencia de los demás. Cierto, al empezar, mi meta de "trabajar con calma, eficacia y de manera rentable" no parecía depender exclusivamente de mí. Por tanto, para ser honestos, bien hubiera podido no alcanzar mi propósito. Sin embargo, al ser capaz de flexibilizar mi comportamiento,

Cohabitar con lo negativo puede ser malo para la salud

(Romilla) Conozco al menos a dos personas que han logrado hacerse despedir de su trabajo simplemente porque adoptaron, inconscientemente, comportamientos que no se ajustaban a su verdadero carácter. Tras examinar la situación en retrospectiva, ambas personas comprendieron que se hubieran comportado de otro modo de haber concentrado sus energías en definir los trabajos que realmente querían y en buscar mejor empleo. A cambio, desperdiciaron su energía deseando no estar donde estaban y cayendo, de ese modo, en conductas destructivas.

pude asumir la responsabilidad de alcanzar mi meta, influyendo sobre mis clientes pero con absoluta integridad por mi parte.

¿Puedo comprobar si he logrado resultados?

Esto de comprobar resultados no es más que otra manera de preguntar "¿cómo puedo saber si he alcanzado mi meta?" Las siguientes son preguntas en extremo importantes en tanto que pueden ayudarte a identificar metas que quizá sean demasiado vagas o a descubrir que tal vez no tenemos claridad sobre el resultado que se espera.

✔ ¿Cómo puedo saber si estoy logrando resultados?

✔ ¿Qué voy a hacer cuando logre lo que quiero?

✔ ¿Qué cosas voy a ver, oír y sentir cuando lo logre?

Durante uno de mis talleres (Romilla) conocí a David, un contador que quería trabajar por cuenta propia. Su único deseo era ganar lo suficiente dentro de los primeros siguientes tres meses. Al contestar a las preguntas anteriores comprendió que en realidad aún no había elaborado muy bien qué quería lograr realmente trabajando por cuenta propia. Su meta inicial, aunque planteada en positivo, era demasiado etérea como para conducirlo a ningún lado. En el fondo, era casi tan malo como haber dicho "sé que no quiero trabajar para nadie" (en negativo). Sin embargo, al seguir el proceso del resultado bien formado, le fue posible descubrir que lo que realmente quería era enseñar a otros contadores cómo conseguir trabajos, trabajando por su cuenta, capacitándolos con técnicas de venta basadas en PNL.

¿Debidamente contextualizado?

¿Está claramente definido el contexto en el que se encuentra tu meta? ¿Dónde, cuándo, cómo y con quién la deseas alcanzar? Esta pregunta es muy buena para que puedas ir afinando tu meta y eliminando aquello que no quieres. Por ejemplo, si sabes a ciencia cierta que no disfrutaste aquellas vacaciones en un desierto, entonces tu meta de "quiero una casa de campo" excluiría un proyecto de colonización del Sahara, o si los marcianos no son santos de tu devoción, pues queda descartado el planeta Marte.

Al establecer cuándo quieres hacer algo, te será posible señalar los pasos que debes dar para obtener ese algo. Por ejemplo, "quiero mi casa de campo cuando pueda pagar a alguien para que la cuide" te puede mostrar que necesitarás un ingreso anual bastante alto para poder comprar tu refugio vacacional.

Cuando John quiso ampliar su empresa casera, su primer objetivo fue construir un anexo en los terrenos de su residencia. Sin embargo, y por haberse formulado la pregunta anterior, cambió el resultado que esperaba en primer lugar por la idea de encontrar una oficina fuera de su casa. El resultado feliz fue que él y su equipo de seis personas se mudaron a unas lujosas oficinas construidas como tales, alquiladas a muy buen precio, que le proporcionaron el espacio necesario para hacer crecer su empresa. Además, John y su esposa recuperaron el uso de dos de las principales habitaciones de la casa con la bonificación adicional del tiempo que podían disfrutar a sus anchas sin el inconveniente de vivir sobre el almacén.

¿Ya sabes qué recursos necesitas?

Las siguientes preguntas te pueden ayudar a establecer qué cosas vas a necesitar en lo que concierne a empleados, conocimiento, etc., para alcanzar el resultado que anhelas. Te ayudan también a hacer buen uso de experiencias pasadas, situaciones en las que utilizaste recursos que quizá te pueden servir en tu objetivo actual. Imagina a Pedro, un hombre que quiere aprender a volar con ala delta pero tiene miedo a las alturas. ¿Qué tipo de respuestas nos daría?

✔ ¿De qué recursos dispongo?

  Pedro: "Tengo ganas de aprender, y algunos de mis amigos, que ya lo hacen, me pueden guiar. Soy deportista y se me facilita aprender nuevos deportes. ¡La cosa no puede ser mucho más difícil que esquiar en el agua!"

✔ ¿Qué necesito?

  Pedro: "Necesito superar el vértigo que me producen las alturas, de manera que buscaré algún hipnoterapeuta u otro especialista que me ayude a superar mi miedo. También necesito encontrar un club donde pueda pagar a un instructor y, por supuesto, un ala delta. Debo unificar mi horario de manera que me quede tiempo para practicar mi nuevo *hobby*".

✔ ¿He llegado a hacer algo parecido en el pasado?

Pedro: "Bueno, aprendí a conducir y la verdad es que pasé mucho miedo: por ejemplo, aquella primera vez, cuando me pareció que el coche de policía había conectado todas las sirenas y las luces intermitentes en mi persecución... En fin, el hecho es que aprendí y que hoy conduzco bien".

✔ ¿Qué ocurre si actúo como si ya tuviera todos los recursos que necesito?

Pedro: "¡Ay, Dios! Me siento como si estuviera remontando el vuelo y planeando por los aires sin que me molesten aquellas mariposas en el estómago cuando miro hacia abajo. Jamás creí que podría abandonar tierra firme sin sentir algo bajo los pies. ¡No veo la hora de volar!"

Actuar como si ya tuvieras los recursos necesarios te ayuda a cambiar aquellas cosas que crees y que quizá te estén deteniendo. También te permite probar el resultado a ver cómo te sientes... es un buen momento para cambiar tu forma de pensar.

Asegúrate de que tu meta es ecológica

El diccionario define ecología como "una rama de la biología que trata de los hábitos y modos de vida de los organismos y su relación con el medio ambiente que los rodea". Cuando en PNL se habla de ponderar algo ecológicamente, lo que hacemos es preguntarnos si el resultado que esperamos se ajusta a los demás aspectos de nuestra vida. Este examen ecológico, por decirlo de alguna manera, ilumina cualquier agenda oculta o intención positiva de la que podemos no ser conscientes en el momento en el que establecemos nuestros resultados. Una *intención positiva* o *subproducto positivo derivado* se define como un comportamiento que parece negativo o que genera problemas, pero en realidad está cumpliendo una función positiva a algún nivel.

Las siguientes preguntas son como un sistema guiado por rayos láser que te ayudará a engancharte en busca del meollo de tus deseos. Al hacerte las preguntas, debes estar muy atento a toda imagen, sonido y, particularmente, a toda emoción que pueda surgir de tu inconsciente. Sé receptivo a tus reacciones y ajusta tu meta en consecuencia.

✔ ¿Cuál es el propósito real detrás de lo que quiero?

✔ ¿Qué gano o pierdo si lo logro?

✔ ¿Qué ocurrirá cuando lo consiga?

✔ ¿Qué dejará de ocurrir si lo consigo?

✔ ¿Qué ocurrirá si no lo consigo?

✔ ¿Qué dejará de ocurrir si no lo consigo?

Otro de los asistentes a mis talleres, Keith, se encontró frente a un dilema. Era un estudiante promedio y había sacado calificaciones suficientemente buenas para entrar en la universidad a estudiar arte. Su verdadera pasión, sin embargo, era trabajar la madera. Resolvió entonces desarrollar el proceso del resultado bien formado para decidir qué hacer con su futuro. Tenía claro que quería trabajar en algo creativo, de manera que estudiar arte estaba bien. Podía imaginarse en exposiciones, hablando sobre su trabajo con la gente. Sabía que era creativo y que podía leer sobre el tema, así que contaba con todos los recursos necesarios. Sin embargo, a la hora de examinar la ecología del ambiente universitario, comprendió que no quería pasar años estudiando teoría. Descubrió, pues, que lo que realmente quería era llegar a ser aprendiz de un artesano y aprender con la práctica.

¿Cuál es el primer paso?

Se dice que Laozi (Lao-Tsé), el antiguo filósofo taoísta, dijo alguna vez que un viaje de mil kilómetros empieza con un primer paso. Un punto que vale la pena recordar. Con frecuencia, los cambios no son de tipo dramático sino más bien resultado de un proceso gota a gota: ir alcanzando lo que queremos poco a poco. Así, pormenorizar paso a paso el plan de acción que te llevará a tu meta es ineludible. De manera que, respecto a tu deseo de convertirte en un autor de guiones ganador de un Oscar, lo mejor será que asistas a un curso y te sientes a escribir. Ahora, si cada vez que te sientas a escribir te distraes y no produces nada, tu meta no dejará de ser nada más que un sueño. Para hacer realidad tu sueño tendrás que dar ese primer paso vital, porque si no lo haces, es probable que no alcances a coger el impulso suficiente para dar el siguiente paso… y el siguiente… y el siguiente.

La fórmula del éxito en cuatro pasos

La fórmula del éxito consolida lo que acabas de descubrir al crear por lo menos un resultado bien formado. Esta fórmula puede aplicarse tanto a metas para la vida como a otras a corto plazo. Sin embargo, recuerda: es mucho más fácil dar en el blanco si éste está bien definido. ¡Robin Hood jamás hubiera conseguido los favores de Lady Marion si no hubiera apuntado justo a la mitad de la diana!

Para dar en el blanco, sigue estos pasos:

1. **Especifica cuál es el resultado que esperas.**

   Es muy importante especificar de manera precisa qué quieres. Calibra el resultado que esperas con relación al encuadre o marco para así cumplir con la condición de está bien formado. Ver secciones anteriores para más detalles.

2. **Ponte en acción.**

   Si no das ese primer paso y después los que siguen, no ocurrirá algo que te ayude a lograr los resultados que esperas… no importa lo definidos que los tengas.

3. **Ten en cuenta tu conciencia sensorial.**

   Si puedes ver, oír y sentir todo aquello que no está funcionando, te será posible modificar tu comportamiento de manera que hacerlo te lleve al resultado que deseas. En el capítulo 6 se te indica cómo es posible desarrollar la conciencia sensorial.

4. **Sé flexible en tu manera de comportarte.**

   Lo anterior encaja de maravilla con el siguiente presupuesto de la PNL: "Cuando se interactúa con otros, la persona de comportamiento más flexible es la que puede controlar la situación". También podríamos decirlo así: "Si lo que haces no funciona, haz algo distinto". Dirígete al capítulo 2 para una explicación detallada de este poderoso presupuesto.

Si siempre haces lo mismo que siempre has hecho, conseguirás lo mismo que siempre has conseguido.

Para poner a girar la rueda de la vida

Esta sección te ayudará a establecer si llevas una vida equilibrada y, si hay cabida para hacer mejoras, en qué áreas debes trabajar para equilibrar tu vida de manera sencilla y eficaz.

Observa la rueda que se presenta en la figura 3-1. Si tuvieras que titular las secciones de la rueda con las palabras más adecuadas en lo que concierne a tu vida, aquellas que te son importantes, ¿cómo las titularías? Por lo general, la gente opta por incluir el trabajo y la carrera (más el hogar), recursos financieros y dinero, amigos y familia, relaciones, crecimiento personal y conocimientos, diversión y recreación, espiritualidad y ambiente físico.

Asumiendo el centro de la rueda como valor 0 y la periferia externa como 10, califica tu actual nivel de satisfacción en cada una de las áreas de tu

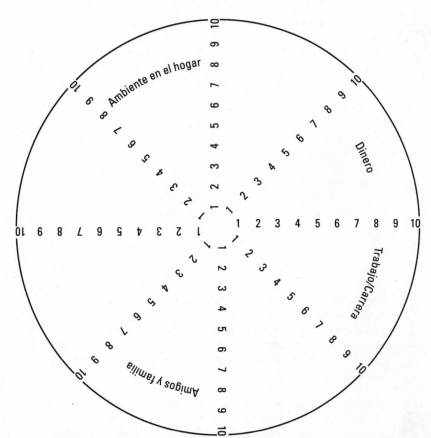

Figura 3-1:
Ejemplo de
una rueda
de la vida

vida trazando una curva que marcará una nueva periferia. El nuevo perímetro del círculo representa tu rueda de la vida personal (ver figura 3-1 a modo de ejemplo). La situación ideal, por supuesto, sería una en la que todas las secciones alcanzan una calificación de 10, cosa que por lo demás nos daría una rueda perfectamente redonda, como la que vemos en el diagrama.

Lleva un diario de las metas con las que sueñas

¿Has acordado una cita que luego olvidas anotar? ¿Qué ocurrió? ¿Fuiste a la cita? En caso de que la cumplieras, dale las gracias a tu inconsciente por su estado de alerta. Ahora, si no la hubieras cumplido, ¿has aprendido la lección y ahora siempre anotas tus compromisos?

Piensa en una meta como una cita con un resultado deseado y anótalo. Si tuvieras que quedarte sólo con una idea de las sugeridas en este libro con el propósito de tener mayor éxito, la más importante sería ésta: escribir tus metas, comprometerte a tomar medidas para lograrlas y trabajar sobre tus planes todos los días. En el capítulo 4 conocerás más sobre tu Sistema de Activación Reticular o SAR. Por ahora, simplemente confía en que tu SAR opera como una antena capaz de detectar con precisión oportunidades, gente y otras fuentes de recursos que necesitarás para alcanzar tus metas. El mero acto de anotar tus metas enciende tu SAR. El SAR no es más que una red de células nerviosas que opera como un radar y dirige tu atención a aquellas cosas que en realidad son importantes. Por ejemplo, para bien de tu supervivencia, dicho radar te llamará la atención sobre ese coche que se aproxima a toda velocidad en uno de esos momentos en los que cruzas la calle como un robot en piloto automático. Del mismo modo, tu SAR te mantendrá alerta ante todas aquellas oportunidades que tienen que ver con tus metas.

Yo (Romilla) dirijo unos talleres para aprender a establecer metas que llamo "Vamos hacia la meta". Una de las herramientas para el trabajo que se llevan quienes asisten a mis talleres es un "diario de ensueños", que no es más que una libreta para que anoten sus sueños y aspiraciones. La idea es que se trate de algo fácil de llevar y bonito, de manera que todos los días los participantes de mi taller la abran y señalen aquellas acciones que han cumplido y además añadan dibujos y notas para dar nueva vida a otras metas.

Escoge otras áreas de tu vida en las que te gustaría proponerte metas. Sabemos que esto puede ser demasiado comprometedor, de manera que te invitamos a que te tomes tu tiempo y disfrutes de cada una de las etapas ya que, lo que realmente estás haciendo, es diseñar el futuro que quieres vivir. En principio, todo lo que vas a hacer es crear un diario de ensueños y lo llenarás con tus sueños y metas. Para hacerlo, sigue estos pasos:

1. **Consigue una bonita libreta o agenda para que disfrutes al trabajar con ella todos los días; utiliza también bonitos separadores.**

2. **Dibuja y llena una rueda de la vida (ver figura 3-1).**

3. **Escoge cada una de las áreas en tu vida que te gustaría diseñar o rediseñar y titula cada separador con el área sobre la que quieres trabajar.**

   Es posible que, para empezar, sólo quieras trabajar en una o dos áreas.

4. **Piensa en algunas metas para cada área.**

   Considera metas tanto a largo plazo (la vida, cinco años o más) como a corto plazo (seis meses a un año).

5. **Implementa el proceso del "resultado bien formado" a tus metas.**

   Vuelve sobre la sección "Para superar incluso a los mejores: crear resultados bien formados" en este mismo capítulo.

6. **Anota tus metas y señala la fecha en la que quieres lograrlas.**

7. **Divide tus metas en tareas mensuales, semanales y diarias y escríbelas en tu diario, junto con sus respectivas fechas.**

   Quizá quieras incorporar más subdivisiones (lo mejor sería que tuvieran el separador del mismo color).

8. **Todas las noches, antes de irte a dormir (no te tomará más de unos minutos), echa una ojeada a tus sueños y haz una lista de lo que harás al día siguiente para alcanzar tus metas.**

Disfruta de la sensación de haber logrado algo cuando señales una de tus conquistas y agradece lo que tienes.

Ve por ello

Una vez conocimos a un joven escritor que había invertido mucho tiempo, esfuerzo y pasión en escribir un libro. Nos contó un encuentro que tuvo con un hombre que le había dicho: "No te desilusiones más de la cuenta cuando no sea mucha la gente que compre el libro". El escritor se sintió tan perplejo como herido, hasta que comprendió que él, al menos, había hecho algo que aquel hombre no hizo: invirtió pasión y fe en sí mismo. Hay mucha gente que opera desde una posición provista de pocas opciones o incluso de ninguna. Y a esa gente no le gusta ver que también existen personas libres de restricciones; así, y recordando aquello de que "el fracaso no existe… sólo resultados para aprender", ¿por qué no tener el coraje de salir a vivir nuestros sueños?

Parte II
Los códigos de la autopista del cerebro

¡PERO NIÑO... CLARO QUE NO PUEDES CONFIAR EN TI MISMO! LLEVAS GAFAS VERSACE, UN JERSEY TOMMY HILFIGER, JEANS CALVIN KLEIN Y ZAPATILLAS MICHAEL JORDAN. MIRA, ¿POR QUÉ NO SALES DE AQUÍ Y ACTÚAS COMO REALMENTE ERES?

En esta parte...

Escarbamos en aquello que ha venido ocurriendo tras las
bambalinas de tu cerebro e inconsciente. ¿Un asunto más
bien escabroso? Nada de eso, mucho menos cuando descubras
que tu inconsciente es precisamente quien se encarga de tu
bienestar.

¿Te has preguntado alguna vez qué será aquello que a veces te
corroe pero no sabes ni por dónde empezar? No te preocupes:
esta parte del libro contribuirá a que muchas ideas te queden
claras. Y además queremos que domines las habilidades de los
grandes comunicadores, de manera que, si lees los capítulos
que siguen, irás por buen camino…

Capítulo 4

¿Quién conduce el autobús?

A menos que te pidamos que seas consciente de tu respiración, es probable que no tengas conciencia de este hecho, del aire que entra y sale por la nariz o del movimiento de tu pecho con cada inhalación y espiración. Al seguir esta sencilla recomendación, serás consciente de tu respiración. Sin embargo, a medida que continúas leyendo y por lo tanto olvidas de nuevo que estás respirando todo el tiempo, tu respiración abandonará tu conciencia del mismo modo que todos los demás procesos que rigen tu cuerpo.

¿Acaso puedes saber, de manera consciente, cuándo ha llegado la hora de tener sed? Te retamos a que, de manera consciente, actives todos y cada uno de los músculos de tu brazo necesarios para coger un vaso de agua y llevarlo a tus labios. ¿Imposible? ¿Acaso necesitamos una licenciatura en anatomía o fisiología para levantar nuestro brazo de manera consciente? Todo esto sólo para demostrarte que el inconsciente rige nuestro cuerpo, al margen de nuestra conciencia.

Si todavía tienes dudas respecto al poder de tu inconsciente en lo que concierne al control de tu cuerpo, considera el siguiente experimento realizado por un investigador, Paul Thorsen, quien hipnotizó a un hombre y luego le dijo que el bolígrafo que él (Thorsen) tenía en la mano era un clavo caliente. Acto seguido, Thorsen tocó el brazo del sujeto con el bolígrafo y... ¡increíble! ¡El brazo del sujeto se quemó justo donde le tocó con el bolígrafo!

En este capítulo conocerás tu inconsciente y aprenderás a utilizar el cerebro para centrarte en tus metas, de manera que las logres con mayor rapidez y de una forma más fácil. Comprenderás la psicología que existe detrás de las alteraciones por tensión postraumática y de las fobias, además de descubrir cómo superarlas. Pero aún más importante, aprenderás sobre tus valores: aquellos botones que te motivan. Una vez sepas que tus creencias tienen una estructura y que es posible cambiarla, podrás asumir el control de tus emociones y de tus recuerdos, y encontrarás la manera de escoger cómo reaccionar frente a la gente y a las diferentes situaciones en tu vida, desprovisto del lastre del pasado que tanto te pesa.

De cómo los miedos pueden conducirnos en la dirección contraria

El inconsciente no sólo gobierna nuestro cuerpo sino que también puede llegar a tener un enorme impacto en los resultados que alcanzamos en nuestra vida. ¿Alguna vez has querido hacer algo conscientemente sólo para terminar haciendo justo lo contrario?

Es posible que, conscientemente, hayamos tomado la decisión de alcanzar una meta. Sin embargo, si lo hacemos sin asegurarnos de que nuestro inconsciente viaja en la misma dirección que nosotros, este nos ayudará a su manera, es decir, cumpliendo su propia agenda… que puede ser contraria a lo que nosotros creemos querer a nivel consciente. Imagina, pues, lo que podríamos lograr si tenemos una buena relación con nuestro inconsciente y, por tanto, viajamos en la misma dirección con el propósito de alcanzar con rapidez nuestras metas.

Una vez tuve (Romilla) un cliente que empezó a trabajar como profesional independiente. A pesar de haberse impuesto metas y de sus grandes habilidades en el campo de su trabajo, no lograba iniciar su negocio y le entró el pánico al ver cómo se reducían sus ahorros. Él creía firmemente en algo muy parecido a lo que cree el poeta que considera que sólo puede crear desde la pobreza: temía que el éxito lo anestesiara y acabara con su creatividad. Cuando descubrió que podía optar por vivir la vida de un millonario o de un mendigo con la misma intensidad, su comportamiento cambió y su negocio mejoró drásticamente.

La clave para sincronizar nuestro inconsciente con nuestros deseos y metas conscientes reside en entender qué controla cada uno de los dos elementos y también, claro, cómo opera el inconsciente. Las siguientes secciones te ilustrarán al respecto.

Consciente e inconsciente

En términos de la PNL, la mente consciente es aquella parte de nuestro intelecto que nos informa sobre cosas dentro y fuera de nosotros en cualquier
momento dado y que, según investigaciones realizadas por George Miller
en 1956, apenas constituye exiguos 7 ± 2 fragmentos de información (más
sobre los descubrimientos de Miller en el capítulo 5). Es decir, se trata de
nuestra memoria a corto plazo, la que es capaz de conservar pensamientos o
reflexiones durante un par de minutos hasta un par de horas. Es la parte del
cerebro que usamos cuando conservamos un número telefónico en la cabeza
el tiempo suficiente para realizar una llamada específica. Todo lo demás es
inconsciente. La mente consciente se puede comparar con la punta del iceberg, donde el inconsciente constituye las nueve décimas partes que están
bajo el agua.

La mente consciente y el inconsciente se distinguen por cumplir muy bien
distintas funciones (ver tabla 4-1). Saber qué cosas realiza mejor cada
una de ellas puede ayudarnos a determinar si somos mejores utilizando
el hemisferio izquierdo y lógico de nuestro cerebro o el derecho, que es
sobre todo creativo. Sabiendo esto, podemos concentrarnos en distintos
aspectos de nuestro desarrollo mental, por ejemplo, aprender a dibujar si
nos inclinamos por la parte izquierda del cerebro, o ponernos a estudiar
matemáticas aplicadas si es la derecha. Con seguridad, aprender a meditar
desarrollará los rasgos de ambos hemisferios, y además, permitirá que los
dos se comuniquen mejor entre sí.

**Tabla 4-1   Comparación entre la mente consciente y
el inconsciente**

La mente consciente es buena para...	El inconsciente es mejor para...
Trabajar linealmente	Trabajar holísticamente
Procesar secuencias	Intuición
Lógica	Creatividad
Lenguaje verbal	Gobernar las funciones del cuerpo
Matemáticas	Lidiar con las emociones
Análisis	Almacenar recuerdos

Nuestro estrafalario inconsciente

Igual que ocurre con cualquier amigo y sus pequeñas flaquezas, nuestro inconsciente tiene unas cuantas mañas que nos sería muy útil conocer para
llevarnos mejor con él. El ideal, claro, sería que nuestra mente consciente e
inconsciente trabajaran al unísono.

Aquí no se trata de sexismo

¿Sabías que tu cerebro tiene dos hemisferios, el izquierdo y el derecho, unidos por el *corpus callosum* o cuerpo calloso? Por lo general, el cuerpo calloso de la mujer es más grueso que el de los hombres, lo que permite a las primeras desempeñar múltiples tareas al mismo tiempo con mayor facilidad.

Al invitar a nuestro inconsciente para que trabaje con nosotros y no contra nosotros, nos será posible lograr muchas más cosas en la vida, entre ellas establecer y alcanzar metas imperiosas (al parecer) con menor esfuerzo.

El inconsciente no puede procesar negativos

El inconsciente no procesa negativos, es decir, interpreta todo lo que pensamos como un pensamiento positivo. Por ejemplo, si pensamos, "no quiero ser pobre", el inconsciente se enfoca sobre lo de "pobre" y, como no trabaja con negativos, el pensamiento se transforma en "quiero ser pobre". Así, ser pobre se convierte en la meta del inconsciente e igual que un niño pequeño, desesperado por complacernos, nos ayuda manteniéndonos pobres. ¡No es lo que queremos!

Por eso es tan importante formular nuestras metas en positivo. En este caso específico, en vez de pensar "no quiero ser pobre", debemos decir "quiero ser rico". Para más información respecto a la importancia de formular las metas de manera positiva, ve al capítulo 3.

El inconsciente: depósito de recuerdos

En 1957, el estudio Penfield señaló que todas nuestras experiencias quedan fielmente registradas en la memoria. El cerebro de una mujer despierta se estimuló con electrodos y Penfield descubrió que la mujer fue capaz de recordar los detalles de una fiesta de su infancia con pelos y señales. Pues bien, el inconsciente es el responsable del almacenamiento y la organización de esos recuerdos.

Otra parte de las funciones del inconsciente es reprimir recuerdos que contengan emociones negativas no resueltas.

ANÉCDOTA

La relación de Diana con Tomás se acabó, y la mujer empezó a sufrir unos dolores estomacales para los que los médicos no encontraban causa física.

Durante una terapia, Diana recordó el día que su madre abandonó a la familia por otro hombre. Podía ver la imagen de su madre alejándose en un coche y ella, Diana, sollozando, al tiempo que gemía: "Mami, vuelve, me duele la barriga". Entonces comprendió que el dolor de estómago que había usado estratégicamente de niña para traer de vuelta a su madre ahora lo había recreado su inconsciente para traer de vuelta a Tomás. El recuerdo había permanecido latente durante todos esos años.

Otra función del inconsciente es presentar recuerdos reprimidos para que los examinemos y dejar salir emociones atrapadas. Desgraciadamente, igual que un niño que hace pasar vergüenza en público a sus padres, el inconsciente no siempre escoge el momento más oportuno para presentarnos un recuerdo que necesita ser examinado. Así, puede ocurrir que un buen día te encuentres disfrutando de una reunión en familia, lleno de sentimientos de amor y alegría, cuando tu inconsciente te dice: "Lucha contra el recuerdo de cuando papá te pegó el día de tu cumpleaños… ¡ahora mismo!" Entonces, de buenas a primeras, estás llorando a moco tendido por aquella nimiedad delante de tus sorprendidos parientes.

El inconsciente es una maquinita insaciable y perniciosa que no deja de aprender

Al inconsciente le fascinan las experiencias nuevas, y siempre está buscando novedades. Necesita nuevas experiencias para alimentarse y, como un mono travieso, te dará problemas si no haces algo para que no se aburra. Las autoras de este libro conocemos a un personaje amable, generoso y muy inteligente que, sin embargo, se aburría mucho en su trabajo. En vez de encontrar maneras constructivas de remediar su aburrimiento, se vició con los juegos de computadora y la adicción tuvo serias repercusiones en su vida. Afortunadamente, un nuevo trabajo le aportó nuevos retos y ahora es una persona muy exitosa en su nueva profesión.

Hay muchas maneras constructivas de mantener nuestras mentes ocupadas: leer, hacer crucigramas, dedicarse a un *hobby*. Actividades de esta índole hacen que tus neuronas generen más dendritas (las ramificaciones de las neuronas) y te mantienen mentalmente en forma. Para calmar la mente, mantener el estrés a raya y ser más creativo, no hay nada mejor que la meditación.

El inconsciente se comporta como un ser profundamente moral

El inconsciente se encargará de conducirte por el recto y estrecho camino que te indique cualquiera que fuera la moral que aprendiste, imponiéndote dicha moral sin importar, por ejemplo, que la sociedad considere esa moral un poco equivocada. Un terrorista matará y destruirá sin el menor resquemor porque su código moral le ha enseñado que dicha persona es un guerrillero de la libertad. Así, esa persona se considerará un ser moral que lucha contra una sociedad criminal. El miembro de una pandilla matará para proteger el honor de su pandilla, sin sentir culpa alguna, porque ha aprendido que el honor de la pandilla está por encima del mandamiento cristiano "No matarás" o de la ley secular que considera el asesinato un crimen. Sin embargo, si tu inconsciente cree que mereces ser castigado, se encargará de que te carcoma el remordimiento y manifiestes comportamientos diseñados para que te castigues a ti mismo, a pesar de que no existan leyes que digan que lo que tu inconsciente ve como malo sea realmente malo.

Yo (Romilla) tuve una clienta, Jane, que había pasado por varias relaciones afectivas poco satisfactorias y estaba metida en una cuando vino a verme. Tras una serie de sesiones, Jane admitió sentir que manipulaba a los hombres y luego se deshacía de ellos cuando veía que empezaban a exigir un compromiso en serio. La indagación condujo a un recuerdo de cuando ella tenía cinco años y había "manipulado" a su padre, un hombre verbalmente violento, de manera que le pidiera excusas. Cuando le sugerí que quizá su padre la amaba a pesar de que le costara demostrarlo y que, a pesar de todo, fue capaz de encontrar los recursos dentro de sí mismo para excusarse, Jane no se lo podía creer. Uno de los beneficios de haber identificado los sentimientos de culpa negativos con los que había cargado toda la vida fue que pudo dar un paso adelante, dejar atrás una relación que no le satisfacía y modificar los comportamientos que le conducían a relaciones insatisfactorias.

Sistema de Activación Reticular (SAR): tu sistema de rastreo

Aproximadamente dos mil millones de fracciones de información entran a través de nuestros sentidos cada segundo. Para evitar que enloquezcamos, este aluvión de información pasa por un filtro constituido por una red de células que se encarga de que sólo una mínima fracción del aluvión llegue al resto del cerebro. Dicha red se conoce como Sistema de Activación Reticular o SAR. El SAR opera como una especie de antena que percibe estímulos y alerta al cerebro para que preste atención. Sin embargo, el SAR sólo deja pasar información que cumpla uno de los siguientes criterios:

✔ Que sea importante para tu *supervivencia*.

Por ejemplo, cuando estamos profundamente dormidos y nos despertamos al oír un ruido raro en casa o quizás al cruzar una calle pensando en las nubes y algo nos advierte que un coche se nos echa encima.

✔ Que tenga valor como *novedad*.

¿Recuerdas la última vez que decoraste una habitación? Al principio, cada vez que entrabas a esa habitación sentías verdadero placer al ver el tapiz de la pared con ojos nuevos. Después, tras un par de semanas, quizá notabas que un cuadro colgaba ligeramente torcido o que un adorno no estaba realmente donde debía y no necesariamente el patrón del tapiz o el color de la pintura. Eso ocurre porque la novedad ha dejado de serlo.

✔ Que tenga alto *contenido emocional.*

El aspecto de la supervivencia también se aplica a personas distintas de ti y, por tanto, te pondrás alerta cuando el ritmo de la respiración de tu bebé se altere, pero pasarás por alto los ronquidos de tu marido.

¿Recuerdas la última vez que perdiste de vista a un ser querido en un centro comercial y empezaste a buscarlo por todas partes, prometiéndote castigarle por perderse cuando le encontraras? Y luego, es como si la multitud se desvaneciera cuando ves a la criatura en la distancia y corres hacia ella sin otra emoción que no sea la del más profundo alivio. De no haber un vínculo emocional con la persona perdida, esta no sería más que otro cuerpo. Pero como se trata de una persona a la que se ama, esta brilla como un faro.

En efecto, el SAR opera con estímulos que están por encima o más allá de su umbral de observación. Las rutinarias actividades cotidianas escapan a este sondeo. Por tanto, te ayuda a percatarte de aquellas cosas que son relevantes respecto a tus actuales metas.

Quizá recuerdes haber colgado de la pared una lista con tareas pendientes. Es probable que la hayas tenido en cuenta un tiempo y después dejaras de verla aunque pasaras frente a ella varias veces al día. Esto ocurre porque la lista ya no tiene valor como novedad y, por tanto, ha superado el umbral de la observación.

Seguro que conoces una de esas personas sistemáticamente desafortunadas que repiten cosas como "jamás ganaré nada" o "la buena suerte se no cruza por mi camino". Se trata de gente cuyo sistema de creencias les impide ver las oportunidades que se les ofrecen. Si un buen día una buena oportunidad se les presenta cara a cara, dirán algo como "Demasiado bueno para ser cierto", al tiempo que la dejan escapar de debajo de sus narices. Por otro lado están esas personas a las que todo les sale bien. Pues bien, la gente con suerte es aquella que está abierta a las posibilidades. Esta manera de pensar las mantiene siempre buscando el éxito incluso a partir de los fracasos, porque su sistema de valores y creencias les dicta que merecen ganar.

Tus creencias afectan el nivel del umbral del SAR. Alguien que considera que tiene mala ortografía quizá no "mire" o no "vea" un anuncio en el que buscan un reportero a pesar de que esta deficiencia se puede remediar en gran parte con nuevas ayudas tecnológicas, además de que dicha persona puede ser mucho mejor al investigar una historia que alguien que tenga buena ortografía y que se presenta al trabajo.

Al saber cuáles son nuestras creencias, podemos identificar las que quizá nos estén impidiendo alcanzar nuestras metas. Piensa en alguna ocasión en la que realmente querías hacer algo pero, por cualquier razón, no encontraste la oportunidad para hacerlo. Ahora examina tus creencias. Es posible que descubras que tales creencias te impidieron ver oportunidades que te hubieran permitido alcanzar la meta.

Cómo se crean los recuerdos

Los recuerdos suelen crearse cuando la información registrada en el SAR se envía a una parte del cerebro conocida como amígdala, donde se sopesa su carga emocional antes de ser remitida al hipocampo. El hipocampo evalúa la información, cotejándola con toda la que está almacenada en la memoria de largo plazo y la presenta a la corteza para que esta la analice, antes de devolverla para archivarla en la memoria a largo plazo. La figura 4-1 muestra la ubicación de estas curiosas partes del cerebro.

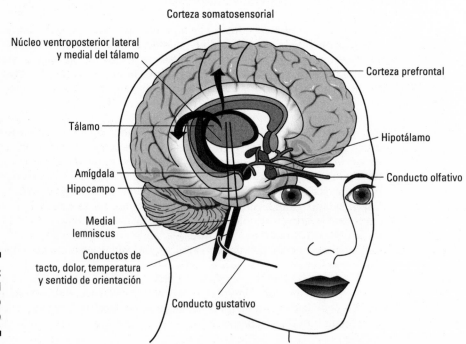

Figura 4-1: Mapa del cerebro humano

El hipocampo y las pirámides

¿Sabías que el hipocampo está constituido por montones de hileras de estructuras similares a pirámides que se llenan durante el día y se desocupan de noche? Esto significa que podemos hacer conexiones mucho más rápidamente cuando despertamos. Así, cuando quieras pensar en serio, intenta hacerlo antes de que las pirámides se llenen... a primera hora.

Trastorno de Estrés Postraumático (TEP)

El gran público tuvo noticia por primera vez del Trastorno de Estrés Postraumático (TEP) cuando se empezaron a realizar películas sobre veteranos de la guerra de Vietnam. Hoy por hoy, sin embargo, los noticiarios nos han hecho ser conscientes de que entre quienes trabajan en los servicios de urgencias y entre las víctimas de guerra y otros crímenes es muy frecuente la TEP.

El TEP se produce cuando la amígdala recibe información con una carga emocional muy alta, entra en pánico y no logra enviar la información al hipocampo. A raíz de esto, el incidente traumático queda atrapado dentro de la amígdala, y el hipocampo no logra presentar el recuerdo a la neocorteza para que lo evalúe, lo que significa que el cerebro no logra descifrar el suceso. Mientras que la amígdala es el principal órgano implicado para bien de nuestra supervivencia, resulta que entre quienes sufren de TEP, la amígdala permanece en estado de excitación constante generando imágenes repentinas del trauma y altos niveles de ansiedad.

Virginia Wolf, autora de *La señora Dalloway*, hace un retrato de Septimus Smith que lo muestra a todas luces como alguien que sufre de TEP tras los horrores de la Primera Guerra Mundial. Desgraciadamente, por entonces la medicina convencional tenía poca experiencia lidiando con problemas psicológicos. A los pacientes como Septimus Smith se les recomendaba mucho descanso para su recuperación y se les repetían frases como "Hombre, cálmate, ya es hora de que recobres la compostura".

Las fobias y la TEP forman parte de un grupo de dolencias conocidas como *trastornos de ansiedad*. Ambas tienen una estructura similar en tanto que un recuerdo queda atrapado en la amígdala. Afortunadamente, hoy contamos con la cura rápida de fobias de la PNL, que puede ser muy útil para tratar ambas ansiedades. Para más detalles al respecto dirígete a la sección "La cura rápida de fobias de la PNL".

Fobias

Los expertos difieren respecto al origen de las fobias. Algunos psicólogos alegan que son el resultado de un trauma, como por ejemplo que nos hubieran puesto una rana en la espalda. Otros, que las fobias son el resultado de una respuesta o reacción aprendida, por ejemplo cuando un niño, enfrentado a una cobra, desarrolla una fobia como resultado de las reacciones de los adultos que lo rodeaban. Dale una ojeada a la sección "La cura rápida de fobias de la PNL" más adelante en este capítulo si quieres ayuda sobre cómo superar fobias.

Yo (Romilla) tenía fobia a las serpientes y no me avergonzaba admitirlo. *Ofidiofobia* la llaman los expertos. La fobia era tan intensa que, si soñaba con serpientes, cosa que ocurría con dolorosa frecuencia, despertaba con todas mis extremidades paralizadas y encalambradas, de manera que me veía obligada a relajar a conciencia cada una de las partes de mi cuerpo. De hecho, un día di un espectáculo bastante feo cuando, al entrar a la habitación de una amiga en Holanda, me dio un ataque delante de un grupo de personas totalmente desconocidas. ¿La razón de mi extraño comportamiento? Una cobra disecada que tenía allí mi amiga.

Ya no sufro de terror por las serpientes. Desgraciadamente, cuando superé mi fobia no sabía nada de PNL y mi proceso de desensibilización tuvo lugar de manera dramática en un pequeño zoológico en Mombasa, Kenia. Caminaba por el zoológico con mi marido, charlando con toda la fauna exótica como aquella tortuga de Madagascar, cuando se nos acercó uno de los vigilantes para preguntarnos si nos interesaría jugar con la serpiente pitón que tenía enrollada al cuello. Para cuando mi marido y el vigilante habían logrado convencerme de que jugara con la pitón, ya teníamos una audiencia de por los menos 30 personas, aunque yo todavía no me había dado cuenta. En fin, el guarda intentó ponerme la boa en el cuello y yo salí despavorida, dando alaridos. Fue entonces cuando me di cuenta de la presencia de todo aquel público, todos muertos de la risa, algunos soltando carcajadas tan estrepitosas que rayaban en las lágrimas. El segundo intento, sin embargo, fue un éxito, a pesar de que sólo dejé de gritar cuando me quitaron a la serpiente del cuello. Dicho sea de paso, las serpientes no son viscosas.

De haber conocido entonces la PNL, el proceso de superar mi fobia hubiera sido mucho menos traumático, utilizando, claro, la cura rápida de fobias.

La cura rápida de fobias de la PNL

La cura rápida de fobias te permite repetir la experiencia del trauma o la fobia pero sin la carga emotiva del suceso y sin tener que provocar la respuesta fóbica. Para hacerlo, asegúrate de que te encuentras en un medio

Diviértete con las fobias

A continuación encontrarás una lista de palabras para que te diviertas durante la sobremesa. Unas palabritas de advertencia: no acuses a los miembros del sexo opuesto de *fronemofobia* (miedo a pensar) y quizá quieras sentar a alguien que sufre de *ablutofobia* (miedo al baño) al lado de tu suegra si tú sufres de *penterafobia* (miedo a las suegras).

✔ *Peladofobia*: miedo a la gente calva.

✔ *Filofobia*: miedo a enamorarse o a estar enamorado.

✔ *Fobofobia*: miedo a las fobias.

✔ *Xirofobia*: miedo a las cuchillas.

✔ *Galeofobia*: miedo a los gatos.

✔ *Triscadecofobia*: miedo al número 13.

✔ *Otofobia*: miedo al número 8.

donde te sientes completamente a salvo y seguro y en presencia de un tercero que pueda ayudarte a mantenerte conectado al suelo.

Todo esto significa que examinarás una experiencia personal pero doblemente disociado de su recuerdo, al crear una distancia entre ti (en el ahora) y las emociones de un trauma o de una reacción fóbica. En la siguiente lista, la doble disociación se logra invitándote a que te observes en un teatro de cine (disociación), al tiempo que te observas en la pantalla del mismo cine (doble disociación). Encontrarás más sobre la disociación en el capítulo 10, sección "Asociarse o disociarse".

1. Identifica en qué momentos generas una respuesta fóbica a un estímulo o recuerda un hecho desagradable o traumático que quisieras superar.

2. Recuerda que estabas a salvo antes y también lo estuviste después de la experiencia desagradable.

3. Imagínate sentado en un cine, observándote en una pequeña pantalla en blanco y negro.

4. Ahora imagina que sales flotando del cuerpo de ese tú que está sentado en el cine y te diriges a la cabina de proyección.

5. Ahora podrás verte dentro de la cabina de proyección observándote a la vez sentado en la silla, mirando la película sobre ti en la pantalla.

6. Proyecta la película en blanco y negro sobre la pequeña pantalla, empezando antes de que te embargara el recuerdo que quieres superar

y déjala rodar hasta el momento posterior a la experiencia, cuando estuviste a salvo de nuevo.

7. Ahora congela la película o pon la pantalla en blanco.

8. Sal flotando de la cabina de proyección, luego de la silla y dirígete al final de la película.

9. Devuelve la película al revés en cámara rápida, en cuestión de uno o dos segundos y a todo color, como si estuvieras reviviendo la película, hasta el comienzo, cuando de nuevo estabas a salvo.

10. Repite los pasos 8 y 9 hasta que te sientas cómodo con la experiencia.

11. Ahora viaja al futuro y ponte a prueba en un tiempo imaginario donde te sería posible padecer una reacción fóbica.

Los valores y las creencias pueden ser toda la diferencia

Es probable que hayas oído decir a alguien: "La juventud de hoy ya no tiene valores". Todo el mundo tiene valores; lo que ocurre, simplemente, es que son distintos para distintas personas y distintos grupos. Los valores y las creencias son filtros inconscientes que usamos para decidir qué trozos o fragmentos de la información que recibimos a través de los sentidos dejamos entrar y cuáles no. Ya sabes de qué estamos hablando, ¿verdad? Sí, aquello de que nueve décimas partes de lo que ocurre en tu cerebro han estado sentadas ahí, en silencio, construyendo todo tipo de creencias y tomando todo tipo de decisiones sobre ti y el mundo que te rodea y... y tú ni siquiera te das cuenta.

El poder de las creencias

Nuestras creencias, llevadas a extremos si así se lo permitimos, pueden llegar a ser cuestión de vida o muerte. Tus creencias pueden ayudarte a contar con buena salud, dinero y felicidad, o encargarse de mantenerte indispuesto, pobre e infeliz.

Las creencias de las que aquí estamos hablando son distintas de las creencias religiosas: son generalizaciones que hacemos sobre y a partir de nuestras experiencias vitales. Estas generalizaciones pasan a constituir la base de nuestra realidad que, a su vez, dirige nuestro comportamiento. Es posible utilizar una creencia capaz de darnos vigor y poder, por ejemplo, de manera que nos ayude a generar una nueva creencia que nos conduzca a un nuevo nivel de rendimiento y éxito. Así, la mera idea de "tengo una excelente ortografía" puede ayudarte a desarrollar la creencia de que disfrutas con las palabras y que, en efecto, realmente te expresas y redactas muy bien. Esto, a su vez, puede conducir a que seas capaz de contar historias y encontrarte enviando un cuento corto a una revista y... de buenas a primeras, serás un autor publicado.

Del mismo modo que tienes creencias positivas, capaces de impulsarte hacia adelante, también puedes tener creencias negativas que te debiliten y disminuyan. Si tuviste la mala suerte de haber sido acosado en el colegio, es posible que hayas desarrollado la creencia de que la gente, en general, no suele ser buena. Y esto puede llevarte a ser muy agresivo con la gente cuando la conoces por primera vez. Entonces, si por razones obvias, algunas personas reaccionan de manera agresiva, este hecho puede reforzar tu idea de que "la gente no es buena". Es más, quizá ni siquiera te percates de aquellas ocasiones en que la gente respondió con amabilidad porque los filtros de tus creencias no están preparados para registrar a la gente amable.

No olvides que una creencia limitante puede estar rondando por ahí si te oyes diciendo o pensando "no puedo, debería, no debería, podría, no podría", etc. Como dijo Henry Ford: "El que cree que puede, puede, y el que cree que no puede, no puede. Esto es una ley inexorable, indiscutible".

Verse influido por las creencias de otro

Lo que puede ser aterrador es que las ideas preconcebidas de otros nos impongan falsas limitaciones, particularmente si esas personas son profesores, jefes, parientes y amigos.

Una prueba muy interesante, conducida entre un grupo de niños que ya había sido examinado para corroborar que todos tenían inteligencia promedio, ilustra cómo la creencia u opinión de un profesor puede fomentar o entorpecer la capacidad de aprendizaje de una criatura.

Los niños se dividieron en dos grupos. Al profesor de uno de los grupos se le dijo que sus estudiantes eran particularmente talentosos, mientras que al otro se le dijo que eran niños con problemas de aprendizaje. Un año después los niños de ambos grupos fueron examinados de nuevo para medir su inteligencia. Los resultados del grupo a cargo del profesor que creía que sus estudiantes eran talentosos fueron más altos que los que señalaban el examen anterior de esos mismos niños, mientras que los del otro grupo presentaron calificaciones más bajas que en la primera prueba.

Tristemente, esta creencia no es exclusiva del ámbito escolar, sino que también se da en los hogares donde los padres encasillan a sus hijos en cajones que corresponden a sus prejuicios. Otro ejemplo se presenta en aquellas ocasiones en las que tus amistades te advierten que tengas mucho cuidado antes de abandonar un trabajo seguro en busca de un sueño o cuando un jefe, que tiene un estilo de comunicación muy distinto al tuyo, empieza a perjudicar tu progreso profesional. En todos estos casos dichas personas no sólo se perciben como gente que sabe más y conoce mejor que nosotros, sino que en algunas ocasiones incluso las tenemos en un pedestal.

Puede no ser fácil para un niño superar las deficiencias de un profesor sin la ayuda de sus padres, y peor aún las restricciones que le imponen sus propios padres en el hogar. Como adultos, estamos más capacitados para ponderar los pros y los contras de los consejos que nos dan simplemente al intentar ver el asunto desde la perspectiva del otro. En la sección que se centra sobre distintos puntos de percepción del capítulo 7, encontrarás más información sobre lo que aquí tratamos. Cuando comprendemos las razones detrás de la opinión de alguien, nos es mucho más fácil establecer si seguimos o no su consejo y, por último, pero no menos importante, siempre podrás recurrir al mismo estilo de comunicación de tu jefe para hacerle llegar tu mensaje y progresar en tu carrera.

Cambiar de creencias

Algunas de tus creencias con seguridad te afirman, te dan poder. Sin embargo, otras pueden limitar tu manera de pensar e inmovilizarte. Pero la buena noticia es que las creencias cambian. Tomemos por caso aquello de la milla en cuatro minutos. Durante años, los deportistas creyeron que era imposible correr la milla en menos de cuatro minutos. En 1954, Roger Bannister lo logró. Poco después, su propia marca fue batida varias veces.

Puedo oírte preguntar: "¿Por qué demonios quisiera yo cambiar algo que en el fondo forma parte de mi manera de ver el mundo?" Cierto, las creencias sostienen nuestro mundo, pero... ¿para bien o para mal? Si una creencia te detiene, te impide hacer cosas, cámbiala. Si después encuentras que necesitas tu antigua creencia para sentirte seguro, pues siempre puedes recuperarla.

Si te pido que pienses en una creencia tuya, quizá recuerdes una imagen, te surja un sentimiento, escuches algo o sientas las tres cosas al mismo tiempo. Con todo, de aquí podemos concluir que tus creencias tienen ciertas cualidades. Estas cualidades visuales (imágenes), auditivas (sonidos) y cinestésicas (emociones), se conocen como _modalidades_. Las modalidades se pueden afinar utilizando submodalidades, es decir, cualidades como brillo, tamaño y distancia cuando se trata de imágenes; volumen y tono si son sonidos; y presión, calor y ubicación cuando se trata de sentimientos y emociones.

Una manera de cambiar una creencia es ajustando sus submodalidades. Se trata de un proceso realmente útil, ya que puede ayudarte a aflojar el nudo de una creencia limitante y a reforzar los efectos positivos para desarrollar una creencia que te estimularía pero de la que no te sientes tan seguro. Supón que te gusta aproximarte a la gente pero que siempre te han dicho que ser muy íntimo en las relaciones es malo; pues bien, cambiar tu creencia de manera que ahora te digas "soy bueno para tratar con la gente" puede crear una gran diferencia respecto a tu confianza en el trato con los demás. Del mismo modo, si sabes que eres bueno para el arte, esta creencia puede serte muy útil para diversificarte y meterte en una carrera más técnica pero basada en el arte como, por ejemplo, diseño informático.

Para practicar cómo manipular o cambiar tus creencias, sigue estos pasos:

1. **Piensa en una creencia que sabes y sientes que es totalmente cierta, por ejemplo, "soy un conductor muy considerado".**

   Si no se te ocurre una creencia, pregúntate si crees que el sol saldrá mañana por la mañana. Sí, a pesar de todas esas nubes.

2. **¿Has pensado en una imagen, has sentido algo o has oído algún ruido? ¿Qué cualidades tenía la imagen, la sensación o el ruido?**

3. **Ahora piensa en una creencia que te gustaría cambiar pero que no te está haciendo daño: "¡Me cuesta mucho estacionarme!"**

4. **Superpón las cualidades de la creencia que sabes que es cierta sobre las de la creencia que te gustaría cambiar.**

   Digamos que la imagen de lo que sabes es luminosa, grande, en tres dimensiones, que está cerca y justo delante de ti, y que la imagen de lo que quieres cambiar es pequeña, oscura, en dos dimensiones y lejana. Ahora haz que esta última se convierta en una imagen luminosa, grande, tridimensional, cercana y que aparezca delante de ti.

   Ahora piensa en las cualidades de los sonidos y las emociones que te vienen a la cabeza sobre la creencia que sabes que es cierta. ¿Las cualidades de los sonidos y las emociones que surgen en torno a la creencia que quieres cambiar son distintas?

Como miembros de la especie humana que somos, ¿qué creencias pueden estar "atando" tus "ismos" (sexismo, racismo, etc.) y los "ismos" de quién están encasillándote?

Un conjunto de creencias se conoce como un sistema de creencias. Las creencias o sistemas de creencias suelen sustentar unos valores particulares. Los valores son la razón o el por qué hacemos algo. Las creencias dirigen nuestro comportamiento y este, a su vez, nos ayuda a cumplir o a satisfacer un valor... siempre y cuando el inconsciente no intervenga generando conflictos. Para saber algo más sobre los valores, ve a la siguiente sección, "Valores".

Valores

Los valores son aquellos "botones álgidos" que impulsan todos nuestros comportamientos. Son también los responsables de todas aquellas cosas que nos motivan o desmotivan. Gracias a los valores hacemos algo. Y una vez hecho, usamos esos valores para juzgar si lo que hicimos fue bueno o malo. Por ejemplo, si valoras la honestidad, es probable que recojas una cartera que te encuentras en la calle y creas que te sientes bien entregándola a la policía.

Los valores influyen sobre los amigos y compañeros que escoges, el tipo de artículos que compras, los intereses que persigues y cómo utilizas tu tiempo libre. Del mismo modo que tus creencias, tus valores también influyen sobre los filtros con los que opera el SAR (para más información al respecto, ver la sección anterior en este mismo capítulo, "Sistema de Activación Reticular [SAR]: tu sistema de rastreo").

Nuestra vida tiene muchas facetas. Quizás formas parte de una familia, de un equipo y además quizás seas miembro de un club para practicar un *hobby*, por mencionar sólo algunas facetas. Cada una de estas áreas de tu vida (familia, trabajo, recreación, etc.) tendrá su propia jerarquía de valores, donde el valor más importante estará encima de los demás. Los valores de la cima de la jerarquía por lo general son más abstractos que los que están en la base y ejercen mayor fuerza sobre tu vida. Por ejemplo, en la figura 4-2, la familia y los amigos son asuntos bastante concretos mientras que la felicidad es mucho más intangible.

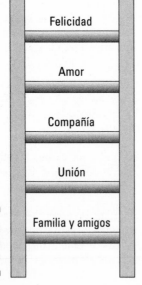

Figura 4-2:
Escala de
valores

Medios para (obtener) un valor final

Los valores pueden ser de dos tipos: *valores finales* y *valores como medio para lograr algo*, donde estos últimos se encuentran en los niveles más bajos de la jerarquía. Allí actúan en calidad de travesaños de una escalera que nos permite ascender a los valores finales. En la figura 4-3, la libertad es un valor final; todos los demás son un medio para algo. Los valores como medio para (lograr) algo son los que deben cumplirse antes si queremos llegar a nuestro último valor final. Es mucho más difícil cuantificar la libertad que, por ejemplo, el dinero. En el ejemplo que ahora tratamos, resulta posible tener dinero sin tener libertad, pero para tener libertad es necesario tener dinero. Así, la libertad, un valor final, depende del dinero, un valor como medio para alcanzar algo.

Tus valores pueden conducirte hacia el placer o alejarte del dolor.

Valores hacia los que uno apunta	*Valores que nos alejan de algo*
Amor	Culpa
Libertad	Tristeza
Salud	Soledad
Felicidad	Ira
Riqueza	Pobreza

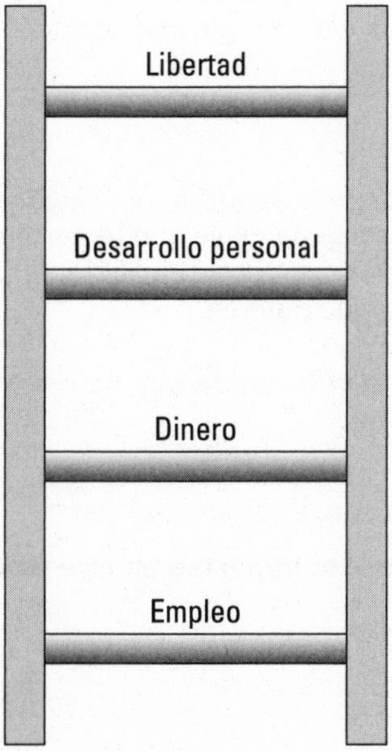

Figura 4-3:
Escala de
la felicidad

Aquellos valores con tendencia a alejarnos de algo revelan emociones o decisiones negativas o traumas emocionales que aún pueden estar influyendo sobre nuestra vida. Nos es posible liberarnos de ellos recurriendo a técnicas como la Terapia de Línea de Tiempo. El propósito de cualquiera de estas técnicas es aprender las lecciones que puedan tener algún valor a partir de los incidentes negativos para que el inconsciente libere las emociones contenidas. La Terapia de Línea de Tiempo opera esencialmente bajo el principio de que nuestros recuerdos están distribuidos a lo largo de una línea temporal y que, al cambiar algún recuerdo en esa línea, es posible liberarnos de la sujeción u opresión de tales recuerdos, cosa que a su vez nos ayudará a ejercer mayor control sobre nuestra manera de reaccionar ante ciertos sucesos y, por tanto, ganar en <u>opciones frente a la vida</u>. Para más información sobre esta técnica, remítete al capítulo 13.

Creación de valores

Nuestros valores se constituyen esencialmente en tres periodos de la vida.

✔ El periodo de la **impronta**, que va desde que nacemos hasta los seis o siete años. Durante este tiempo casi todo lo aprendemos de manera inconsciente y de nuestros padres.

✔ El periodo de **copiar modelos**, que se da entre los ocho y los trece años, es cuando esencialmente aprendemos, consciente e inconscientemente, imitando a nuestros amigos. Algunos de nuestros valores cruciales se constituyen alrededor de los diez años.

✔ El periodo de **socialización**, que tiene lugar entre los 14 y los 21 años. En este lapso aprendemos aquellos valores que más inciden sobre nuestras relaciones.

Generar valores

Si hay <u>áreas de tu vida</u> a las que crees que les vendrían bien algunas mejoras, examina tus valores para encontrar alguna clave que te permita hacer un cambio. Si sigues los pasos que se sugieren a continuación, quizá descubras qué te está impidiendo alcanzar lo que quieres.

1. **Escoge un área (o contexto) de tu vida con la que no estés muy contento o que te gustaría mejorar.**

   Por ejemplo, ¿vives o trabajas en un medio que no te gusta y que quisieras que fuera más enriquecedor?

2. **Haz una lista de las cosas que más te importan en este contexto.**

Notarás que los primeros valores te vendrán a la cabeza con suma rapidez. Sigue en ello y verás cómo pronto saldrá a flote otro nuevo lote de valores.

3. **Pon estos valores en orden de importancia, de manera que el más importante esté arriba.**

Si encuentras dificultades para reordenar la lista, simplemente pregúntate: "Si me fuera posible tener A pero no B, ¿me conformaría?" Si la respuesta es sí, entonces A es más importante que B; si la respuesta es no, entonces B tendrá que anteceder a A. Por ejemplo, en la lista de valores a continuación, que quizá guarde alguna relación con tu trabajo, puedes resolver que <u>la seguridad</u> tiene mucha más importancia que la aventura:

Éxito

Poder

Logros

Aventura

Seguridad

(anotación manuscrita:) Seguridad, logros, agenda?, Exito, poder, Aventura

Una vez les has dado a todos estos valores el debido orden de importancia, quizá descubras que los valores que surgieron más tarde eran más significativos.

4. **Cuando hayas ordenado tus valores, pregúntate si existe algún valor que te sería útil en esta área de tu vida pero que aún falta. ¿Dónde lo pondrías?**

Por ejemplo, si valoras tu trabajo pero allí no podrás lograr el nivel de éxito al que aspiras, quizá se deba a que la realización no había aparecido en tu jerarquía. Es más, tras revisar el proceso anterior quizá resuelvas que es más importante para lo siguiente:

Éxito

Realización

Logros

Aventura

Seguridad

Conflicto de valores

Cuando hayas establecido el orden de tus valores como medio para lograr algo (ver sección anterior), te será mucho más fácil alcanzar tu valor final. Desdichadamente, también es posible que tus valores terminen enfrentados. Cree querer dirigirte hacia un resultado específico, pero resulta que tu inconsciente opina distinto y, por tanto, te aleja de tu objetivo.

Por ejemplo, si tuviste una infancia en la que te acosaba la escasez económica, es probable que poseas un poderoso valor que te aleje de la pobreza pero enfrentado de manera directa con el valor que te apunta hacia la riqueza. Así, quieres ser rico pero no dejas de pensar "no quiero ser pobre", que es precisamente aquello hacia lo que tu inconsciente impulsa tu vida.

Puede surgir otro conflicto cuando deseas dirigirte hacia dos resultados al mismo tiempo y no dejas de pensar que sólo puedes obtener uno de los dos. Un ejemplo de este conflicto podría ser que quieres adelgazar pero también quieres disfrutar de tus comidas.

¿Existe algún valor preponderante en tu vida que te esté impidiendo satisfacer otros aspectos? Por ejemplo, tener dinero como el valor número uno quizá te haga inmensamente rico. Sin embargo, esto puede alejarte de la posibilidad de tener una relación satisfactoria.

¡Asegúrate de no pasar tanto tiempo cumpliendo tus valores como medio para lograr algo que te olvides de alcanzar tu valor final!

me gusta la palabra

Para cambiar los valores

Cuando pensamos en nuestros valores, creamos una imagen del mismo modo que hacemos cuando pensamos en nuestras creencias (ver sección anterior "El poder de las creencias" para más información sobre las creencias). Podemos cambiar la jerarquía de nuestros valores simplemente cambiando las características de la imagen que suscitan dichos valores. Pongamos por caso que tus valores respecto a la vida que quieres llevar son los siguientes:

Libertad

Logros

Seguridad económica

Diversión

Familia

Salud

buena salud
familia
logros
seg económica
libertad
diversión

Sin embargo, no te encuentras bien y esto te preocupa. Puedes llegar a decidir que prefieres tener buena salud a divertirte, y entonces optas por hacer un cambio de prioridades. Es posible hacer tal cosa utilizando la siguiente técnica.

1. Al pensar en la diversión, fíjate en la imagen que recreas en términos de lo siguiente:

Tamaño

Colores/blanco y negro

Posición

Foto estática o película en movimiento

Enfocada o borrosa

2. Ahora fíjate en la imagen que generas al pensar en la salud.

3. Invierte las cualidades de las dos imágenes.

Igual que ocurre cuando se trata de cambiar las cualidades de una creencia, al cambiar las cualidades de la imagen que tienes para la salud de manera que coincidan con las que tienes para la diversión, la salud subirá de puesto en la jerarquía y ocupará el lugar de la diversión. Ahora cambia la imagen de la diversión, de manera que adquiera las características que tenía la de la salud. Esto hará que la diversión baje y ocupe el puesto que antes tenía la salud.

Soñar despierto con tu futura realidad

Contrario a lo que quizá te dijeron tus profesores cuando te sorprendían mirando por la ventana de la clase, dejar volar la imaginación puede llegar a ser un estupendo primer paso en la conquista de tus metas. Utilizando las técnicas descritas en las secciones anteriores de este capítulo, te será posible descubrir cuáles son los anhelos de tu corazón y dar los primeros pasos para cumplirlos... y todo soñando despierto.

 De manera que date permiso para soñar y jugar. ¿En qué campo te gustaría tener éxito si se te apareciera el hada madrina de la Cenicienta y te concediera un deseo? El hada madrina se encargaría de otorgarte toda la influencia, los contactos y recursos necesarios para cumplir el deseo de tu corazón. ¿Ya sabes cuál es tu meta? Ahora sigue estos pasos:

1. **Haz una lista de las cosas importantes respecto a tu meta, todas las razones por las que deseas alcanzarla, y luego ponlas en orden de importancia.**

   ¿Te sorprenden tus valores? ¿Te diste cuenta de que algo que creías importante no lo era tanto, después de todo? ¿Quizá pensaste en un valor que hacía falta cuando comenzaste?

   Si no sabes muy bien cómo proceder, acércate a la sección "Generar valores", unas páginas más atrás en este mismo capítulo.

2. **Ahora, todavía soñando despierto, imagina que sales flotando de tu cuerpo y vuela al futuro, a un lugar y tiempo en el que ya has alcanzado tu meta.**

3. **Fíjate en las imágenes, los sonidos y las emociones, y manipúlalos.**

   ¿Puedes hacerlos más fuertes y vibrantes?

4. **Desde el lugar en el futuro date la vuelta y observa el presente. Deja que el inconsciente se dé cuenta de aquello que necesita saber para que te ayude a alcanzar tu meta.**

   ¡No olvides fijarte en cuál será el primer paso!

5. **Cuando hayas disfrutado de tu sueño despierto, vuelve al presente... ¡y da ese primer paso!**

¡Es muy probable que te sorprendas!

Capítulo 5

Pulsando los botones de la comunicación

· ·

· ·

Si yo te preguntara "cuando entablas un diálogo, ¿qué porcentaje de la comunicación te atribuyes? ¿Podrías decir que un 50 %?" Después de todo, son dos las personas implicadas en un diálogo, de manera que lo lógico sería que cada una de las partes fuera igualmente responsable en aquello de hacer preguntas y generar respuestas. Si los siguientes presupuestos de la PNL te son familiares (se explican en detalle en el capítulo 2), deberías contestar que el 100 %:

✔ El sentido de toda comunicación es la respuesta que recibimos.

✔ Si lo que ahora haces no te produce resultados, haz algo distinto.

✔ En un sistema cualquiera, la persona más flexible controla el sistema.

En este capítulo se te indica cómo asumir la responsabilidad en cualquier comunicación en la que te involucres. Se te suministrarán herramientas para que reconozcas las situaciones en las que la persona con la que hablas no está recibiendo el mensaje que tú envías y así puedas cambiar los términos, los hechos y las acciones para obtener la respuesta que quieres.

El modelo de comunicación de la PNL

El modelo de comunicación de la PNL se basa en la psicología cognitiva que fue desarrollada por Richard Bandler y John Grinder.

Según el modelo de comunicación de la PNL, cuando alguien se porta de cierta manera (el *comportamiento externo* de esa persona), dentro de ti se desencadena una reacción en cadena (tu *respuesta interna*), que a su vez genera en ti una manera de responder (tu propio *comportamiento externo*) que entonces genera una reacción en cadena en la otra persona (la *respuesta interna* de esa persona) y así el ciclo continúa. La figura 5-1 ilustra esta reacción en cadena.

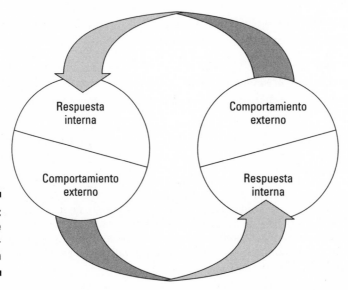

Figura 5-1:
El círculo de
la comunica-
ción

La *respuesta interna* es el resultado de un proceso y un estado internos. Dicho proceso consiste de una serie de diálogos internos, imágenes y sonidos, y el estado interno lo constituyen las emociones y los sentimientos que embargan al sujeto.

Las siguientes secciones presentan dos situaciones que ilustran el modelo de comunicación de la PNL en acción.

Situación 1

Para algunos ha sido un hermoso día de verano. Sin embargo, el aire acondicionado en la oficina no estaba funcionando y Daniel ha pasado un día atroz. Finalmente entra en su coche y, con un suspiro de alivio, enciende el aire acondicionado para rematar su agitado día camino a casa. Su hijo, David, había prometido cortar el césped. Daniel no ve la hora de llegar y de sentarse en un pulcro jardín recién podado con una cerveza bien fría en la mano. Al acercarse a casa, nota que el césped no ha sido cortado.

Daniel entra furibundo en casa, tan preocupado por sus problemas que lo único que siente es la furia galopante. Empieza a despotricar contra David, que decide encerrarse en su resentimiento, refunfuñando algo sobre la máquina de cortar el césped estropeada, que Daniel no oye. Por último, David pega un berrido —"¡Corta tú el maldito césped!"— al tiempo que desaparece. Ninguno está dispuesto a comunicarse y ambos ruedan por una espiral de gritos, portazos y silencio final.

En el ejemplo anterior, cuando Daniel estalla, el césped sin cortar se convierte en el factor que desencadena un estado interno de ira, rencor y frustración. Su proceso interno puede ser un monólogo del tipo, "... él lo prometió. Sabía que no debía esperar nada de él. Siempre le damos lo mejor y siempre nos falla...", acompañado de imágenes del pasado en las que David no estuvo a la altura que Daniel esperaba.

El comportamiento externo de Daniel, a saber, la perorata iracunda en ese tono de voz o con esa mirada desorbitada, provoca un estado interno en David. Quizá David sienta ira, rencor y frustración similares a las de Daniel. También recuerda anteriores altercados con su padre y, por tanto, sabe que no será escuchado, igual que todas aquellas otras veces. El comportamiento externo de David, que consistió en adoptar sus habituales rezongos malhumorados, quizás irriten aún más a su padre... y así sigue la cosa.

Situación 2

Ahora imagina la siguiente situación 2. Daniel llega y ve el césped sin cortar. En vez de explotar, respira hondo y le pregunta a David por qué no ha cortado el césped. David, esperando ser recriminado, se pone a la defensiva y le explica que la cortadora de césped está estropeada. Gracias a experiencias en el pasado, Daniel se da cuenta de que David está a punto de encerrarse en sí mismo y se ofrece a enseñarle a reparar la máquina de cortar el césped. Antes de ayudar a David a reparar la máquina, se lava y se tranquiliza un poco con una cerveza helada. David corta el césped antes de que la familia se siente a cenar.

En esta situación, el padre logra cambiar su proceso interno y hace un esfuerzo consciente por recordar su propia adolescencia, cuando necesitaba orientación y una mano firme. Es decir, decide sobre el resultado que quiere lograr a partir de la interacción con su hijo adolescente y, una vez se ha distanciado de sus emociones, es capaz de seguir por el camino que mantiene los canales de comunicación abiertos para lograr lo que quiere... que David corte el césped.

Esta situación ilustra cómo, poniendo en práctica los presupuestos de la PNL, Daniel logra el resultado que quiere... que David corte el césped. El vínculo padre-hijo se fortalece. La respuesta que recibe de David, cuando el adolescente empieza a ponerse a la defensiva, obviamente no es la que Daniel desea. Pero es lo suficientemente flexible para reconocer el patrón de conducta de David y entonces modifica sus respuestas para lograr lo que quiere; en otras palabras, controla el sistema.

Para entender el proceso de la comunicación

John Grinder y Richard Bandler descubrieron que la gente que domina el arte de la comunicación posee tres conjuntos de habilidades:

✔ Sabe lo que quiere.

✔ Es muy buena para percibir las respuestas que recibe.

✔ Tiene la flexibilidad necesaria para modificar su comportamiento hasta obtener lo que quiere.

(Kate) Tengo un amigo, Simon, que me ha dado un par de valiosas lecciones sobre cómo tratar con la gente. Simon jamás pierde la calma, y suele obtener lo que quiere incluso en las situaciones más difíciles. Lo hace distanciándose de sus emociones y concentrándose en el resultado que quiere obtener. Pero, además, también intenta entender el punto de vista de la otra persona para llegar a un resultado en el que todos ganan.

Cada uno de nosotros procesa la información de manera diferente, y reaccionamos de manera distinta frente a las mismas situaciones. ¿No te parecería útil entender cómo y por qué alguien reacciona como reacciona? Sigue leyendo mientras te ofrecemos un par de claves.

Siete ± dos

El profesor George Miller realizó una investigación para establecer cuántos *bits* de información podía almacenar una persona en su memoria a corto plazo, en un momento dado. Llegó a la conclusión de que una persona puede retener 7 ± 2 fragmentos de información; nueve *bits* si la persona se sien-

---

Perseguido por el número siete

Mi problema es que he sido perseguido por un número entero. Durante siete años este número me ha seguido a todos lados, se ha entrometido en mis asuntos más privados y me ha asaltado desde las páginas de los más prestigiosos diarios. Este número aparece ataviado con una variedad de disfraces, a veces un poco más grande y otras veces un poco más pequeño de lo normal, pero nunca tan cambiado como para que no pueda recono-cerlo. La persistencia con la que este número me asedia es mucho más que un mero azar. Seguro que sus apariciones siguen un patrón bien regulado. Una de dos: algo extraño ocurre con el número o de lo contrario yo sufro un franco delirio de persecución.

El mágico número siete más o menos dos, Profesor George Miller, "Psychological Review", 1956.

---

te a gusto o siente interés por el tema en cuestión, o cinco si no tiene un buen día o no le interesa particularmente recordar. Ahora, si a ti no te gusta hacer varias cosas a la vez, acción conocida como *multitasking*, quizás encuentres dificultades para almacenar más de un *bit*.

Nuestros cinco sentidos (vista, oído, tacto, olfato y gusto) nos bombardean con cerca de dos mil millones de *bits* de información por segundo. Si intentáramos lidiar con tan voluminosa entrada de información, enloqueceríamos. Así, para bien de nuestra cordura, filtramos toda esa información antes de que el cerebro la procese, para luego hacer representaciones internas con esa información.

Esto ocurre porque los procesos mediante los cuales hacemos representaciones internas de los eventos externos que percibimos a través de los sentidos se ven influenciados por múltiples experiencias y la acción de distintos filtros.

La manera como los estímulos externos del mundo se convierten en representaciones internas dentro de nuestro cerebro implica tres procesos fundamentales: supresiones, distorsiones y generalizaciones. En las secciones a continuación revisamos de manera general de tales procesos. Para información más detallada dirígete al capítulo 15.

Supresiones

Las supresiones se producen cuando prestamos atención a alguna parte de la información que entra por nuestros sentidos pero somos completamente ajenos a otros estímulos. Imagina a un profesor chiflado tan metido en su trabajo que sale de su casa en pantuflas.

Yo (Kate) suelo contar una historia de mi suegra, que ilustra bien cómo nuestro inconsciente hace las supresiones. Mi suegra solía viajar en autobús a su trabajo en Londres en una obra benéfica para niños. Por lo general, solía sacar la basura antes de volver por su bolso y su maletín. Sin embargo, como aquella mañana iba un poco retrasada, cogió las tres cosas: bolso, maletín y bolsa de la basura al mismo tiempo. Cuando ya estaba sentada en el autobús, empezó a notar un olor asqueroso y se dio cuenta de que había subido al autobús con la basura.

Distorsiones

Una distorsión se produce cuando malinterpretamos información que nos llega a través de los sentidos.

Un cínico podría decir (no sin cierta razón) que estar enamorado es una especie de distorsión en la que andamos por ahí soñando y viéndolo todo de color de rosa, completamente ajenos a los defectos de nuestra pareja "perfecta".

Una noche más bien tarde, me dirigía (Romilla) a casa desde Bristol, completamente sobria, por una carretera de dos vías, cuando empezó a llover. En realidad no era más que una tenue llovizna. De pronto, vi una figura etérea en la distancia, al borde de la carretera. Con el corazón a mil, la conversación que empecé conmigo misma iba más o menos así:

"Dios mío, un fantasma. Seré la primera en la familia que ha visto uno".

"No seas tonta, los fantasmas no existen".

"La carretera está vacía, ¿será que puedo dar una vuelta en U sin peligro de accidente?"

"Sabes que estás portándote como una idiota. ¡Qué va a ser un fantasma!"

"Sí que lo es. ¿Y si fuera un fantasma?"

"Pero no lo es".

"Sí que lo es".

...y así sucesivamente.

Para mi soberano alivio, debo confesarlo, y para mi amarga desilusión, resultó no ser más que un mendigo protegiéndose de la lluvia cubierto con un plástico blanco. Creo que me hubiera rendido al fantasma de haber sido un fantasma en serio.

Con mucha facilidad podemos distorsionar los actos de otra persona.

Una amiga mía (Kate) tenía un jefe, Tom, a quien, dada su formación cultural, le costaba mucho lidiar con las mujeres en el trabajo y era muy brusco cuando interactuaba con sus empleadas. Jacqui, mi amiga, malinterpretó el comportamiento de Tom y decidió que ella no le caía bien. La situación se hubiera podido salir de control si Jacqui no le hubiera confiado su recelo a una colega. Una vez Jacqui comprendió que la infancia de Tom era la responsable de su comportamiento, dejó de reaccionar emocionalmente cada vez que se cruzaba con su jefe. Como resultado, Jacqui cambió su comportamiento y comenzó a proyectar una nueva confianza en sí misma que a su vez resultó en una mejora sustancial en la manera como Tom la trataba.

Generalizaciones

Hacemos una generalización cuando transferimos las conclusiones a las que llegamos desde una vivencia, de manera que se ajuste a otras situaciones u ocurrencias similares. Las generalizaciones pueden ser buenas; nos ayudan a formar un mapa cognitivo del mundo. Si no generalizáramos, tendríamos que reaprender el alfabeto y reordenar las letras individuales como, por ejemplo, cada vez que empezáramos a leer un libro. Las generalizaciones nos permiten construir sobre lo que ya sabemos sin tener que reinventar la rueda.

Las creencias que tenemos sobre nuestro mundo son generalizaciones y, si de alguna manera el lector se parece a nosotras, las autoras, hará cuantas supresiones y distorsiones sean necesarias para mantenerlas en su sitio. Sin embargo, dichas generalizaciones también pueden volverse restrictivas en tanto que ellas nos dificultan la labor de aceptar o confiar en acciones y acontecimientos que no se ajustan a nuestras nociones preconcebidas. ¿Te has sentido ligeramente decepcionado cuando alguien o una situación no llegan a tus peores expectativas? Y, por el contrario, ¿has sentido cierta satisfacción cuando se cumple una decepción que esperabas?

A cada cual lo suyo

La razón por la que gente expuesta a los mismos estímulos externos no recuerda ni reacciona del mismo modo es que todos suprimimos, distorsionamos y generalizamos de distinta manera, basados un nuestros propios metaprogramas, valores, creencias, recuerdos y decisiones.

Metaprogramas

Los metaprogramas, que se tratan en mayor detalle en el capítulo 8, son nuestros filtros más profundos. Son además el mecanismo mediante el cual revelamos nuestros patrones de conducta por medio del lenguaje. Por ejemplo, a alguien con inclinación a ponerse al frente y lograr que las cosas se hagan (en otras palabras gente proactiva) se le puede llegar a oír: "No me venga con excusas, quiero resultados". Pero a alguien que se toma su tiempo antes de actuar (o sea reactivo) quizá se le escuche: "No se apresure, piense en todos los factores y asegúrese de que el resultado sea correcto". Ahora, estas dos características en alguien, combinado con la tendencia a generalizar, puede conducirnos a encasillar a la gente y decir, por ejemplo: "¿Te refieres a Tom, ese tonto introvertido?" (distorsión) o "¡Ah, sí, el típico vendedor, no se lo puede uno quitar de encima" (generalización). Sin embargo, es importante recordar que la gente puede llegar a cambiar sus patrones de conducta, dependiendo, eso sí, del entorno y la situación en la que se encuentre.

A continuación te ofrecemos un pequeño aperitivo sobre las tendencias "introvertido/extrovertido" y cómo afectan a nuestro proceso de filtración. Ambas tendencias constituyen metaprogramas básicos.

Introvertido	Extrovertido
Preferirá estar solo para recargar sus pilas.	Necesita verse rodeado de gente cuando quiere descansar y relajarse.
Tendrá pocos amigos con quienes esté profundamente conectado.	Tiene muchas amistades con las que comparte de manera un poco más superficial.
Puede tomar a pecho un desaire real o inanimado.	Quizá no se percate de una descortesía y, si lo hace, quizá la atribuya a un mal día de quien cometió el menosprecio.
Le interesan pocos temas sobre los que está particularmente bien informado.	Sabe mucho sobre muchas cosas, pero no con la misma profundidad que el introvertido.
Tiende a ser más solitario.	Tiende a ser más gregario.

El introvertido no es superior al extrovertido y el extrovertido puede ser tan bueno como el introvertido.

Los metaprogramas operan siguiendo una escala móvil y, por tanto, no pueden reducirse a una valoración del tipo esto o aquello (ver figura 5-2).

Así, puede ocurrir que en tu trabajo te sientas seguro y disfrutes, y quizá te portes como un extrovertido. Hacerlo, quizá permita que tu antena capte una banda más ancha de información y te percates de contactos y oportunidades que pueden ayudarte en tu trabajo. Sin embargo, al encontrarte con tus colegas en un ambiente social, quizá te sientas incómodo; entonces la aguja indicadora bajaría en la escala móvil, mostrando tendencias más introvertidas. Como resultado, quizá suprimas mensajes sutiles que te hubieran parecido obvios en tu oficina.

Figura 5-2:
Los metaprogramas operan siguiendo una escala móvil

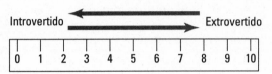

Somos perfectamente concientes de que los extrovertidos pueden llegar a irritar a sus amigos y conocidos más introvertidos. De manera que, señores y señoras extrovertidos, por favor modérense en cualquier situación con alguien que quizá no sea tan receptivo como ustedes y, por favor, no invadan su espacio corporal.

Un extrovertido asiduo de la PNL (de aquellos que no dejan de jugar todo el tiempo y con todo el mundo a la PNL) no dejó de bailar con una pobre introvertida, que conoció en una fiesta, invadiéndole el espacio corporal hasta tal punto que la mujer, a su vez, no dejó de intentar escabullírsele toda la noche.

Recordando que la gente puede mostrar tendencias distintas en diferentes entornos, ¿se te ocurre qué lado de la escala prefieres? ¿Podrías ponderar, a ojo de buen cubero, dónde ubicar a tus amigos y parientes? Contestar a la pregunta "cuando necesitas recargar las pilas, ¿prefieres estar solo o acompañado?" te dará una buena indicación sobre las tendencias de alguien.

¡Algunos extrovertidos establecen lazos muy fuertes con sus mascotas e incluso llegan a buscar la compañía de sus peludos cuadrúpedos antes que la de otros seres humanos cuando necesitan recargar sus baterías!

Valores

Los valores son otro conjunto de filtros inconscientes, aunque menos radicales que los metaprogramas. Los valores los aprendemos, casi por ósmosis, de nuestros padres y familia cercana hasta más o menos los siete años, y luego de nuestros compañeros y amigos. Los valores nos motivan a hacer algo, pero también pueden llegar a frenarnos a la hora de alcanzar nuestras metas. Son aquellos factores que nos parecen importantes y que nos permiten ponderar si algo que hemos hecho es bueno o malo. Inciden sobre cómo suprimimos, distorsionamos o generalizamos la información que envían los estímulos. Los valores están ordenados según una jerarquía, donde el más importante descansa en la punta de la escala. Ejemplos de valores son la salud, la riqueza, la felicidad, la honestidad, las amistades, la satisfacción en el trabajo, etc. Más sobre los valores en el capítulo 4.

Jaime trabajaba para una obra de beneficencia ayudando a organizar un programa de educación en África. Tenía una joven y dulce familia y disfrutaba con lo que hacía. A pesar de su pobreza franciscana, la beneficencia cubría todas sus necesidades cotidianas. Su trabajo satisfacía la jerarquía de sus valores y el siguiente era más o menos su orden:

1. Felicidad

2. Enriquecer otras vidas

3. Estar con su familia

4. Libertad

5. Variedad

6. Redes de apoyo

Estos valores se obtuvieron haciéndole la siguiente pregunta: "¿Qué cosas te importan respecto a tu trabajo?"

Como los valores de Jaime estaban satisfechos, no prestaba atención (supresión) a ningún aviso de trabajo que le ofreciera mejor remuneración, ya que consideraba que lo alejaría de otros aspectos de su actual trabajo, que él valoraba.

Los valores son contextuales. Esto quiere decir que algunos de tus valores sólo se aplican en ciertas áreas de tu vida y, por tanto, su importancia en la jerarquía también cambia dependiendo de qué área de tu vida estés examinando. Los valores de Jaime sólo eran relevantes en lo que concernía a su actual trabajo.

Para establecer qué valores son importantes para ti en alguna de las áreas de tu vida, tendrás que hacer un alto, dejar a un lado tu rutina y empezar a pensar. Para hacerlo, sigue estos pasos:

1. **Escoge un área de tu vida en la que quizá no tengas tanto éxito como quisieras.**

Puedes escoger tu trabajo, como hizo Jaime (ver la anécdota anterior en esta sección) o quizá quieras reflexionar sobre tus relaciones, la educación que recibiste, el medio en el que vives, etc. En el capítulo 3 encontrarás más sugerencias.

2. **Haz una lista de las cosas que te parecen importantes en ese contexto.**

3. **Mira la lista y reflexiona de nuevo. ¿Necesitas añadir algo que todavía falta porque crees que es importante pero aún no está incluido?**

4. **Ordena la lista según su importancia.**

   ¿El segundo valor es más importante que el tercero o quizá debas pasar el quinto valor al segundo lugar?

5. **Tomando cada valor por separado, ¿puedes identificar la posibilidad de que, de pronto, estés haciendo una supresión, una distorsión o una generalización que te esté impidiendo realizar o satisfacer algún deseo?**

   ¡Esta última es la pregunta del millón!

6. **Fíjate también si hay algunas decisiones limitantes influyendo sobre tus valores.**

Durante una sesión de relajación profunda, Jaime recordó que, cuando tenía unos seis años, sus padres tuvieron una discusión sobre el alquiler de la casa en la que vivían, ya que el dueño había subido el precio. Recordó lo angustiados que estaban sus padres. Comprendió que fue entonces cuando empezó a creer que los ricos eran gente mala y mezquina.

Creencias

Las creencias son unas verdades a las que realmente podemos tenerles miedo; pueden conducirte a las cumbres del éxito o arrastrarte a las profundidades del fracaso porque, para parafrasear a Henry Ford: "Ya crea usted que puede o que no puede... en ambos casos tendrá razón".

Nuestras creencias se forman en todo tipo de maneras inconscientes. Aprendemos de nuestros padres que tenemos talento, de nuestro profesor que no sabemos dibujar, de nuestros amigos que debemos apoyar siempre a los compañeros, y así sucesivamente. En algunos casos, como el del profesor, cuando se nos dice "no sabes dibujar", empezamos a suprimir cualquier oportunidad que se nos presente para aprender a dibujar: después de todo, un profesor nos dijo que no sabíamos dibujar.

Las creencias pueden nacer como una mera "herida en la mente" (¿recuerdan a Morfeo hablando con Neo en la película *Matrix*?); sin embargo, si la herida se irrita y duele, empezamos a encontrar instancias en las que se valida la "herida" y, tras un lapso de tiempo, hemos desarrollado una creencia concreta.

Escoge con sumo cuidado tus creencias porque estas tienden a convertirse en profecías que resultan verdaderas.

Actitudes

Por actitud entendemos la peculiar manera como cada uno de nosotros piensa sobre un tema o quizás sobre un grupo de gente. Nuestra actitud revela a los demás lo que sentimos o nuestro estado mental respecto a algo o a alguien. Es un filtro del que somos mucho más conscientes y lo conforman una serie de valores, creencias y opiniones sobre un tema en particular. Es mucho más difícil cambiar una actitud porque nuestra mente consciente participa de manera activa, construyéndola y aferrándose a dicha actitud.

Nos es posible identificar parcialmente la actitud de una persona a partir de lo que dice y de cómo se comporta. En el ámbito laboral, una persona que va más allá, que se atreve a dar el siguiente paso y siempre se muestra positiva se considera que tiene una buena actitud frente al trabajo, mientras que una persona que elude responsabilidades o con frecuencia finge estar enferma para no ir a trabajar se considera que tiene una mala actitud, una mala disposición hacia el trabajo.

Como nuestra actitud se fundamenta en nuestros valores y creencias, afecta a nuestras habilidades, obligándonos a comportarnos de cierta manera. Alguien que dispone de una buena actitud bien puede esperar resultados positivos. Al dar muestras de una conducta agradable y servicial, influye sobre los demás, de manera que se comporten del mismo modo.

La próxima vez que te cruces con un quejumbroso, haz el experimento de intentar contagiarlo con el virus de tu actitud positiva. Si te topas con alguien que se queja porque está lloviendo, pídele que espere con entusiasmo la salida del arco iris cuando vuelva a brillar el sol. O si escuchas a alguien hablando mal de otra persona, di algo positivo sobre la víctima. Comenta que la gente con una actitud positiva frente a la vida vive menos estresada. ¡Un buen día incluso puedes llegar a ver al quejumbroso haciendo algo bueno y entonces quizá decidas felicitarlo!

Recuerdos

Nuestros recuerdos determinan aquello que prevemos y cómo nos portamos y comunicamos con los demás. Los recuerdos de nuestro pasado pueden afectar a nuestro presente y futuro. El problema surge cuando esos recuerdos no guardan el orden en el que fueron registrados. Cuando los recuerdos se enredan o confunden, comportan todas las emociones que se suscitaron cuando ocurrieron los hechos. Con esto queremos decir que tu vivencia actual despierta viejos recuerdos y entonces, de pronto, te encuentras respondiendo y reaccionando a recuerdos y emociones del pasado y no a la experiencia que estás viviendo en este momento.

Mi (Kate) amiga Tamara trabajaba con una mujer llamada Sheila. La relación de Tamara y Sheila no tuvo éxito, por decirlo suavemente. Sheila era una matona triple A que volcó todas sus atenciones sobre Tamara. Y no ayudaba para nada que Sheila fuera a la vez la supervisora de Tamara. Cuando Tamara, con gran alivio, encontró un nuevo trabajo, de repente se encontró trabajando, en una relación muy similar, con otra Sheila. Como su nueva colega también se llamaba Sheila y era su superior, a Tamara le supuso un grandísimo esfuerzo convencerse de que la segunda Sheila era en realidad una persona encantadora. Si los recuerdos de Tamara hubieran conservado el orden correcto, Tamara jamás hubiera revivido los recuerdos y las emociones negativas del pasado. Hizo generalizaciones y distorsiones sobre la segunda Sheila tomadas de su experiencia con la primera.

Decisiones

Todas tus decisiones están estrechamente ligadas a tus recuerdos y afectan a todas las áreas de tu vida. Esto se vuelve particularmente importante cuando se trata de decisiones que limitan las opciones que sientes que te ofrece la vida... aquello que en la PNL se conoce como *decisiones limitantes*. Algunos ejemplos de decisiones limitantes podrían ser: "tengo una pésima ortografía", "el dinero es la raíz de todos los males, de manera que, para ser bueno, no puedo ser rico", y "si me pongo a dieta, no voy a disfrutar de mis comidas".

Algunas de tus decisiones limitantes probablemente se tomaron de manera inconsciente, otras cuando eras joven, y puede que las hayas olvidado. A medida que crecemos y maduramos, nuestros valores pueden cambiar, pero es necesario reconocer y reevaluar cualquier decisión que pueda estar obstaculizándonos.

Cuando Jaime volvió a Inglaterra, tras varios años en África, su pobreza franciscana se volvió aún más desesperada porque ahora tenía que velar por su familia sin la ayuda de la organización benéfica para la que trabajaba antes. Tras reflexionar sobre sus nuevas circunstancias, volvió a redactar sus valores así:

Felicidad

Enriquecer otras vidas

Estar con mi familia

Seguridad

Libertad económica

Variedad

Hasta que decidió que necesitaba libertad económica, no comprendió que la decisión que había tomado cuando era pequeño (a saber, ricos = mezquinos = malos) le estaba impidiendo velar por su familia. Entonces se puso a pensar en cómo podía ser rico, ayudar a la gente y permanecer cerca de su familia. Hoy, Jaime es extremadamente feliz, muy rico y enriquece otras vidas. ¿Cómo? Le sumó a su máster en Administración de Empresas un doctorado en Psicología. Imparte talleres alrededor del mundo y viaja siempre con su esposa.

Dale una oportunidad a la comunicación eficaz

Como muestran las secciones anteriores, gran parte de la forma en que pensamos y nos comportamos es inconsciente; tus respuestas y reacciones se forman y se ven afectadas por tus valores, creencias, recuerdos, etc. Afortunadamente, no tenemos por qué estar, necesariamente, a merced de nuestro inconsciente.

Siendo conscientes es posible asumir el control de cómo nos comunicamos con los demás, y se trata de una idea liberadora y muy poderosa. Haz lo posible por mantener las siguientes sugerencias en mente:

✔ **Utiliza la cabeza antes de hablar.** Piensa en el resultado que esperas siempre que interactúes con gente, y exprésate según convenga para obtener ese resultado.

✔ **Camina con cuidado.** Tener este conocimiento te da poder y el poder, como todos sabemos, puede corromper. Pero, por otro lado, el poder también puede librarte de muchos miedos. Te puede permitir trabajar con generosidad y amabilidad de tal manera que, conociendo el modelo de mundo con el que opera otro ser, tú siempre puedas llegar a una conclusión en la que todos ganen.

Parte III

Hacer amigos...
influir sobre la gente

The 5th Wave   **Rich Tennant**

"¡ESTAMOS A PUNTO DE CERRAR EL CONTRATO PARA LA MINISERIE *GODZILLA* Y TÚ PIERDES TODA DISTANCIA EMOCIONAL SOBRE LOS DERECHOS DE DISTRIBUCIÓN DE LA SERIE!"

En esta parte...

Verás como todo en la vida es un asunto de conectar unos
con otros. Aprenderás sobre dos temas claves en la PNL
conocidos como conciencia sensorial y buena compenetración
o *rapport*, que a su vez no son más que percatarse más y mejor
del mundo que nos rodea y cómo entrar en contacto con él.
Sin una buena compenetración simplemente los demás no nos
escuchan.

También te demostramos aquí el valor de escuchar con atención cómo la gente utiliza las palabras de maneras distintas
y cómo cambiar de perspectiva para poder ver una situación
desde otro ángulo.

Capítulo 6

Ver, oír y tantear nuestro camino para lograr una mejor comunicación

*V*olvamos un momento atrás. Al comienzo de este libro (si eres una de esas maravillosas personas ordenadas que tiene la disciplina de empezar los libros por el principio antes de tirarse de cabeza a la mitad de los mismos) te presentamos de manera breve los cuatro pilares de la PNL. Uno de estos cuatro elementos cruciales es lo que en PNL se conoce como *conciencia sensorial* o cómo le damos sentido al mundo, al tiempo que creamos nuestra propia realidad a través de los sentidos.

Por un minuto, imagínate a una criatura que tenga una antena personal muy desarrollada. Bueno, pues esa criatura eres tú. Desde el momento en que llegamos al mundo, lo hacemos dotados de unos sentidos increíblemente bien desarrollados, suficientes para descubrir los secretos del universo. Excepto en aquellos casos en los que algún accidente precede a nuestro nacimiento, casi todos llegamos al mundo siendo una minimáquina perfecta para aprender, provistos de ojos, oídos, olfato, gusto y tacto, además de aquella cualidad que nos distingue como seres humanos: la capacidad de conectar emocionalmente con los demás.

En fin, cierto, la vida casi siempre empieza bien hasta que, más o menos a los diez años, la cosa puede empezar a ir de mal en peor, cuesta abajo, como se suele decir. ¿Has oído aquello de que la práctica hace al maestro? Pues bien, con frecuencia, en tanto seres humanos que somos, a veces nos puede dar pereza aprender algo o nos anquilosamos repitiendo una rutina. Cuando descubrimos que somos buenos haciendo algo de una manera particular, hasta ahí llegamos. En otras palabras, optamos por el camino fácil y, al hacerlo, limitamos nuestras opciones. Lo mismo puede ocurrir con nuestra conciencia sensorial: nos especializamos en seguir un estilo de pensar y procesar información y dejamos que nuestros demás sentidos se oxiden en un estado de letargo.

Leonardo da Vinci sostenía que la mayoría de la gente "mira sin ver, oye sin escuchar, toca sin sentir, come sin saborear, se mueve sin saber lo que hace, respira sin darse cuenta de los aromas o las fragancias y habla sin pensar".

¡Qué invitación a superarnos!

De manera que, querido lector, a medida que lees este libro, permítenos invitarte a que intentes algunas nuevas maneras de enfrentarte al mundo, afinando esos increíbles sentidos que nos dio la Madre Naturaleza. Verás la diferencia que puede significar hacerlo. ¿Sabes qué? Creo que puedes ir preparándote para divertirte y aprender mucho a lo largo del camino.

Las modalidades... de ahora en adelante VAC entre tú y yo

El modelo de la PNL describe cómo sentimos y vivimos el mundo exterior —más conocido, dicho sea de paso, como vida real— a través de los cinco sentidos o las modalidades de la vista, el oído, el tacto, el olfato y el gusto.

Nota por ejemplo lo que ocurre en tu cuerpo y cabeza cuando digo: "Piensa en un plato que realmente hayas disfrutado". Quizá veas las coloridas guirnaldas de un festín sobre una mesa y oigas el tintineo de cubiertos o quizá la voz de un camarero que te ofrece la especialidad del día o la de unos amigos charlando en la cocina. Quizá te embargue una tibia y agradable anticipación por dentro, mientras los aromas de la comida alcanzan tu nariz y oyes cuando descorchan la botella de vino o casi sientes la copa helada en la mano y, claro, también el sabor de aquel primer bocado, mmm... una experiencia multisensorial. Y esto ocurre con sólo pensarlo, sentado en tu sillón.

Es probable que, hasta el momento, no te hayas percatado de cómo piensas (el proceso), sino más bien de las cosas en que piensas (el contenido). Sin embargo, la calidad de las cosas en las que piensas la determina la cualidad de tu vivencia. De manera que *el cómo* es tan, si no más importante, que *en qué* cosas piensas. En esta sección te presentamos algunas dimensiones de tus procesos de pensamiento que quizá nunca antes hayas considerado. A medida que empieces a tomar conciencia de cómo piensas y le des sentido al mundo, también empiezan a ocurrir otras cosas muy interesantes. Empezarás a notar que puedes controlar lo que piensas sobre una persona o una situación. También comprenderás que no todo el mundo piensa igual que tú, ni siquiera sobre los más prosaicos acontecimientos de la vida cotidiana que para ti son tan claros y obvios. Y, en el proceso, quizá decidas que la vida puede llegar a ser mucho más gratificante si empiezas a pensar de una forma distinta, prestando atención a tus varios sentidos al mismo tiempo.

Filtrar la realidad

Al tiempo que percibimos, que sentimos la realidad, vamos seleccionando información que proviene de nuestro entorno de tres maneras o modalidades: visual, auditiva y cinestésica (VAC, o VACOG si incluimos la olfativa y la gustativa).

✔ Algunas personas ven los lugares y las *imágenes*: un retrato claro de la dimensión visual.

✔ Otras oyen los *sonidos*: están en sintonía con lo auditivo.

✔ Un tercer grupo capta los aspectos *emocionales* o lo *táctil*: en cuyo caso sienten la dimensión *cinestésica* en tanto *conciencia corporal*; en este grupo "sensorial" también incluimos el sentido del gusto (lo gustativo) y el olfato (lo olfativo).

Pensemos por un momento en cómo sientes tú mientras lees este libro. Cualquiera que lo vea, lo percibirá y sentirá de manera diferente. Imagina que hay tres lectores de este ejemplar de la colección ...*para Dummies*. El primero escoge el libro porque las ilustraciones y los gráficos le parecen fáciles de entender, la composición tipográfica le resulta clara y porque le gustan las caricaturas. Al segundo le gusta el tono (sonido) de lo que allí se dice y expone. Al tercero le ha gustado la textura y el olor del papel o simplemente presiente que se trata de un libro interesante que valdría la pena tener. Quizás a ti, sofisticado lector de la serie ...*para Dummies*, te guste por las tres cosas. Plantéatelo. A medida que utilices este libro, empieza a notar cómo prefieres recibir la información, qué páginas te invitan a sentarte erguido y a leer con más atención. ¿Qué te gusta más? ¿Qué incide más contigo: las palabras, las ilustraciones o la sensación de todo en general?

En la vida cotidiana recurrimos de manera natural a todos nuestros sentidos VAC. Sin embargo, cuando se trata de un contexto específico, es probable que predomine uno de nuestros sentidos. Sin embargo, te aseguramos que, a medida que te sensibilices con el juego simultáneo de los tres grandes grupos de lo visual, lo auditivo y lo cinestésico, hacerlo te proporcionará grandes beneficios. Imagina, por ejemplo, que quieres hacer cambios en una habitación en tu casa. Quizá sólo has pensado en el asunto en términos visuales: de qué color pintar las paredes o en el diseño de la tela para las cortinas. Si empiezas a incorporar la dimensión auditiva, puedes empezar a pensar también en el sonido de los objetos que tienes en la habitación, por ejemplo, las tablas del suelo que crujen o cómo acabar con el ruido del tráfico en la calle o dejar que entre el trino de los pájaros, qué música y qué tipo de conversaciones te gustaría tener en esa habitación. ¿Qué ocurriría si consideraras dicho espacio en términos de texturas y olores, es decir, las dimensiones cinestésica y olfativa? Quizás entonces optarías por una alfombra bien afelpada o por un tapete de mimbre. Quizá decidas dejar al descubierto el ladrillo en una pared o recubrirla con un color suave, dependiendo de lo que prefieras.

En el contexto del aprendizaje, cuando sabemos cómo usar la percepción VAC, nos es posible jugar con distintas maneras de recibir y asimilar la información dependiendo de la sensación global que mejor nos vaya. Si alguna vez estudiaste algún idioma, quizá lo hiciste con la ayuda de unas cintas (auditivas) para escuchar en el coche; sin embargo, cabe la posibilidad de que lo hubieras podido aprender más rápido viendo películas extranjeras, practicando un deporte, compartiendo una cena o aprendiendo a bailar con una pareja que hablara el idioma en cuestión. Cuando la gente aprende a desarrollar sus capacidades para acceder a imágenes, palabras, sentimientos y sensaciones, con frecuencia descubre talentos que no había identificado antes.

En la jerga de la PNL, los distintos canales a través de los cuales representamos o codificamos información internamente, recurriendo a nuestros sentidos, se conocen como *sistemas de representación sensorial* o *sistemas representacionales*. Es decir, en la terminología de la PNL se habla de sistemas representacionales y preferencias VAC o modos preferidos de pensar. Lo visual, auditivo y cinestésico constituyen los principales sistemas representacionales. Los términos sensorialmente específicos (como "imagen", "palabra", "sensación", "olfato" o "gusto") que utilizamos, ya sea en calidad de sustantivos, verbos o adjetivos, se conocen como *predicados*. Podrás ver más ejemplos de lo anterior en la tabla 6-1, bajo el título "Para que las palabras contribuyan a la buena comunicación", más adelante en este capítulo.

Escuchar cómo o qué están pensando

En tanto que seres humanos, permanentemente hacemos una riquísima y estimulante mezcla de estas tres dimensiones principales; sin embargo, tendemos a preferir una modalidad sensorial sobre las otras dos.

Entonces, ¿cómo podemos saber cuál es el modo (visual, auditivo o cinestésico) que nosotros o los demás prefieren? A continuación te ofrecemos una
prueba divertida… Recuerda, eso sí, que no decimos que sea un examen
científico. Haz la prueba contigo mismo y con tus amigos y colegas para
empezar a aprender algo sobre nuestros sistemas de representación prima-
rios. No tardarás más de un par de minutos.

1. Encierra la opción que mejor te describa con relación a cada una de
   las afirmaciones.

   1. Para tomar decisiones importantes me baso en:

   a) Mi instinto

   b) Las opciones que mejor me suenan

   c) Lo que me parece correcto

   **2. Cuando asisto a una reunión o presentación, considero que
   tiene éxito cuando la gente:**

   a) Ilustra con claridad los puntos clave

   b) Esgrime un argumento sensato

   c) Toca asuntos concretos y reales

   3. La gente sabe si tengo un buen o mal día por:

   a) Cómo voy vestido y por mi apariencia general

   b) Las reflexiones y emociones que comparto

   c) El tono de mi voz

   4. Cuando tengo un enfrentamiento lo que más me afecta es:

   a) El tono de voz de la otra persona

   b) La manera como me miran

   c) Conectar con sus emociones

   5. Soy muy consciente de:

   a) Los sonidos y ruidos a mi alrededor

   b) La textura de la ropa que llevo puesta

   c) Los colores y formas de mi entorno

2. Indica tus resultados para cada pregunta en la siguiente cuadrícula:

1a	C
1b	A
1c	V

2a	V
2b	A
2c	C
3a	V
3b	C
3c	A
4a	A
4b	V
4c	C
5a	A
5b	C
5c	V

3. Suma las V, A y C.

4. ¿Qué puntuación has obtenido?

¿Alguna de las tres letras (V, A o C) aparece más que la otra? Examina tus preferencias y veamos si lo que aquí comentamos te dice algo significativo o no:

✔ **V (visual):** Una preferencia por lo visual puede significar que sueles tener un ojo puesto en las cosas. Es probable que disfrutes de las imágenes visuales, los símbolos, el diseño. Quizá requieras de un entorno diseñado atractivamente.

✔ **A (auditivo):** Una preferencia por lo auditivo puede significar que tienes facilidad para estar a tono con las nuevas ideas y que pueden gustarte la música, el drama y la literatura, escribir y conversar.

✔ **C (cinestésico):** Una preferencia por lo cinestésico puede significar que eres capaz de mantener el equilibrio y que te aferras bien a la realidad. Quizá necesites estar rodeado por un entorno cómodo.

Las estadísticas indican que en países como Estados Unidos y en el Reino Unido lo visual prevalece en aproximadamente el 60 % de la población. A duras penas sorprende, si se piensa en el bombardeo al que es sometido nuestro sentido visual.

Abstente de calificar a la gente como visual, auditiva o cinestésica: no sería más que una vulgar generalización. Más bien piensa en esos rasgos como preferencias o tendencias antes que identidades. Ten en cuenta, también, que ningún sistema es mejor o peor que el otro. (No podemos menos que operar en todos los modos o modalidades, incluso en el caso de que lo hagamos de manera inconsciente.) No son más que distintas maneras de recibir y almacenar información, al tiempo que vivimos la experiencia del mundo que nos rodea... y además, cada uno de nosotros es único.

Escucha el mundo de las palabras

En los albores de la PNL, sus fundadores, Richard Bandler y John Grinder, se quedaron fascinados de cómo las personas usaban el lenguaje de maneras distintas. La noción de los sistemas representacionales surgió de sus seminarios y grupos de estudio cuando identificaron unos patrones de discurso asociados a los sentidos VAC. Representamos nuestras experiencias a través de los sentidos y, en la PNL, los sentidos se conocen como sistemas representacionales o de representación sensorial.

El lenguaje que usas de manera cotidiana indica cuáles son tus sistemas de representación preferidos. Al tiempo que amplías y enriqueces tu capacidad para comunicarte, escucha bien el tipo de palabras que usa la gente. Descubrirás cosas curiosas sobre lo que pasa en la cabeza de tus interlocutores, sin importar que sean más sensibles a las imágenes, las palabras o los sonidos.

Para que las palabras contribuyan a la buena comunicación

En nuestros talleres, con frecuencia probamos lo que sigue y nos damos cuenta una y otra vez de lo fácil que puede ser que grupos con las mismas preferencias sintonicen y se comuniquen bien con suma rapidez. Encuentran naturalmente fácil hablar con quienes "hablan en su mismo lenguaje".

Entonces, ¿qué hacer cuando sientes que estás hablando en un lenguaje "diferente" y te percatas de que la conversación es mucho más difícil? Empieza por escuchar con mucho más cuidado e intenta identificar las preferencias discursivas o de lenguaje de los otros. Entonces te encontrarás en una excelente posición para ajustar el patrón de tu lenguaje, de manera que se asocie con el del otro (o los otros) y así construir la sintonía necesaria mediante el parecido que ahora adquiere tu patrón discursivo.

En la tabla 6-1 encontrarás una lista de palabras y frases sensorialmente específicas —aquellos predicados VAC— que le vas a oír decir a la gente. Puedes ir preparando tus propias listas para darte cuenta de qué palabras dices o escribes con frecuencia. Cuando te encuentres en dificultades para mostrarle algo a alguien, examina la posibilidad de que te estés repitiendo, patinando sobre una rutina de tu lenguaje.

Tabla 6-1	Palabras y frases VAC	
Visuales	*Auditivas*	*Cinestésicas*
Brillante, en blanco, claro, color, tenue, foco, gráficos, iluminado, visionario, luminoso, perspectiva, visión. vocal.	Discutir, argumentar, preguntar, sordo, muy duro, armonía, melodía, insolente, pregunta, resonar, decir, gritar, chillar, cantar, tono, balbucear, pronunciar,	Frío, rebote, estimulante, sentir, firme, flujo, agarrar, movimiento, mandón, prepotente, sólido, tacto, pisotear, peso.
Parece que... es...	La cuestión que importa	Conducir una organización.
Un atisbo de realidad.	Si así lo dice.	Reformamos el trabajo.
Velábamos por nuestros intereses.	Lo oí de sus propios labios.	Abriéndose paso.
Una nueva manera de ver el mundo.	¿Quién lleva la batuta?	Dio en el clavo.
Ahora, vea esto...	Un campanazo.	Intenta cogerle el tiro.
Claro como el agua.		Cógelo por los cuernos.
Una imagen espantosa.	Palabra por palabra.	Es un tipo insoportable.
Venga, déjeme ver qué es lo que quiere decir.	Estamos sintonizados/ en sintonía.	Sólido como una roca.
Estrechez de miras.	Escuche esto.	Tómalo paso a paso.
Música para mis oídos.		
Sonarle de algo.		

También existen algunas palabras olfativas y gustativas. Entre ellas cabe mencionar las siguientes: amargo, fragante, jugoso, salado, oloroso, ahumado, ácido, picante, dulce y tufillo, por ejemplo.

Muchas palabras, en tu propio vocabulario, no tendrán relación alguna con tus sentidos. Son no sensoriales y precisamente, como son "neutras", no

Lenguajes taquigráficos

No importa en qué ámbito de la vida, todos desarrollamos una especie de lenguaje taquigráfico para comunicarnos con colegas, amigos y familia. Escucha hablar a un grupo de médicos, adolescentes u obreros de la construcción y verás cómo todos tienen su manera particular de hacer llegar su mensaje con rapidez y eficacia.

A partir de nuestra experiencia personal, creo que podemos generalizar sin temor a equivocarnos que mucha gente en el mundo de los negocios, particularmente aquella que trabaja en la industria informática, pasa gran parte de su tiempo sintonizada en su propio lenguaje de estilo digital. Rodeada de tecnología lógica, olvida ponerle lenguaje sensorialmente específico a su proceso de comunicación (hasta que descubre la PNL, claro).

Los problemas de comunicación surgen para cualquier grupo humano cuando sale de su medio. Con frecuencia, la jerga corporativa duerme a la gente. Simplemente, compara casi cualquier presentación de PowerPoint y el inspirado discurso "Tengo un sueño" de Martin Luther King y entenderás por qué tanto alto ejecutivo termina cabeceando poderosamente frente a su computadora portátil.

La diferencia se llama pasión. Cuando alguien vive algo con pasión y quiere compartirlo con el mundo, de manera natural compromete todos sus sentidos al hacerlo y, por supuesto, eso se refleja en las palabras que pronuncia. Si analizaras los famosos discursos de Martin Luther King, por ejemplo, muy pronto te percatarías de la riqueza y del uso de palabras sensorialmente específicas en sus discursos.

sintonizarán ni entrarán en conflicto con el sistema representacional de nadie. Algunas palabras neutras podrían ser las siguientes: analizar, contestar, preguntar, escoger, comunicar, complejo, educar, experiencia, favorito, imaginar, aprender, cuestionar, recordar, transformar, pensar, entender, usar y preguntarse.

Cuando los pensamientos y el lenguaje de una persona son demasiado lógicos, conceptuales y desprovistos de lenguaje sensorial, en la PNL este fenómeno se conoce como *procesamiento digital*. Los documentos que producen las compañías de seguros son expresiones típicas de lenguaje digital, como ocurre en el siguiente ejemplo: "La obligación de suministrar esta información sigue vigente hasta el momento en el que exista un contrato de seguro completamente diligenciado. El incumplimiento de dicho contrato autoriza a los asegurados, si así lo desean, a evitar que se inicie el contrato de seguro, exonerándolos de toda responsabilidad".

Traigan a los traductores

A veces dos personas encuentran dificultades al comunicarse porque hablan con lenguajes de distinto estilo, incluso si comparten el mismo punto de vista. Uno de los dos puede usar, por ejemplo, un estilo auditivo y el otro visual o cinestésico. Para ser comunicadores eficaces, tenemos que ser capaces de hacer dos cosas: conocer nuestro estilo preferido (o sistema representacional) y practicar el uso de los otros.

¿Has escuchado alguna vez una disputa entre un gerente y un miembro de su oficina? Sería más o menos como el diálogo que se incluye a continuación. Para mostrar los diferentes estilos lingüísticos, resaltamos los predicados (expresiones y palabras sensorialmente específicas) en *cursivas*.

Gerente: (Beatriz) "No puedo *ver* bien el punto de *vista* de tu evaluación" (visual).

Empleado: (Víctor) "Bueno, ¿podemos *hablar* un poco más al respecto?" (auditivo).

Beatriz: "Para mí la cosa está muy *clara*..." (visual).

Víctor: "Si te tomaras la molestia de *discutirlo*, quizá lograríamos tener un ambiente más *armónico* en esta oficina" (auditivo).

Beatriz: "Mira, simplemente échale una *miradita* más detallada. Estoy segura de que así tendrás una *perspectiva* mejor" (visual).

Víctor: "Tú nunca *escuchas*, ¿verdad? Fin de la *conversación*, pues" (auditivo).

¿Ves cómo Beatriz, la gerente, insiste en el lenguaje visual mientras que su empleado, Víctor, se empecina en el modo auditivo? No están conectando y, por tanto, no progresan.

A continuación veamos cómo un tercero, llamémosle Javier, quizá del departamento de recursos humanos, puede ayudar a cambiar el tono de la disputa.

1. Javier resume la situación en modo visual a Beatriz y en modo auditivo a Víctor. La conversación que mantienen se parece a la siguiente:

"Bueno, Beatriz, al parecer tú tienes una idea *clara* de la situación (visual). Y tú, Víctor, todavía tienes un par de preguntas importantes sobre las que quisieras *hablar* un poco más (auditivo). (Ambos asienten.)

2. Entonces Víctor pasa al tercer sistema (cinestésico), que es territorio neutro para ambas partes.

"Ustedes dos quieren *poner en marcha* este asunto y *eliminarlo* de la agenda. Entonces, ¿por qué no vienen a mi oficina y *consideramos* el asunto un rato, lo *reordenamos* y lo *despachamos* de una vez por todas?"

Una de nuestras colegas, Helen, se mostraba algo escéptica respecto a las diferencias de lenguaje cuando se aproximó por primera vez a la PNL. Sin embargo, tuvo uno de esos instantes de iluminación cuando descubrió sus propios sistemas representacionales y decidió jugar con ellos en casa antes de intentarlo en su vida profesional. La mujer había notado que Peter, su marido, a veces se desconectaba y parecía no mostrar el menor interés cuando ella quería hablar sobre decisiones importantes. Quería ver si cambiar las palabras que utilizaba tenía algún efecto.

"Yo estaba más que dispuesta a hablar con él sobre asuntos de no poca monta, como por ejemplo en qué colegio debíamos inscribir a las niñas o si debíamos o no invertir una buena suma de dinero remodelando la cocina y todo lo que recibía por respuesta era un somero "sí, está bien…" o "no, todavía no…". Comprendí que yo, con una clara preferencia cinestésica, con frecuencia iniciaba cualquier conversación con Peter más o menos así: "¿Peter, qué *opinas* respecto a XYZ…?" Y también me había dado cuenta de que Peter usaba bastante lenguaje visual, de manera que resolví probarlo y le pregunté: "¿Peter, cómo *ves* que XYZ?" La diferencia en nuestras conversaciones, una vez empecé a incorporar más y más palabras visuales, fue asombrosa. Fue fácil hacer el cambio y, prácticamente en el acto, Peter empezó a prestarme atención. Magia, la verdad".

La clave está en los ojos

El lenguaje corporal nos ofrece maravillosos indicios sobre cuál puede ser el sistema representacional preferido de la gente. La manera como respiramos, nuestra postura, el tipo de cuerpo y el tono y ritmo de nuestra voz tienden a variar según el estilo con más ascendente, ya sea visual, auditivo o cinestésico. En los albores de la PNL, Bandler y Grinder observaron que la gente mueve los ojos en direcciones sistemáticas dependiendo del sistema de representación al que acceden. Estos movimientos se conocen como *claves de acceso ocular*.

Lo que esto significa es que, cuando la gente mueve los ojos en respuesta a una pregunta, resulta relativamente fácil establecer si está accediendo a imágenes, sonidos o emociones. ¿Y eso cómo puede ayudarnos? La respuesta es que gracias a los ojos tienes una muy buena oportunidad de establecer qué sistema utiliza tu interlocutor, sin haber cruzado aún una sola palabra, y podrás hablarle de manera que reaccione positivamente a tu intervención. En la tabla 6-2 te presentamos un esquema que muestra qué movimientos oculares se asocian a cada sistema representacional.

Tabla 6-2   **Pistas de acceso**

Patrón	Los ojos del interlocutor se mueven hacia...	Qué ocurre por dentro	Ejemplo de lenguaje
Visual Construido	Arriba a la derecha	Ve imágenes nuevas o diferentes	Piensa en un elefante cubierto con glaseado rosa
Visual Recordado	Arriba a la izquierda	Ve imágenes que ha visto antes	Piensa en la cara de su compañero
Visual vaga	Mirada al frente y o antiguas	Ve imágenes nuevas importante	Observa qué es lo
Auditivo Construido	En el centro pero hacia la derecha	Oye sonidos nuevos o diferentes pronunciado al revés	Escucha el sonido de tu nombre
Auditivo Recordado	En el centro pero hacia la izquierda	Recuerda sonidos que ha oído antes	Oyes el timbre de tu casa
Auditivo Diálogo interno	Abajo a la izquierda	Habla consigo mismo	Te preguntas qué quieres
Cinestésico	Abajo a la derecha emociones, sentido del tacto	Sentimientos, de los dedos de tus pies	Sientes la temperatura

El dibujo que sigue muestra el tipo de procesos que hace la mayoría de la gente cuando mueve los ojos en una dirección específica. En un porcentaje muy reducido de la población, que incluye más o menos a la mitad de los zurdos, el orden se invierte: sus movimientos oculares son el reflejo que daría un espejo de la imagen que mostramos.

La imagen de la figura 6-1 está dibujada como si estuvieras observando el rostro de alguien que tienes delante, y muestra cómo verías sus movimientos oculares. Así, por ejemplo, si el ojo se mueve hacia arriba y a la derecha para ubicarse en la posición *visual recordada* en la tabla, tus propios ojos se desplazarían hacia arriba y la izquierda si practicas el ejercicio frente a un espejo.

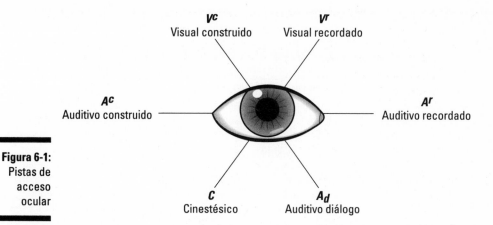

Figura 6-1:
Pistas de
acceso
ocular

Al desarrollar nuestra conciencia sensorial, al aprender a percatarnos de los detalles, podemos compenetrarnos mejor con aquello que la gente puede estar pensando en distintos momentos. Cuando sabemos esto, podemos escoger las palabras que vamos a usar, de manera que esas otras personas nos escuchen con atención. En el siguiente ejercicio tu objetivo será intentar fijarte en los movimientos oculares de la gente para calibrarlos y decidir si están pensando en imágenes, sonidos o emociones. Busca a un amigo dispuesto a hacerlo; luego utiliza las preguntas y los diagramas que se muestran en la figura 6-2, "Juego del movimiento ocular". Cada pregunta de esta página está formulada de manera que compromete a los sentidos… ya sea en el pasado o en el futuro. Sigue estos pasos:

1. **Haz que tu amigo piense en algo neutro para establecer qué cara pone cuando su expresión es neutra.**

    Lavar los platos o emparejar calcetines puede ser un tema lo suficientemente trivial y rutinario como para estar seguros de lograr lo que nos proponemos por ahora.

2. **Hazle a tu amigo, una por una, las preguntas que aparecen en la hoja del "Juego del movimiento ocular". Al hacerlo, fíjate bien en los ojos de tu candidato.**

3. **Con un lápiz, haz unas flechas en cada cara, indicando la dirección en la que tu compañero mueve los ojos al pensar en cada pregunta.**

    Tus flechas deben indicar las posiciones que se señalan en la figura 6-1 (corroboradas en la tabla 6-2 bajo la columna titulada "Los ojos del interlocutor se mueven hacia…"), es decir, los ojos se moverán hacia arriba, el centro o hacia abajo, y en cada caso hacia la izquierda o la

Las señales que revelan al mentiroso

¿Crees que eres bueno para descubrir a un mentiroso? Quizá pienses que estás muy atento y que eres capaz de notar instintivamente cuando alguien está mintiendo. Sin embargo, numerosos estudios científicos realizados durante los últimos 30 años, demuestran que la mayoría de nosotros apenas somos capaces de saber si alguien nos está enredando con mentiras.

Años de investigación le revelaron a Paul Ekman, mundialmente reconocido por sus estudios sobre las emociones, que el secreto yace oculto detrás de nuestras microexpresiones. Casi 42 músculos distintos se mueven en el rostro de cualquier persona para generar miles de microexpresiones distintas. Estas microexpresiones cambian todo el tiempo de innumerables y sutiles maneras. Tan sutiles, en efecto, que si fuéramos capaces de aprender a percatarnos de todos esos veloces movimientos tendríamos toda la información necesaria para desenmascarar a un mentiroso.

El problema es que, ante tantas posibilidades, cualquier ser humano encuentra difícil regis-trar las discrepancias que dejan ver una falsa emoción, es decir, una mentira. Ni siquiera la última generación de sofisticados aparatos logra acertar siempre. Entonces, ¿quién podría descubrir con precisión a los traviesos embusteros? Las investigaciones de Ekman (*New Scientist*, 29 de marzo de 2003) catalogan como las superestrellas en esto a los miembros de los servicios secretos, los presidiarios y a un monje tibetano.

Quizá no nos sorprenda que los agentes de los servicios secretos estén muy bien entrenados para elegir a los sospechosos peligrosos. Los prisioneros, por su parte, viven en un entorno de gente curtida en el crimen y el engaño, de manera que necesitan aprender en quién confiar para sobrevivir. En cambio, el sujeto budista de Ekman no era avezado ni estaba curtido en este tipo de experiencias, pero había pasado horas meditando y, al parecer, había adquirido una sensibilidad especial para leer con mucha precisión las emociones de otros en sus fugaces expresiones faciales.

derecha. Cuando hayas registrado los movimientos oculares de tu amigo, compáralos con la posición que hubieras esperado observando el diagrama que muestra la tabla 6-2.

Juego del movimiento ocular

1. ¿Qué te parece la imagen que da nuestro presidente en la televisión?

2. ¿Qué es lo primero que ves cuando te despiertas por la mañana?

3. Imagínate un elefante rosa.

4. Un círculo llena un triángulo por dentro; ¿cuántos espacios se forman?

5. Recuerda el claxon de un coche.

6. ¿Cuáles fueron las primeras palabras que dijiste hoy?

7. Imagínate al Pato Donald diciendo su nombre y dirección.

8. ¿Qué te dices a ti mismo cuando cometes un error tonto?

Figura 6-2:
Juego del
movimiento
ocular

9. ¿A qué temperatura te gusta el agua cuando te duchas?

10. ¿Qué sientes cuando la sábana en tu cama está llena de migas de pan?

Haz que el sistema VAC trabaje para ti

Cuando seas consciente del VAC, la vida será mucho más interesante. A continuación encontrarás algunas ideas para aprovechar esta nueva herramienta en beneficio propio.

✔ **Para influir en una reunión de negocios, una sesión de entrenamiento o una presentación.** Recuerda que, cuando te diriges a una sala llena de gente, todos y cada uno de los presentes tendrán un modo preferido de recibir información y tú no lo conoces. Desafortunadamente, la gente no anda por el mundo con un cartel en la frente sobre lo que quiere saber y cómo prefiere recibir esa información: muéstrame dibujos, dímelo en palabras, comparte tus sentimientos respecto al tema. De manera que debes asegurarte de que conectas con todos y cada uno de los asistentes presentando tus ideas con una buena variedad de medios. Cambia el estilo de tu presentación y tus materiales de ayuda de manera que los visuales vean tu idea con imágenes y dibujos, los auditivos la escuchen con voz alta y clara, y los cinestésicos la vivan con emoción.

✔ **Haz que los planes y proyectos del hogar sean una diversión para todos.** Acepta que cada uno de los miembros de la familia tiene una manera de pensar distinta sobre un proyecto familiar mayor. Quizás quieras hacer una ampliación, redecorar un cuarto o volver a diseñar el jardín. No todo el mundo querrá pasar horas discutiendo el asunto, mucho menos hasta altas horas de la madrugada. Es probable que tu pareja quiera examinar minuciosamente los planos mientras que a tus hijos quizá los motive la oportunidad de lanzarse al suelo y ensuciarse las manos con tierra o pintura.

✔ **Desarrolla tus metas de manera que adquieran una consistencia real ante tus ojos.** Cuando establezcas metas en tu vida personal o profesional, estas sólo cobrarán vida si realmente utilizas todos tus sentidos. Piensa en cómo se van a ver, cómo van a sonar y qué sensación al tacto van a producir cuando las logres y también durante cada uno de los pasos del proceso. La gente experta en PNL se vuelve muy buena para esto de imaginar hasta el último detalle de su futura vida: oirás hablar de "sacar la pantalla de cine" para describir cómo es posible que la gente cree su propio sueño. De manera que si quieres motivar a alguien (o a ti mismo) para que haga el esfuerzo de abandonar esa zona de comodidad, ayúdale a explorar cómo serán las cosas cuando deje atrás el trabajo duro y la tarea esté terminada.

✔ **Ayuda a los niños a aprender mejor.** Gracias a Dios, la educación ha cambiado de manera drástica desde que nosotros fuimos a la escuela y así, hoy por hoy, los profesores aceptan que todos los alumnos aprenden de manera distinta. En tanto padres y maestros, debemos apoyar a nuestros hijos ayudándoles a entender cómo pueden aprender más dando lo mejor de sí... y que se den cuenta de que la cosa puede ser distinta a como nos educaron a nosotros o hubiéramos querido aprender. Quienes aprenden de modo visual, sacarán provecho de imágenes, cuadros colgados de las paredes y diagramas. Los auditivos necesitan oír lo que aprenden mediante discusiones, charlas y música. Los cinestésicos les sacarán provecho a las sesiones prácticas, al teatro improvisado y a los juegos de rol. A estos últimos les gusta la aproximación manual y práctica. Quienes trabajan como profesores o maestros de grupos de alumnos necesitarán implementar un método multisensorial que cubra todos los estilos. A veces algunos alumnos son tildados de "lentos" cuando en realidad lo que ocurre es que los educan con un estilo pedagógico que no se ajusta a su manera preferida de aprender. Todos estos principios también son ciertos para los adultos.

✔ **Intensifica el impacto de la palabra escrita.** Cuando lleves la pluma al papel o las palabras a la pantalla —ya sean las responsabilidades de un cargo, la propuesta a un cliente, una carta para solicitar fondos para una obra de caridad, propaganda para un producto o un artículo para el periódico local—, es muy importante que amplíes tu vocabulario, de manera que cubra todas las modalidades. Para llamar la atención de todos los lectores, escoge términos que impliquen las tres.

✔ **Aprende a establecer contacto con el cliente y con los colegas por teléfono.** Hoy en día cada vez más negocios se producen a través del teléfono y el correo electrónico en vez de cara a cara. Es probable que jamás llegues a ver el rostro de muchos de tus clientes y colegas. Ten siempre un bloc de papel al lado del teléfono y anota el tipo de lenguaje que utiliza tu interlocutor: ¿puedes distinguir su lenguaje visual, auditivo o cinestésico? Al tiempo que escuchas y luego contestas, formula tus oraciones de manera que coincidan con las preferencias del otro.

JUEGO
Ensaya esto

Uno al día

Quizá, con la lectura de este capítulo, se haya despertado una nueva curiosidad respecto a ti y aquellos con quienes pasas la mayor parte del tiempo, es decir, cómo piensan y viven la vida que los rodea. Para mejorar aún más tus habilidades puedes seguir explorando tus sentidos de maneras distintas. Escoge un sentido para cada día.

Hoy podría ser el día olfativo, y entonces te fijarás con especial atención en todas las fragancias, olores y aromas. O puede ser hoy el día visual, y entonces desconectas la música y te centras en el paisaje, las formas y las imágenes... observa lo que te rodea. El día del tacto puede ser muy divertido: apreciarás las texturas que te rodean o te conectarás con tus emociones varias veces al día.

Capítulo 7

Para crear más y mejor compenetración al comunicarnos

En este capítulo

▶ Aprender a hacer que la gente nos preste atención en momentos difíciles

▶ Lidiar con gente complicada

▶ Aprender a decir "no"

▶ Ampliar nuestras opciones a la hora de responder

▶ Aprender a ver cómo se siente el otro

*L*a compenetración, o *rapport*, es como el dinero. Nos damos cuenta de que tenemos un problema cuando nos hace falta. La compenetración no es una técnica que uno pueda encender y apagar a voluntad. Debe fluir de manera permanente entre las personas. Regla número uno de la compenetración: intenta conseguirla tú en lugar de esperar que la otra persona te escuche. Y esto es cierto con toda persona y en toda situación, ya se trate de un profesor, un alumno, la esposa, un amigo, una camarera, un taxista, un entrenador, el médico, el terapeuta o un ejecutivo de empresa.

La compenetración descansa en el corazón de la PNL, es otro de sus pilares o ingredientes esenciales y conduce a la comunicación exitosa entre dos individuos o grupos. No es preciso que alguien te caiga bien para compenetrarte con él o ella. Es una forma respetuosa y mutua de estar con otros y una muy buena manera de hacer negocios.

No te engañes pensando que podrás conseguir la compenetración justo antes de una reunión importante o de una sesión para resolver un problema específico. La verdadera compenetración se basa en una sensación instintiva de confianza e integridad. En este capítulo te ayudaremos a descubrir aquellas situaciones en las que te compenetras o no con los demás. Te recomendamos que te centres en lograr la compenetración con aquellas personas con las que valorarías estar compenetrado. También compartiremos contigo algunas herramientas e ideas especiales de la PNL que te permitirán crear esta compenetración.

Por qué es importante la compenetración o "rapport"

La palabra *rapport* en inglés (que aquí hemos traducido como compenetración o buena comunicación la mayoría de las veces) proviene del verbo francés *rapporter*, que literalmente significa "volver a traer". Los diccionarios en inglés la definen como "una relación o entendimiento tolerante y comprensivo". En resumen, se trata de una conexión de doble vía. Sabemos que hemos establecido una conexión de este tipo cuando sentimos una sensación genuina de confianza y respeto por otra persona, cuando encajamos cómodamente con otra persona sin importar lo diferentes que seamos y cuando sabemos a ciencia cierta que estamos escuchando y siendo escuchados.

A pesar de que quizá nos gustaría pasar nuestro tiempo con gente que se nos parezca, la verdad es que el mundo real está lleno de una maravillosa cantidad de tipos distintos de personas con capacidades, opiniones y antecedentes especiales. La compenetración es la clave para el éxito y para influir tanto en su vida personal como profesional. Se trata de apreciar, valorar y trabajar con las diferencias. La buena compenetración hace que las cosas se hagan y sean mucho más fáciles. Significa que es posible prestarle un buen servicio a un cliente y disfrutar también si estamos en el otro lado de la ecuación. En último término, nos ahorra tiempo, dinero y energía. ¡Qué fantástica manera de vivir!

Para reconocer la compenetración

No existe una fórmula mágica para aprender a compenetrarnos. Es algo que se aprende de manera intuitiva... De lo contrario, los robots y los alienígenas nos llevarían ventaja. De manera que, para entender cómo generas tú la compenetración y qué cosas te parecen importantes en distintas relaciones, empecemos por hacer unas comparaciones.

1. Primero, piensa por un instante en una persona con la que consideras que te compenetras. ¿Qué señales emite y cuáles recibes que te permitan saber que ambos están bien sintonizados? ¿Cómo generas y mantienes esa compenetración?

2. Ahora, por el contrario, piensa por un instante en una persona con la que no te compenetras pero te gustaría compenetrarte. ¿Qué señales

¿Hay alguien en casa?

¿Te ha pasado alguna vez que conoces a un grupo de gente nueva y casi de manera inmediata ya has olvidado todos sus nombres? O quizá simplemente todos los días saludas por la mañana a tus colegas pero no tienes tiempo para mirarles a la cara.

Robert Dilts cuenta una historia de una tribu en África occidental y cómo se saludaban unos a otros:

La persona A dice: "Te veo... (nombre)".

La persona B contesta: "Aquí estoy, te veo... (nombre)".

La persona A, a su vez, replica: "Aquí estoy".

Inténtalo con algún amigo dispuesto a hacerlo. Apenas tardarás unos segundos más que si dices el consabido "Hola, colega" o "buenos días" y esta técnica tiene el saludable efecto de que exige concentrarse en la otra persona y, por tanto, conectar de verdad.

emite y cuáles recibes que te permiten saber que no están sintonizados? ¿Qué hace difícil generar y mantener una buena compenetración con esa persona?

3. Basado en la experiencia que tienes con la primera persona, ¿qué podrías cambiar en tu comportamiento con la segunda persona para poder crear una mejor relación?

Es probable que pienses que la primera persona (aquella con la que te compenetras) es por naturaleza alguien con quien resulta fácil llevarse bien, mientras que la segunda persona (aquella con la que no te compenetras) tiene un carácter difícil. Sin embargo, si haces que tu comportamiento sea un poco más flexible con la segunda persona, puedes encontrar que podrías compenetrarse con ella siguiendo un par de pasos sencillos. Quizá lo que necesitas es tomarte más tiempo para conocerla mejor y así saber qué cosas son importantes para ella en lugar de esperar que esa persona se ajuste a ti y a su estilo. Encontrarás más recomendaciones al respecto en este mismo capítulo.

Identificarse con quien quiere compenetrarse o generar "rapport"

A estas alturas quizá ya se haya despertado tu curiosidad respecto a algunas de las personas que te rodean: en el trabajo, en la casa que compartes con alguien o con quienes sueles relacionarte. Puede que haya un par de individuos a los que te gustaría conocer mejor. Puede ser el gerente de un proyecto o la familia de tu nueva pareja. ¡Quizá sea el gerente de tu banco la persona sobre la que quieres influir!

Cuando la compenetración (o "rapport") realmente importa

El acelerado mundo de los negocios es un caldo de cultivo ideal para crear condiciones laborales tensas. Piensa, por ejemplo, en el frenético campo de la publicidad: altamente competitivo, nuevos equipos jóvenes, temperamentos artísticos, enormes presupuestos y fechas de entrega imposibles. Cuando, además, toda esa gente trabaja de noche, apenas sorprende que cometan errores.

Cuando se trata de agencias de publicidad, de Tokio a Buenos Aires, puedes estar seguro de que se están cociendo problemas con clientes en cualquier momento. Medios impresos como el *Financial Times* amanecen todos los días sobre las mesas de altos ejecutivos alrededor del mundo. ¿Qué ocurre con tu cliente cuando el anuncio publicitario de la semana pasada aparece en la prensa en vez del nuevo que correspondía a esta semana? Con frecuencia angustiosas llamadas telefónicas de ida y vuelta vuelan por el aire al tiempo que el anuncio erróneo aparece en los periódicos, el material gráfico se pierde y las computadoras se congelan, llevándose consigo misteriosamente la última versión de un diseño.

Uno de nuestros amigos publicistas solía producir una revista para un cliente corporativo. En esa publicación, algunas de las fotografías más importantes aparecieron en blanco y negro: bueno, pues debían haber aparecido a todo color. Por la prisa, nuestro amigo no había revisado las pruebas con cuidado. Cuando ya se había distribuido el material impreso, llamó a su cliente, confesó su error,

se disculpó y asumió la responsabilidad total por el costoso error. Como se trataba de su propia agencia, sabía muy bien que, si le tocaba pagar una reimpresión, la cuenta por varios miles de libras esterlinas tendría que salir de su bolsillo.

La primera reacción de la joven ejecutiva de marketing en el otro extremo de la línea telefónica, al enterarse del error, fue que no había más remedio que volver a imprimir todo el material; de todas formas, lo discutiría con su jefe y volvería a llamar.

Tras una hora, la clienta llamó para anunciar que la reacción de su jefe fue considerar el asunto un genuino y torpe error. Sin embargo, como tenían unas relaciones de trabajo muy cordiales, por esta vez aceptarían el trabajo y lo dejarían pasar. Recordaron las ocasiones en las que nuestro amigo había hecho más de lo humanamente posible trabajando fines de semana y noches para que el cliente pudiera cumplir a tiempo con el lanzamiento de un producto. También valoraron el tiempo que nuestro amigo había invertido para entender el negocio de la corporación a fondo, además de los consejos y la experiencia que compartió generosamente para que usaran el presupuesto razonablemente.

¿Cuál es la moraleja de esta historia? Simplemente que tanto vale la pena invertir tiempo en la construcción de relaciones como en hacer bien el trabajo que se tiene que hacer.

A continuación te ofrecemos un formulario para que lo rellenes con los datos de la persona con la que te gustaría comunicarte mejor. Te pedimos que lo hagas por las siguientes razones: primero, para que te detengas un rato y pienses, y segundo, para que puedas volver sobre el formulario en un futuro cercano. Las buenas relaciones implican una inversión en serio: toma tiempo construirlas y cultivarlas. Verás que las preguntas te obligan a pensar en tus necesidades y también en las de la otra persona. La compenetración, como ya dijimos, es un asunto de doble vía.

Nombre: _____

Empresa/Grupo: _____

¿Qué relación tienes con esta persona? _____

De manera específica, ¿cómo querrías que cambiara la relación con dicha persona? _____

_____

¿Cómo te afectaría eso? _____

_____

¿Cómo afectaría a la otra persona? _____

_____

¿Vale la pena invertirle tiempo y energía? _____

_____

¿Bajo qué presiones se encuentra la otra persona? _____

_____

¿Qué es lo que más le importa a esa persona en este momento? _____

_____

¿Conoces a alguien que haya podido compenetrarse bien con esa persona? ¿Qué podría decirte de ella que te resultara útil para tu propósito de compenetración? _____

_____

¿Qué otra ayuda podrías recibir para lograr el *rapport* que buscas? _____

_____

¿Qué piensas hoy respecto a la idea de progresar en la relación con esa persona? _____

_____

¿Cuál sería el primer paso que tendrías que dar para conseguirlo? _____

_____

Técnicas básicas para construir buena comunicación y compenetración

La buena compenetración como base de cualquier relación significa que, cuando surjan asuntos de difícil discusión, es más fácil encontrar soluciones y seguir adelante. Afortunadamente, podemos aprender a construir esta compenetración. La compenetración se da a muchos niveles y podemos construirla poco a poco a través de:

✔ Los lugares y la gente con la que pasas el tiempo

✔ Cuidando de tu aspecto, tono y comportamiento

✔ La destreza y habilidad que has adquirido

✔ Los valores que rigen tu vida

✔ Tus creencias

✔ El propósito de tu vida

✔ Siendo tú mismo

Siete maneras rápidas de pulir tu capacidad para compenetrarte o generar "rapport"

Prueba un par de maneras sencillas para empezar a compenetrarte; para técnicas más avanzadas, sigue leyendo.

✔ Pon interés genuino en descubrir qué es importante para la otra persona. Empieza por entenderla en lugar de esperar que la otra persona te entienda a ti.

✔ Registra y recoge las palabras clave, las frases favoritas y la manera de hablar de la otra persona e incorpóralas con sutileza en tu discurso y conversación.

✔ Fíjate cómo le gusta a la otra persona controlar la información. ¿Prefiere las minucias y los detalles o le interesa más el panorama general? Al hablar, retroalimenta a tu interlocutor, dándole información en fragmentos y tamaño similar.

✔ Respira al unísono con la otra persona.

✔ Indaga y fíjate en las intenciones de la otra persona —su propósito subyacente— más que en lo que hace o dice. Es probable que no sea muy clara al formular sus intenciones, pero ten la seguridad de que el corazón sí lo tiene donde toca.

✔ Asume una postura similar a la de tu interlocutor en términos de lenguaje corporal, gestos, tono de voz y velocidad.

✔ Respeta el tiempo, la energía, las predilecciones y el dinero de la otra persona. Seguro que todo lo anterior son recursos importantes para ella.

La rueda de la comunicación y la compenetración o "rapport"

Una investigación ya clásica del profesor Mehrabian, de la Universidad de California en Los Ángeles (UCLA), se dedicó a observar cómo se recibía y se reaccionaba a la comunicación en vivo. Las cifras a las que llegó sugerían que el posible impacto de lo que dices depende de tres factores: tu aspecto, tu tono (cómo suena) y lo que dices. Las investigaciones de Mehrabian desglosaron el asunto como se muestra en la rueda de la comunicación (figura 7-1): 55 % lenguaje corporal, 38 % calidad de la voz y 7 % las palabras proferidas.

De manera que, definitivamente, la primera impresión cuenta. ¿Llegas a reuniones y citas acalorado y nervioso, o tranquilo y preparado? Cuando empiezas a hablar, ¿murmullas susurros casi inaudibles dirigidos al suelo o levantas la cabeza y miras de frente y con confianza a tu auditorio antes de continuar hablando fuerte y claro?

Por lo que se refiere a crear una buena compenetración, tú eres el mensaje. Por tanto, necesitas que todas las partes de las que hemos hablado trabajen en

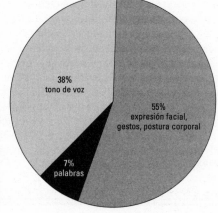

Figura 7-1:
El impacto
de tu estilo de
comunicación

38%
tono de voz

55%
expresión facial,
gestos, postura corporal

7%
palabras

armonía: las palabras, las imágenes y los sonidos. Si no muestras seguridad en ti mismo —como si creyeras en tu mensaje—, la gente no va a escuchar lo que dices.

La compenetración implica ser capaces de mirar de frente a los demás y conectar o sintonizar con su longitud de onda. El 93 % de la percepción de tu sinceridad proviene no de lo que dices, sino de cómo lo dices y cuánto aprecio eres capaz de mostrar por los pensamientos y sentimientos del otro.

Cuando estamos compenetrados con alguien es posible discrepar con lo que dice la otra persona, pero mantener una relación respetuosa. El punto que debes recordar es aquello de reconocer a la otra persona como el individuo único que es. Por ejemplo, puedes tener (y expresar) puntos de vista religiosos o políticos distintos a los de tus colegas o clientes, pero no tienes que reñir por eso. Del mismo modo, es muy probable que, a la hora de cenar, sean muchas las opciones preferidas, y también aquí puedes darte el gusto de diferir (o no) con tu familia.

Cuando la compenetración (o "rapport") te ayuda a decir "no"

Quizás te comportes como un oso de peluche. Quizá seas una de esas personas que prefieren decir "sí" a todo, ser servicial y complacer a jefe, clientes, familia. Serás siempre el primero en levantar la mano en los comités, el que se encarga de organizar la venta benéfica del colegio de tus hijos o la cena de caridad, el que saca de paseo a los niños y, en pocas palabras, el o la que termina siempre haciendo todo. Aprender a decir "no" puede ser un aprendizaje esencial si no quieres acabar agobiado más allá de tus fuerzas. Consideremos la siguiente historia de Jaime.

En el lugar de trabajo, es muy tentador para un gerente pedirle al empleado voluntarioso y servicial que asuma más trabajo. Como pro-

fesor de matemáticas que adoraba su trabajo, Jaime encontraba cada vez más difícil decir: "No voy a asumir esa tarea". Sentía que, diciendo "no", defraudaba a la gente por no estar a la altura de sus expectativas y, por tanto, corría el riesgo de caer enfermo por exceso de trabajo. Sin embargo, aprendió que, mediante el sencillo recurso de incorporar el mismo lenguaje corporal del jefe del departamento, le era más fácil sonreír y, de la manera más amable, añadir: "Me encantaría hacerlo, sin embargo no tengo tiempo; ahora, si quiere que asuma esa responsabilidad extra, me temo que le tocará relevarme de otra actividad para poder hacer ésta". Así se negó a asumir más trabajo del que podía realizar.

Aférrate al hecho de que simplemente difieres de su opinión pero que, al hacerlo, no estás cuestionando a la persona. Si saltas al capítulo 11, podrás leer algo sobre los niveles lógicos, y verás como en la PNL se distingue entre creencias y valores que están a un nivel y la identidad, que está a un nivel superior. Una persona siempre es más que lo que dice, hace o cree.

Bailando como con un espejo

Cuando sales a comer o a tomar algo a bares o restaurantes (incluso a la cafetería en tu lugar de trabajo, si es que existe), ¿has notado cómo se ven dos personas cuando están compenetradas en su diálogo? Incluso sin escuchar los detalles de la conversación es posible ver que parece que estuvieran bailando. La gente sigue el paso de su interlocutor de modo espontáneo. Es como ir al unísono en el lenguaje corporal y en la manera de hablar de las dos partes: movimiento y discurso encajan con elegancia. En la PNL esto se conoce como acoplarse y reflejar.

Acoplarse y reflejar es lo que hacemos cuando asumimos el estilo, el comportamiento y las habilidades, valores o creencias de otro con el objetivo de compenetrarnos con esa persona.

Por el contrario, piensa en alguna de aquellas ocasiones en las que has sido testigo involuntario de una vergonzosa discusión en público por parte de una pareja o padre e hijo en la calle o en un supermercado, por ejemplo. No llegan a los golpes, pero casi. Incluso sin oír lo que están diciendo, muy pronto nos percatamos de que aquellas dos personas están totalmente desincronizadas sólo con ver su postura corporal y sus gestos. En la PNL esto se conoce como *desacoplamiento*.

Acoplarse y reflejar es una buena manera de sintonizarnos bien con el modo con el que la otra persona está pensando y sintiendo el mundo. En otras palabras, es una manera de escuchar con nuestro cuerpo. Es más, cuando estamos bien compenetrados con alguien, reflejamos su lenguaje gestual y corporal de manera natural.

La PNL sugiere que nos es posible acoplarnos y reflejar a alguien a voluntad con el propósito de generar compenetración hasta que la cosa se vuelva natural. Para hacerlo, tendrás que hacer coincidir:

✔ El tono de voz o su ritmo

✔ El ritmo de la respiración

✔ El tempo de los movimientos y los niveles energéticos

✔ La postura corporal y los gestos

Ten en cuenta que has de distinguir muy bien la sutil diferencia que existe entre imitar (al modo de un mimo) y moverse al ritmo de otro. La gente nota de manera inmediata cuando se están burlando de ella o cuando no somos sinceros. Si quieres practicar un poco esto del acoplamiento, hazlo poco a poco, en situaciones que no te presenten riesgo o con desconocidos que no volverás a ver jamás. No se sorprendas, sin embargo, si la cosa funciona y el desconocido acaba queriendo ser tu amigo.

Marcar el paso

Para crear excelentes relaciones, debes marcarle el paso a otra gente. En la PNL lo comparan con correr al lado de un tren. Si quisieras saltar para subirte a un tren en marcha y lo haces de frente y de buenas a primeras, lo más probable es que te des un buen porrazo. Para poder saltar y subirte a un tren en marcha primero tendrás que coger velocidad corriendo al lado del mismo hasta alcanzar la misma velocidad de la máquina y entonces podrás saltar y abordarlo. (¡Por favor, de cualquier modo, jamás intentes abordar un tren en movimiento!)

Para seguir a alguien con el propósito de influir sobre esa persona con nuestra opinión, recuerda cogerle el ritmo primero. Esto significa escucharle en serio, reconocerle en serio, entender de dónde viene... y ser muy paciente al respecto.

Un consejo adicional de la PNL para una buena compenetración es el siguiente: sigue... sigue... sigue el paso y el ritmo antes de imponer el tuyo. Por seguir el paso o marcar el ritmo, en la PNL se entiende tu flexibilidad para ser capaz de acoplarte y reflejar con todo respeto el comportamiento y vocabulario del otro, al tiempo que escuchas de manera activa a ese otro. Lo de llevar el paso empieza cuando estás intentando cambiar a la otra persona conduciéndola de manera sutil en una nueva dirección.

En el mundo de los negocios, las compañías que tienen éxito introduciendo programas que implican cambios mayores, lo hacen paso a paso. Así logran que los empleados vayan aceptando los cambios poco a poco. La gente está dispuesta a dejarse llevar, a incorporar nuevas maneras de hacer las cosas cuando ya les han cogido el paso, es decir, cuando ha sido escuchada y reconocida. Los líderes más exitosos son aquellos que, primero, han marcado el paso a la realidad de la gente.

Observa a un vendedor eficaz en acción y verás cómo domina el arte de marcar el ritmo del cliente y cómo demuestra un interés genuino por su cliente. (Por vendedor eficaz entendemos aquella persona que vende con integridad un producto o servicio genuino y no un explotador sin escrúpulos.) Escucha y escucha y escucha más y más sobre las necesidades del cliente, sobre lo que realmente quiere, antes de venderle nada. A la gente no le gusta que le vendan cosas, es más, se resiente; pero le encanta que la escuchen y le fascina hablar sobre las cosas que le parecen importantes. Un anticuario amigo ha perfeccionado este arte durante años y años de trabajo, guiando con toda la gentileza del mundo a sus clientes mediante el genuino afecto que guarda a los artículos que vende... y compartiendo su experiencia y dotes.

La última vez que yo (Kate) compré un coche, visité por lo menos seis concesionarios. Los vendedores parecían más que preparados para vender las virtudes de sus automóviles pero no se interesaban en ver si alguno de sus coches se ajustaba a mi estilo de vida. Por fin, el vendedor que tuvo éxito dio muestras de espléndidas habilidades en la conducción interpersonal, además de ofrecer el producto indicado. Me marcó bien el paso, escuchando con atención y tratándome con respeto (contrario a aquellos que asumieron que la decisión de compra la tomaba mi marido), y tuvo para conmigo la confianza suficiente de darme las llaves para que diera una vuelta de prueba inmediatamente. Mientras conducía, con toda la delicadeza del mundo fue recopilando la información que necesitaba para ajustar el modelo adecuado de coche a mis criterios de compra, a sabiendas de que yo no iba a aceptar una venta a presión y contrarreloj.

Para compenetrarnos cuando se trata de comunicación virtual

Hace quince años las herramientas de internet y el correo electrónico estaban restringidas a los laboratorios de investigación y al uso exclusivo de algunos. Las transacciones normales de un negocio implicaban cantidades enormes de cartas y faxes, y casi todo ese material se archivaba con copia impresa: era aceptable salir para visitar todo tipo de proveedores y colegas en otras oficinas. Hoy por hoy la vida ha cambiado. Todavía escribimos y hacemos llamadas telefónicas (la famosa oficina electrónica sin papel sigue eludiéndonos) y el porcentaje de transacciones se ha disparado: si la computadora se nos vuelve loca por cualquier motivo y no podemos entrar en el correo electrónico durante una hora, nos sentimos perdidos y desamparados.

Pero ahora hay en el lugar de trabajo equipos virtuales que se reúnen con otros equipos virtuales. Tenemos también el fenómeno de la administración virtual, de proyectos multiculturales con gente sentada a lo largo de redes globales digitales que funcionan bien de lejos gracias a la tecnología: teleconferencias, videoconferencias, diálogos por correo electrónico. De hecho, un sondeo reciente entre 371 gerentes, realizado por una escuela de administración y negocios británica, Roffey Park, mostró que el 46 % de los gerentes hoy por hoy trabajan con equipos de trabajo virtuales y el 80 % de los encuestados opinó que las mejoras administrativas virtuales seguían en aumento.

En este entorno donde cada vez se reduce más y más el contacto cara a cara, empezamos a perder los matices de la expresión facial, el lenguaje corporal y, de manera muy sutil, también la posibilidad de conocer al colega que está sentado en otro escritorio a nuestro lado al tiempo que trabajamos muy de cerca con otros personajes al otro lado de la pantalla. En el mejor de los mundos posibles, el equipo virtual augura libertad y flexibilidad en las prácticas laborales, diversidad, riqueza y variedad de habilidades; en el peor, soledad, aislamiento e ineficacia.

Sea lo que sea, para todos, el reto de generar compenetración, la posibilidad de compenetrarnos a través del trabajo virtual con otros es mayor que nunca. No sorprende que hoy se contrate más gente por su capacidad y destreza dúctil —la capacidad de influir y negociar— que por su competencia tecnológica. A continuación, diez maneras para generar compenetración a través del teléfono y las teleconferencias:

✔ Asegúrate de que todas las instalaciones estén bien conectadas y de que todos se puedan escuchar bien en sus respectivos teléfonos. Presenta y saluda a todo el mundo.

✔ Trabaja siguiendo una agenda clara. Propón resultados concretos para la llamada y haz que todos estén de acuerdo.

✔ Asegúrate de recibir información de una mezcla de gente. De ser necesario, invita a los participantes más silenciosos a que participen. Pregunta, por ejemplo: "Miguel, ¿qué opinas al respecto?"

✔ Ponle freno a la conversación irrelevante o a charlas distintas simultáneamente: una discusión, una reunión, una agenda.

✔ Habla más despacio y con mayor claridad que en las reuniones de cuerpo presente. Recuerda, no recibirás los mensajes que envía el lenguaje corporal.

✔ Presta mucha atención al estilo del lenguaje: estudia las preferencias visuales, auditivas o cinestésicas de tus interlocutores y ajusta tu lenguaje al de cada uno de los demás, como sugerimos en el capítulo 6, "Ver, oír y tantear nuestro camino para lograr una mejor comunicación".

✔ Asegúrate de que te están prestando atención antes de ir al grano y decir lo que quieres decir (de lo contrario, la primera parte del mensaje se pierde). Empieza con frases como: "Hay algo que quiero mencionar al respecto... se trata de...".

✔ Utiliza el nombre de las personas con más frecuencia que en una reunión cara a cara. Haz las preguntas con nombre propio y agradece las contribuciones nombrando a cada persona.

✔ Al tiempo que escuchas la conversación, visualiza a la persona que está al otro lado de la línea telefónica (quizás incluso puede ser útil tener delante una foto suya).

✔ Permanentemente, resume el material cubierto y comprueba si se han entendido bien los puntos y las decisiones clave.

Cómo romper la compenetración (o "rapport") y por qué hacerlo

Habrá ocasiones en las que creas que es conveniente desacoplarte de alguien durante un rato e interrumpir la compenetración. Desacoplar es lo contrario de acoplarse y reflejar. Para desacoplarse de alguien debemos buscar cómo hacer algo distinto a lo que hace la otra persona. Puede ser vestirse de manera diferente, hablar con otro tono o con otro ritmo, adoptar una postura corporal distinta o comportarnos de manera contraria.

Existen tres cambios que te permiten romper la compenetración a corto plazo:

✔ **Tu aspecto y cómo te mueves físicamente.** Puede darse el caso de que desees alejarte físicamente de alguien o no mirarle a los ojos, o recurrir a un gesto para comunicar tu mensaje. Arquear las cejas dice mucho. Dar la espalda mucho más. ¡De manera que cuídate de hacerlo sin querer!

✔ **Tu tono de voz.** Cambia el tono o el volumen de voz. Súbelo o bájalo. Recuerda el poder del silencio.

✔ **Las palabras que usas.** Recuerda aquella frasecita tan útil: "No, muchas gracias". A veces puede ser una de las frases más difíciles de decir, así que practícala para cuando la necesites. En un ambiente multicultural, volver sobre nuestra lengua materna cuando se ha venido usando otra lengua común es una manera clara de decir "necesito un descanso".

Serán muchas las ocasiones en las que querrás decir "muchas gracias" y "basta por ahora". Para hacerlo, fíjate bien en qué expresiones te salen solas y cuáles debes practicar.

✔ **Para cerrar un negocio.** Los vendedores suelen desconectar con el cliente en el momento de firmar un contrato. Se alejan y dejan que el cliente examine los papeles solo, antes que mirarle fijamente en el momento de la firma final. Esto ayuda a que la compenetración a largo plazo permanezca en caso de que el comprador pueda empezar a arrepentirse, a dudar.

✔ **Cuando se tiene información suficiente.** Quizás a estas alturas tu cabeza ya esté llena y empieces a sentir una sobrecarga sensorial. Necesitas tiempo para pensar y digerir lo que has oído antes de recibir nueva información.

✔ **Ves a alguien con quien te gustaría hablar.** Quizá te encuentres en un coctel, enfrascado en una conversación con el tipo más fastidioso y veas a una persona con la que sería muchísimo más agradable estar en la otra punta del salón.

✔ **Estás cansado.** Todas las cosas buenas llegan a su fin y es conveniente y bueno saber cuándo ha acabado la fiesta y puedes irte a casa.

✔ **Estás ocupado.** En un momento dado puede ocurrir que demasiadas cosas estén exigiendo tu energía. Aférrate al resultado que esperas y quieres antes que satisfacer los deseos de los demás.

✔ **Te estás metiendo en terrenos y temas peligrosos.** El sexo, la política y la religión son temas que vale la pena evitar cuando se está haciendo un negocio. También suelen ocasionar tan animadas sobremesas que nos vemos casi obligados a silbar, pedir tiempo y desacalorar a todo el mundo.

Realmente es un arte aquello de aprender a romper la compenetración y terminar una conversación cuando nuestro amigo o madre quiere seguir hablando. De manera que hazlo con consideración. Retroalimenta, de manera clara e inequívoca, di que te encantaría seguir hablando siempre y cuando la conversación se lleve a cabo a la hora correcta del día, en el lugar adecuado y durante el lapso de tiempo acordado. Como realmente te importan esas personas, establece una hora para hablar que te convenga, cuando tu jornada laboral haya terminado.

El poder de la palabra "pero"

Hay ocasiones en las que algo tan pequeño como una palabra diminuta puede crear una diferencia enorme para conservar o interrumpir la compenetración. En la PNL se presta mucha atención a esos detalles en los patrones de una conversación y, por lo tanto, se ofrecen algunas recomendaciones clave para que tu conversación siga siendo influyente. Trabajos realizados por expertos en PNL como Robert Dilts han demostrado que palabras sencillas como "pero" o "y" nos obligan a concentrarnos de distintas formas. Cuando usamos la palabra "pero", la gente suele recordar lo que decimos después. Con la palabra "y", la gente recuerda lo que dijimos antes y después.

ANÉCDOTA

Cuando ya es más que suficiente

Rafael era un ingeniero muy competente y un gran cuentista. Había viajado mucho, había llegado a conocer a las figuras más importantes de la compañía para la que trabajaba desde que empezaron a ascender en la jerarquía y había ocupado muchos cargos importantes. A todos los recién llegados a trabajar en su equipo les encantaba oír sus anécdotas y proezas en la máquina del café... durante un rato.

Desafortunadamente, Rafael no notaba las señales que emitía la gente cuando ya había escuchado suficiente. Al tiempo que sus colegas se retiraban con toda cortesía para volver a sus mesas o cuando intentaban abandonar por la noche y con relativa urgencia el edificio donde trabajaban, Rafael los arrinconaba y seguía contando sus historias, completamente ajeno a todas las expresiones de aburrimiento o intentos por poner fin a la conversación. Y cuanto mayores eran los esfuerzos que hacían

sus colegas por largarse, más se atrincheraba Rafael en el siguiente episodio de sus aventuras: "Déjame contarte aquella vez que...". La sensación general era la de que, si nos íbamos en ese momento y volvíamos dentro de un año, Rafael recogería la historia justo donde la había dejado.

Hasta que, por último, los miembros de su equipo acabaron por eludirlo. Hacían chistes a sus espaldas porque el buen hombre se negaba a ver lo que era obvio. Dejaron también de invitarle a las reuniones por temor de que se pusiera a hablar sin pausa. El progreso de su carrera empezó a sufrir y sus colegas interrumpían o se negaban a la menor compenetración con él para salvaguardar su propio tiempo.

A medida que Rafael se vio cada vez más y más aislado, su desesperación por contar sus anécdotas y lograr una audiencia empeoró.

RECUERDA

Ten siempre en cuenta que cuando le haces un comentario a alguien, es muy probable que dicha persona sólo registre parte de lo que dijiste. Considera el siguiente ejemplo: "El último año fiscal la empresa tuvo unas ganancias de 5 millones de dólares, pero vamos a cerrar la operación en San Francisco". Formulada así la oración, lo más probable es que la gente sólo recuerde lo que sigue a la palabra "pero". Ahora considera la siguiente oración: "El último año fiscal la empresa tuvo unas ganancias de 5 millones de dólares y vamos a cerrar la operación en San Francisco". Formulada así, la gente recordará lo dicho antes y después del nexo "y".

JUEGO

Ensaya esto

Descubre la diferencia que pueden crear un par de pequeñas palabras en tu comunicación cotidiana, jugando al juego del "pero" y el "y", para tres o cuatro jugadores.

1. Coloca a tus amigos en círculo.

2. La persona A inicia la primera vuelta ofreciendo una "buena idea".

   (Por ejemplo: "Hace un bonito día, ¿qué tal si nos tomamos la tarde libre y nos vamos a la playa?")

3. La persona B contesta: "Sí, pero..." y ofrece su propia "buena idea".

4. La persona C, y así sucesivamente el resto de los miembros del equipo, procede del mismo modo, iniciando su propuesta siempre con "Sí, pero...".

5. La segunda vuelta continúa con la persona A ofreciendo de nuevo una buena idea.

6. La persona B replica: "Sí, y..." y ofrece su "buena idea".

7. La persona C, y así sucesivamente el resto de los miembros del equipo, procede del mismo modo, iniciando su propuesta siempre con "Sí, y...".

¿Ves la diferencia?

Para entender el punto de vista de los demás

La gente que tiene éxito suele gozar de la flexibilidad necesaria para ser capaz de ver el mundo de distintas maneras. Asume perspectivas múltiples, permitiéndose explorar nuevas ideas. La PNL ofrece diversas técnicas para ayudar a la gente a que pueda compenetrarse incluso en relaciones muy difíciles, particularmente aquellas en las que subyace algún tipo de conflicto emocional. Dichas técnicas también se pueden usar para explorar nuevas formas de compenetrarse, aunque se trate de relaciones ligeramente complicadas o confusas.

Para explorar posiciones de percepción

Una de las maneras en las que la PNL ayuda a compenetrarnos con otros es haciendo una distinción entre, al menos, tres puntos de vista. En PNL dichos puntos de vista se conocen como *posiciones de percepción*. Es algo así como observar un edificio desde todos los ángulos: llegar por la puerta de entrada, dar una vuelta hasta alcanzar la puerta trasera y, por último, observarlo todo desde lo alto en un helicóptero.

✔ **La primera posición** es tu propia perspectiva natural, allí donde eres plenamente consciente de lo que piensas y sientes sin importar quiénes puedan estar o no a tu alrededor. Casi siempre se trata de una posición fuerte: sabemos lo que queremos y conocemos nuestros valores y creencias. También puede llegar a ser una posición sumamente egoísta hasta que tomamos conciencia de lo que quiere el otro.

✔ **La segunda posición** implica meterse en el pellejo de otro: imaginar cómo son las cosas para ellos. Quizá seas muy bueno en esto de considerar las necesidades de los demás. Las madres desarrollan rápido esta capacidad durante la crianza de sus hijos, durante la cual la perspectiva del otro ocupa el primer plano.

✔ **La tercera posición** implica tomar una posición independiente, donde actuamos como un observador distanciado que se percata de lo que ocurre en una relación. En el mejor de los mundos posibles, se trata de una posición madura en la que podemos ponderar una situación desde los dos puntos de vista. En algunas ocasiones significa que nos negamos a comprometernos de lleno con una situación y optamos por ver los toros desde la barrera.

Si llegáramos a dominar estas tres perspectivas, podríamos gozar de la vida plenamente.

El metaespejo de la PNL

El metaespejo es un ejercicio que desarrolló Robert Dilts en 1988 con el propósito de juntar o aunar un cierto número de perspectivas o posiciones de percepción. En la base del metaespejo radica la idea de que los problemas a los que nos enfrentamos son más un reflejo nuestro y de cómo nos relacionamos con nosotros mismos, que sobre la otra persona. Es una manera de dar un paso atrás y observar el problema al que nos enfrentamos ante una nueva luz... de aquí la idea del espejo.

El metaespejo te ayudará a revisar gran cantidad de situaciones en las que te puedes llegar a encontrar:

✔ Una conversación difícil con un adolescente o un pariente

✔ Una presentación en tu trabajo

✔ Una reunión

✔ La negociación de un contrato

✔ Una discusión delicada con un colega o un amigo

✔ La manera en que te relacionas con tu jefe, con un colega de trabajo o con clientes difíciles

El ejercicio siguiente se basa en el trabajo de Robert Dilts y juega con cuatro posiciones perceptivas. Quizá prefieras hacer este ejercicio con la ayuda de un guía o un amigo para que te sea más fácil centrarte en el proceso y en tu asunto.

Primero escoge una relación que quisieras explorar. Quizá quieras indagar un poco más respecto a una conversación o enfrentamiento difícil en el pasado o, por qué no, en el futuro. Ahora destina cuatro espacios en el suelo que indican cuatro posiciones distintas (ver figura 7-2). Unas hojas de papel o cuatro notas autoadhesivas bastan. Eso sí, recuerda que es muy importante que se "rompa un estado" al pasar físicamente de una posición a otra, de manera que, al dar el paso, sacude un poco el cuerpo.

1. **Ponte de pie sobre la *primera posición*, tu punto de vista, imaginando que observas a la otra persona en la segunda posición. Pregúntate: "¿Qué siento y pienso al observar a esta persona?"**

2. **Ahora sacúdete ese estado y pasa a la *segunda posición*, imaginando que esa otra persona que ahora te devuelve la mirada te observa en la primera posición. Pregúntate: "¿Qué siento y pienso al observar a esta persona?"**

3. **Sacúdete de nuevo y pasa a la *tercera posición*, que será la del observador independiente que observa la relación de las otras dos personas de manera objetiva. Mientras te observas a ti mismo en la primera posición, ¿cómo reaccionas frente a ese "tú" que ahora ves allí?**

4. **Sacúdete de nuevo y ponte de pie en un lugar aún más lejano, la *cuarta posición*. Compara tus reflexiones y sensaciones en la tercera posición con tus reacciones en la primera e inviértelas un par de veces, juega con ellas. Por ejemplo, quizás en la primera posición te sentiste confundido mientras que en la tercera te embargó la tristeza. No importa cuáles fueron tus reacciones, invierte mentalmente la posición de las distintas reacciones.**

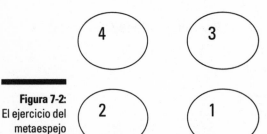

Figura 7-2:
El ejercicio del
metaespejo

El jefe "malvado"

Rosie Miller, miembro de las directivas de una firma de consultores llamada *The Success Group,* en Londres, compartió con nosotras el impacto que tuvo el ejercicio del metaespejo en una sesión de entrenamiento para altos ejecutivos.

Mi clienta no podía dejar de pensar en su anterior jefe, a quien describió como un hombre "malvado". Ella y su grupo no dejaban de invertir enormes cantidades de tiempo y energía en ingeniárselas para trabajar con este hombre difícil, para soslayar su estilo conflictivo y entrometido. Rosie quería alejarse de esta relación improductiva. Acordamos hacer el ejercicio del metaespejo para ver qué ideas surgían.

En la primera posición se sentó en una silla y pensó en su relación con el hombre.

En seguida, en la segunda posición, se sentó en una silla justo delante, como si fuera el hombre quien la observaba a ella, y entonces comprendió que en realidad sabía muy poco sobre él. Dijo: "No tengo ni la menor idea de qué cosas le motivan".

Luego, en la tercera posición, se subió sobre una tercera silla y desde allí, en lo alto, le observó y se dijo: "Vamos, niña, ¿cómo es posible que permitas que semejante tarado te afecte?" Comparó la relación con estar atrapada en una telaraña y decidió que quería liberarse.

En la cuarta posición, intercambió lo aprendido. Cuando regresó a la primera posición, lanzó una breve mirada más y lo despachó con un movimiento de la mano: "Mejor olvidémoslo. Yo tengo que seguir con mi vida. Hasta la vista".

Lo interesante fue lo rápido que Rosie había llegado a ese punto en el que pudo soslayar a este personaje y, en cuestión de semanas, tuvo que hacer esfuerzo para recordar cómo había sido esa relación. Hoy por hoy, el tipo ha pasado a ser casi un personaje de un cuento para niños en el historial profesional de Rosie.

5. Vuelve y visita la *segunda posición*. Pregúntate: "¿Ha cambiado la situación, y en ese caso, cómo? ¿Qué ha cambiado?"

6. Acaba volviendo a la *primera posición*. Pregúntate: "¿Ha cambiado la situación? ¿Cómo?"

Capítulo 8

Comprender para ser comprendidos: los metaprogramas

. . . .

En este capítulo

▶ Nociones sobre los metaprogramas o filtros mentales inconscientes

▶ Detectar los metaprogramas de los demás

▶ Hacer modelos con los rasgos de personalidad de quienes admiramos

. . . .

*L*as investigaciones de George Miller en 1956 mostraron que, de los millones de *bits* de información que bombardean nuestros sentidos cada segundo, la mente consciente apenas puede controlar entre cinco y nueve fragmentos a un mismo tiempo. Esto significa que es enorme la cantidad de información que no supera los filtros.

Algunos de estos filtros inconscientes se conocen como *metaprogramas* y son los responsables de dirigir nuestra atención hacia determinadas cosas y de determinar cómo procesamos y comunicamos la información que recibimos.

Si deseas compenetrarte con alguien de manera rápida y estás preparado para hacerlo, quizás optes por vestirte como esa persona, comportarte como ella o hablar como lo hace esa persona. Y con esto no queremos decir que imites el acento de esa persona sino que uses el vocabulario que ella usa. Al empezar a escuchar los metaprogramas de alguien, nos es posible utilizar las mismas palabras y frases que emplea nuestro interlocutor. Debido a que casi siempre se suelen usar los metaprogramas de manera inconsciente, al reproducirlos nosotros, aquello que decimos adquiere la dimensión añadida de que nos estamos comunicando tanto con el inconsciente de la persona como con su mente consciente.

En este capítulo te presentamos seis metaprogramas que esperamos te sean útiles para comunicarte con mayor eficacia y rapidez. Cuando empieces a notar los beneficios de una mejor comunicación, estarás motivado para descubrir más sobre los metaprogramas.

Bases del metaprograma

De niños recibimos y recogemos los metaprogramas de nuestros padres, profesores y la cultura en la que nos criamos. Sin embargo, las experiencias personales pueden llegar a cambiar tales programas preaprendidos a medida que crecemos. Por ejemplo, si mientras creciste te reprendieron por ser demasiado subjetivo, quizás empezaste a distanciarte y aprendiste a reprimir tus emociones. Y es posible que esto haya influido en la selección de la profesión por la que optaste. Así, en vez de haber escogido una carrera para prestar un servicio humanitario, quizás optaste por una que recurre más al intelecto práctico. Es más, tu estilo de aprendizaje también pudo haberse visto afectado de manera que te concentrabas más en hechos concretos y cifras precisas. Y en el caso de que ahora impartas cualquier tipo de formación, quizá recurras y dependas de sistemas más escuetos, susceptibles de ser explicados a punta de gis y pizarrón, antes que intentar que tus alumnos se involucren en experimentos más emocionales e íntimos.

Entre los muchos metaprogramas de los que se ha hablado, hemos escogido seis que consideramos que serán los más útiles para empezar. Escogimos el metaprograma llamado global y detallado porque creemos que su potencial es enorme para generar conflictos y porque consideramos que, si estás en condiciones de reconocer la capacidad de otro para operar al nivel global o al nivel del detalle los puntos extremos de la escala, podrás evitar posibles problemas. Si además estás familiarizado con los otros cinco metaprogramas, te será posible aprender a motivarte tú mismo y podrás motivar a aquellos con quienes entres en contacto.

En el capítulo 5 encontrarás información detallada sobre los metaprogramas del introvertido y el extrovertido. Los metaprogramas de los que hablamos en este capítulo son:

- ✔ Proactivo/reactivo
- ✔ Acercarse a algo/alejarse de algo
- ✔ De opciones/de procedimientos
- ✔ Referencia interna/externa
- ✔ Global/detalle
- ✔ Similitud/diferencia

Mientras reflexionas sobre los metaprogramas, ten en cuenta lo siguiente:

✔ Los metaprogramas no son una opción del tipo esto o aquello, ya que operan a lo largo de una escala que oscila entre dos preferencias.

✔ Los metaprogramas no son un instrumento para encasillar a la gente.

No existe un metaprograma del tipo correcto/incorrecto. Simplemente se trata de utilizar varias combinaciones de metaprogramas, dependiendo del contexto de la comunicación específica y del entorno en el que nos encontramos.

Un cuento breve sobre los metaprogramas

Desde tiempos inmemoriales hemos intentado comprender tipos de personalidades. Ya en el siglo IV a.C. Hipócrates hablaba de cuatro "temperamentos" basándose en sus observaciones de los fluidos del cuerpo humano. Los llamó temperamentos melancólico, sanguíneo, colérico y flemático. A pesar de que estas clasificaciones hipocráticas están en desuso, hay otras que siguen usándose hoy en día.

En 1921, Carl Jung publicó sus *Tipos psicológicos*. Este libro se basaba en su trabajo con cientos de pacientes psiquiátricos. Fue su intento por clasificar a sus pacientes y así predecir su posible comportamiento a partir de sus personalidades. Jung hablaba de tres pares de categorías en las que una de cada pareja se prefería utilizar antes que la otra.

✔ Un **extrovertido** se activa o vigoriza al interactuar con el mundo exterior, mientras que un **introvertido** recarga su batería tomándose un tiempo para sí mismo.

✔ Un **sensorial** absorbe la información a través de los sentidos mientras el **intuitivo** recurre antes a la intuición y el instinto a la hora de recoger la información.

✔ El **pensador** toma sus decisiones basado en el pensamiento lógico y objetivo, mientras que el **táctil-sensitivo** toma decisiones basándose en valores subjetivos.

Los tipos de personalidades de Jung fueron el referente de base para el Indicador de Tipos Myers-Briggs, que es el instrumento de caracterización de personalidad más utilizado hoy día. A comienzos de la década de 1940, un equipo de madre (Catherine Briggs) e hija (Isabel Briggs Myers) agregó una cuarta categoría: el **juzgador**, que intentará que el entorno se ajuste a sí mismo, y el **perceptivo**, que intentará comprender el mundo externo y ajustarse a él.

Como dijo George Bernard Shaw: "La gente razonable se adapta al mundo. La gente poco razonable hace que el mundo se ajuste al suyo. Todo progreso, por tanto, se debe a gente poco razonable".

Metaprogramas y patrones de lenguaje

Todo el mundo tiene patrones de conducta posibles de reconocer a partir del lenguaje que usa incluso antes de que dicho patrón sea evidente. Leslie Cameron-Bandler, entre otros, ha realizado investigaciones ulteriores utilizando los metaprogramas desarrollados por Richard Bandler. Ella y su pupilo, Rodger Bailey, establecieron que la gente que utiliza patrones de lenguaje similares también presenta patrones de conducta similares. Por ejemplo, la gente con talento empresarial puede llegar a tener características o patrones similares: extrovertida, buena para persuadir, con confianza en sí misma, etc., a pesar de que trabaje en campos completamente distintos.

Imagina una reunión de los representantes de las Naciones Unidas sin traductores. La comunicación sería muy precaria, como poco. Bueno, pues un inconveniente similar puede ocurrir cuando intentas comunicarte si ignoras los metaprogramas con los que opera tu interlocutor. Por tanto, aprender sobre los metaprogramas te permitirá adiestrarte en traducir los mapas mentales que la gente utiliza para navegar sorteando sus propias experiencias personales.

Bandler y Grinder se dieron cuenta de que la gente que utilizaba patrones de lenguaje similares se compenetraba de manera más profunda y más rápida que quienes siguen distintos patrones. Seguro que has oído a personas que no hablan francés decir que los franceses no son amables. Sin embargo, otros, que hablan francés, opinan lo contrario. Los metaprogramas son una herramienta poderosa para compenetrarnos verbalmente, aprendiendo a escuchar los patrones que aquella otra persona sigue y luego respondiéndole con un lenguaje que esa persona entenderá con facilidad.

Para ayudarte a comprender el tipo de lenguaje característico de varios metaprogramas, hemos incluido en las secciones que siguen frases que será muy probable que escuches y que responden a metaprogramas específicos.

Metaprogramas y conducta

En la *Encyclopedia of NLP and NLP New Coding* (Enciclopedia de la PNL y el Nuevo código de la PNL), Robert Dilts y Judith DeLozier explican los metaprogramas en términos de dos individuos que utilizan las mismas estrategias para tomar decisiones y que, sin embargo, obtienen resultados distintos a pesar de que a ambos se les ofrece la misma información. Por ejemplo, aunque las dos personas elaboran una imagen mental a partir de los datos que reciben, una de ellas puede llegar a verse abrumada por la cantidad de información que recoge mientras que la otra quizá tome rápidamente una decisión basada en las emociones y los sentimientos que le suscitan las imágenes. La diferencia radica en los metaprogramas con los que opera cada una de ellas, lo que a su vez incide sobre la estrategia de cada cual para tomar decisiones.

Supón que quieres emular a Richard Branson, el fundador del grupo Virgin. Podrías optar por el camino difícil, que consistiría en intentar implementar los procesos que tú crees que utiliza Branson. O podrías, con la ayuda de Branson, hacerlo mucho más rápido y fácil comportándote como él. Parte de este proceso de reproducir los modelos de otro requiere que entiendas y utilices sus metaprogramas.

En las últimas secciones de este capítulo se describen los comportamientos y las preferencias que se asocian a los distintos metaprogramas. Al ser capaces de reconocer por qué metaprograma se inclina una persona a operar en un entorno específico, te será posible empezar a ajustarte a tus metaprogramas para así parecértele y lograr que tu mensaje sea escuchado con mayor claridad. Al imponernos el modelo del mundo de otro no sólo ganamos una perspectiva diferente sino que aumentamos nuestro número de opciones disponibles... un buen punto extra.

Proactivo/reactivo

Si eres una de esas personas con la tendencia a tomar medidas y empezar a andar, entonces operas inclinándote hacia el extremo proactivo de la escala. Por otro lado, si eres de los que prefieren ponderar el asunto y esperar a ver cuáles son las consecuencias, entonces serás más del tipo reactivo. A continuación veamos un par de descripciones un poco más a fondo:

- ✔ **Proactivo:** Si eres proactivo, eres de los que se hacen cargo de la situación y hace las cosas. Serás bueno para encontrar la solución a aquellas situaciones que necesitan ser atendidas con urgencia, en otras palabras, eres bueno para apagar incendios. Quizá te atraen las ventas o trabajar de manera independiente. En ocasiones encontrarás que perturbas a algunas personas, particularmente si estas son más reactivas, ya que a ellas les parecerás como un bulldozer.

- ✔ **Reactivo:** Si eres reactivo quizá seas algo fatalista. Dejas que otros tomen la iniciativa o tomarás medidas sólo cuando consideres que ha llegado el momento oportuno. Y deberás tener cuidado de no analizar demasiado la situación, ya que hacerlo podría conducirte a una parálisis total.

Recuerda que podemos mostrar tendencias proactivas o reactivas dependiendo del contexto en el que estamos trabajando. Por ejemplo, yo (Romilla)

conozco a alguien que, a pesar de ser muy bueno en su trabajo, se comporta de manera profundamente reactiva cuando se trata de asuntos como pedir un ascenso o que le suban el sueldo. Espera a que el jefe se los ofrezca antes que pedirlos él. Prefiere esperar a que le den instrucciones sobre los proyectos antes que iniciar el trabajo por iniciativa propia. Sin embargo, es una persona que disfruta muchísimo de sus vacaciones y es sumamente proactivo a la hora de visitar agencias de viajes, hablar con la gente y navegar por la web en busca de lugares para su próximo descanso.

Es posible darnos cuenta de la diferencia entre una persona proactiva y otra reactiva observando su lenguaje corporal. Quizá la persona proactiva tenga movimientos más rápidos y muestre a veces señales de impaciencia. Dichas personas suelen guardar una postura muy erguida, con los hombros

ANÉCDOTA

Reacción proactiva ante un departamento reactivo

El departamento de informática de una universidad en el sudeste de Inglaterra vivía apagando incendios en su intento por prestar sus servicios a la oficina de admisiones y registro y al departamento de administración. La comunicación entre estas dos secciones, que utilizaban los sistemas que ofrecía el departamento de informática, era nula y además el departamento de informática no confiaba en sus usuarios lo suficiente como para formarlos en el uso de sus sistemas. No había documentación respecto a qué programas debían ejecutar y cuándo. Tal situación existía desde hacía tantos años, que se aceptaba como la norma. ¿Imaginas cuál de las dos tendencias imperaba entre el personal del departamento de informática? Si has pensado que se trata de la inclinación reactiva, acabas de acertar. Entonces, una persona nueva, con tendencias un poco más proactivas, llegó al departamento y promovió tres pasos:

✔ Creó y mantuvo una lista de tareas acompañadas de sus respectivas instrucciones de funcionamiento.

✔ Organizó reuniones con regularidad entre las oficinas de registro y las de admisiones.

✔ Formó al personal del departamento administrativo para que realizara sus propios informes.

Lo anterior redujo considerablemente las tensiones que se generaban entre las tres dependencias, particularmente en temporada alta. Abrió canales de comunicación entre los dos departamentos utilizando los sistemas informatizados. Y la autoestima del personal administrativo aumentó significativamente al asumir ellos la responsabilidad de ejecutar sus propios sistemas.

hacia atrás y sacando pecho, dispuestos a enfrentarse al mundo. La persona reactiva, por el contrario, será de movimientos más pausados y quizás ande cabizbaja y con los hombros caídos.

Según Shelle Rose Charvet, en su libro *Words that Change Minds* (Palabras que cambian mentes), cuando se lanza un aviso para contratar a una persona que se desea que sea proactiva, resulta mucho mejor pedirle al candidato que llame por teléfono y no que envíe un currículum ya que, por lo general, la persona reactiva no llamará.

Para saber si una persona es proactiva o reactiva, hazle la siguiente pregunta: "¿Le es fácil tomar medidas cuando se enfrenta a una situación nueva, o prefiere examinar y entender antes de qué va el asunto?"

✔ La persona proactiva suele utilizar frases como: "Simplemente hazlo", "Aviéntate al ruedo", "Ve por ello", "Toma el control" y "Hay que aprender a caer de pie".

✔ De la persona reactiva es probable que escuches frases como: "Consúltalo con la almohada", "Tómate tu tiempo", "Examina los datos", "Evalúa los pros y los contra" y "Mira bien a qué río te lanzas".

Acercarse a algo/alejarse de algo

La gente suele invertir tiempo, energía y recursos "hacia" o "lejos de" algo, donde el algo representa lo que encuentra placentero o lo que quiere evitar. El algo son los valores que utiliza para establecer si determinada acción es buena o mala.

¿Recuerdas la última vez que iniciaste una rutina de ejercicios o empezaste una nueva dieta? ¿Acaso no veías la hora de empezar? Y claro, muy pronto habías hecho progresos enormes. Empezaste a bajar de peso. Te sentiste mil veces mejor gracias al ejercicio. Y entonces, de pronto, perdiste impulso, dejaste de bajar de peso, o peor aún, empezaste a subir. Las visitas al gimnasio se hicieron más esporádicas. Y al ver que las cosas empezaban a rodar cuesta abajo, intentaste inyectarte una nueva dosis de entusiasmo pero... te viste atrapado en una montaña rusa que oscilaba entre el entusiasmo y la pérdida de dirección. Quizá te preguntaras, en medio de la desesperación, "¿qué ha pasado?" Es muy probable que, por lo que respecta a tu salud, tengas un metaprograma del tipo "alejarse de". Esto sólo significa que lo que te impulsó a tomar medidas fue alejarte de algo, en este caso el peso o una sensación de letargo. La figura 8-1 ilustra el patrón de yo-yo que puede seguir alguien cuya motivación respecto a su propia salud (y peso) es fundamentalmente de "alejarse de" durante un tiempo.

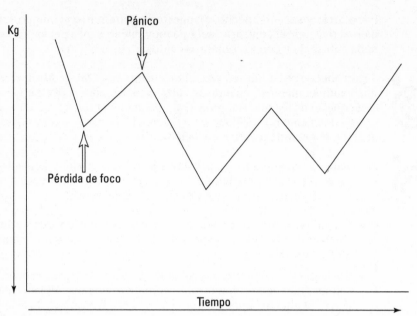

Por otro lado, si lo que te motiva es una meta, en un contexto específico, y eres capaz de no perder de vista el balón, estarás ejecutando un metaprograma "hacia" algo.

Con todo, por regla general, siempre estamos alejándonos de o dirigiéndonos hacia algo. Según Sigmund Freud, nuestro *id* (también conocido como ello), que representa nuestros impulsos instintivos, nos empuja al placer o nos aleja del dolor.

Resulta interesante señalar que las distintas profesiones y culturas pueden mostrar una inclinación clara por uno de los dos tipos de metaprograma: el de "alejarse de" o el de ir "hacia" algo. Tomemos por caso la medicina convencional *versus* las prácticas alternativas. ¿Cuál de los dos metaprogramas crees que prefieren los practicantes de uno y otro campo? Para que te des una idea, recuerda que los médicos convencionales aluden a la medicina holística como "medicina preventiva". En mi opinión (Romilla), la medicina convencional tiende a optar por el "alejarse de" respecto a la salud, en tanto que enfatiza el curar una enfermedad una vez esta ya se ha manifestado antes que centrarse en fomentar y conservar una buena salud.

En el fondo, a las personas que operan con la tendencia de "alejarse de", las personas que ejecutan patrones con tendencia "hacia" algo les pueden parecer que tienen una actitud negativa.

La gente que se "aleja de" tiende a notar qué puede salir mal y son emplea-dos muy útiles en plantas de producción en serie y fabricación de aviones, control de situaciones en crisis o en realizar análisis críticos. Son personas (de alguna manera) motivadas por el "látigo". Es posible motivar a perso-nas que operan dentro del marco "alejarse de" con amenazas de cierre, reducción de puestos y las consecuencias negativas de no alcanzar metas financieras.

La gente con metaprogramas "hacia" algo puede parecer ingenua a las per-sonas que operan con el otro metaprograma ("alejarse de") porque no siem-pre está pensando en (ni preparándose para) posibles problemas durante la búsqueda de sus objetivos.

Las personas "hacia" algo están motivadas por la "zanahoria", es decir, por incentivos más que por amenazas. Háblales sobre los beneficios de aumen-tar ingresos y recibir bonificaciones y verás cómo les brillan los ojos. Y esto no se debe a que sean rapaces sino más bien porque les entusiasman los beneficios positivos.

Podrás saber si una persona suele preferir inclinarse hacia algo o a alejarse de ese algo mediante una serie de preguntas como las que se muestran en el siguiente ejemplo:

Persona A: ¿Qué es importante para usted respecto a su trabajo?

Persona B: Sé que mi seguridad laboral está garantizada.

Persona A: ¿Y por qué ve tan importante su seguridad?

Persona B: No tengo que preocuparme por el pago de mis facturas.

Persona A: ¿Y qué es lo importante de pagar sus facturas?

Persona B: Que no me endeudo.

Conviene realizar al menos tres niveles de preguntas ya que, inicialmente, mucha gente tiende a contestar algo positivo para ocultar patrones del tipo "alejarse de". En el ejemplo anterior, la primera respuesta es "hacia" la seguridad laboral, a pesar de que las siguientes dos respuestas revelan una preferencia por el marco "alejarse de".

Al vender un producto, examina los patrones de lenguaje de tu cliente. Así podrás establecer si dicha persona quiere comprar el producto para obte-ner un beneficio, como ocurre al comprar bonos de inversión, o para evitar un problema, como por ejemplo cuando se compra un seguro. Modifica tu discurso según el caso para ahorrar tiempo y obtener resultados.

Una de dos: o nos dirigimos "hacia" o nos "alejamos de" nuestros valores. Si alejarte de tus valores no te está dando resultado, quizá quieras cambiarlos. Si los deportes en el colegio fueron una actividad dolorosa y las competencias atléticas una humillación, es probable que te sea difícil mantener un hábito de ejercicios. Una forma de liberar emociones invertidas en recuerdos negativos es mediante lo que se conoce como *Terapia de la Línea de Tiempo*.

Es probable que una persona con un metaprograma "hacia" utilice palabras como: "llevar a cabo", "conseguir", "obtener", "tener", "lograr", "alcanzar" e "incluir".

Es probable que una persona con un metaprograma "alejarse de" utilice palabras como: "evitar", "prescindir", "prevenir", "deshacerse de" y "solución".

De opciones/de procedimientos

Si eres una persona que se inclina por las "opciones", entonces disfrutarás intentando hallar nuevas maneras de hacer las cosas. Si eres una persona inclinada a los "procedimientos", preferirás seguir una serie de metodologías.

La persona que prefiere tener opciones adora la variedad. La analogía que viene a la cabeza es la de ofrecer a un gourmet un *smorgasbord* y un *dim sum* y dejarle que escoja tras saborear las muchas delicadezas que se le brindan.

Si te inclinas por el metaprograma de opciones, serás bueno para iniciar proyectos... aunque quizá no siempre los lleves a feliz término.

También serás bueno para establecer procedimientos, siempre y cuando no seas tú el que tiene que seguirlos al pie de la letra.

Debido a tu tendencia a probar nuevas maneras de hacer las cosas, no podrás resistir la tentación de mejorar el más rigurosamente probado de los métodos o de encontrar alguna manera de flexibilizar un poco las normas empresariales.

No le pidas a una persona de opciones que conduzca si no estás dispuesto a visitar todos los sitios y vistas de interés. A dichas personas les encanta seguir un camino diferente cada vez. Yo (Romilla) suelo darme un amplio margen de tiempo antes de ir a un lugar nuevo porque tiendo a perderme. Es más, una vez en la que llegué a mi destino sin perderme ni una sola vez, me sentí decepcionada.

¡Que Dios ayude a la persona que le pida matrimonio a una mujer u hombre con gusto por las opciones! Aun en el caso de que dicha persona lo/la ame profundamente, es muy probable que le cueste mucho lograr que se comprometa porque se preocupará con la posibilidad de verse constreñida, de perderse otras experiencias, etc. La manera de lograr que una persona con inclinación por las opciones diga "sí" es hacerle ver las muchas oportunidades que se le abrirán si dice "sí".

Si te inclinas por los procedimientos, preferirás seguir normas claras, aunque quizá también prefieras que te las establezcan en lugar de diseñarlas tú mismo.

Una vez armado de un procedimiento de trabajo lo seguirás sistemáticamente sin la menor modificación. Quizá sientas la obligación de seguir todos y cada uno de los pasos de un procedimiento y te sientas decepcionado si por cualquier motivo no logras hacerlo.

Respetarás los límites de velocidad y te sentirás ofendido cuando otros conductores pasen por ahí hablando por teléfono móvil o cogiendo el volante con una sola mano.

Yo (Romilla) entendí la diferencia entre las dos preferencias mientras aprendía Huna en Hawai. Dos de las personas de mi grupo de tres querían sentarse bajo los árboles, al lado de una laguna que daba sobre el mar, para realizar un ejercicio y experimento. Richard, el tercero del grupo, se incomodó muchísimo, hasta el punto de querer ir a buscar otro grupo para trabajar porque necesitaba hacerse en el mismo entorno en el que nos habían hecho la demostración del ejercicio y realizarlo tal como se nos había indicado.

Te será posible establecer por cuál de las dos preferencias se inclina alguien en un determinado contexto preguntando: "¿Por qué escogiste este trabajo?" o "¿Por qué decidiste venir a esta fiesta?" o "¿Por qué escogiste este coche?"

Una persona que se inclina por las opciones podrá responder con una lista de sus propios valores que quedaron satisfechos cuando optó por dicho trabajo, asistir a tal fiesta o comprar determinado coche. Quizá le escuches dar sus razones para tomar la decisión y las posibilidades que le abre esa opción.

La persona con inclinación por los procedimientos se lanzará con una historia o lista de los pasos que la condujeron al trabajo, la fiesta o el coche. Por ejemplo: "Mi Ford Puma ya tenía siete años y tenía que cambiarlo. Durante un par de meses compré revistas y examiné los pros y los contras de marcas similares hasta que, al fin, el ver que sólo tendría que llevar el coche a mantenimiento cada 15 000 kilómetros me decidió por...".

Si tu gato sufre una insuficiencia de insulina un domingo por la tarde y necesitas llevarlo al veterinario, no escojas a una persona a la que le gusten los procedimientos para que lo lleve. Respetará el límite de velocidad aunque las calles estén vacías, el gato entre en coma y a ti le dé un ataque de histeria.

A las personas con un metaprograma de opciones les oirás decir términos y frases como "ya veré, llegado el momento", "hay que aprender a jugar con las normas", "juguemos con esta posibilidad" e "intenta lo mismo de otra forma".

La persona con más inclinación hacia los procedimientos quizás utilice expresiones como "sigue los pasos indicados", "respeta las normas", "paso a paso" y las palabras, "primero", "segundo" y "finalmente".

Referencia interna/externa

Si eres una de esas personas que confía en su juicio a la hora de tomar decisiones o que sabe a ciencia cierta cuándo ha hecho un buen trabajo, es probable que te inclines al extremo interno de la escala para este metaprograma.

Si, por el contrario, necesitas retroalimentación por parte de otros para saber lo bien que has hecho un trabajo, es muy probable que tu referencia sea externa.

El quid de este metaprograma reside en dónde descansa la ubicación de aquellas cosas que te motivan, de lo que necesitas para juzgar tus actos y tomar decisiones: ¿en ti o en los otros?

Los niños suelen tener un marco de referencia externo mientras asimilan las enseñanzas conscientes e inconscientes de sus padres y maestros. Sin embargo, con la madurez, generalmente se da un cambio respecto al lugar de la referencia, de manera que este se vuelve más interno a medida que nos conocemos y entendemos mejor y, por tanto, confiamos más en nuestros juicios y decisiones.

Un desplazamiento similar puede ocurrir cuando aprendemos algo nuevo. Al principio, quizá necesitamos más de un referente externo, de otras personas, para que nos digan lo bien que hacemos algo. Pero a medida que adquirimos conocimiento y experiencia, podemos volver al referente algo interno.

Es probable que tengamos una propensión al lado interno de la escala cuando, en un contexto específico, cuestionamos toda la retroalimentación negativa que recibimos, incluso cuando varias personas nos han dicho más o menos lo mismo.

En fin, no necesitas que te elogien por haber realizado un buen trabajo porque ya sabes que lo hiciste bien. De manera que serás un buen empresario en tanto que no necesitas esperar a que alguien te diga qué debes hacer o lo bien que estás haciendo algo.

Queridos jefes, si son de los que poseen un marco de referencia interno, por favor, no olviden retroalimentar a su personal. Quizá sus subalternos tengan un marco de referencia externo y anhelen algún elogio o quieran saber lo bien que están haciendo su trabajo.

Si tu inclinación es más bien externa, entonces necesitarás de la opinión de otros para saber lo bien que estás haciendo tu trabajo y para sentirte motivado.

A menos que se les explique muy bien la necesidad de los resultados que se esperan de su trabajo, los empleados de tendencia interna pueden ser difíciles, particularmente si tu estilo administrativo es el de microadministrar. Dichos empleados querrán hacer las cosas a su manera. La gente con tendencia externa, por el contrario, es más fácil de llevar siempre y cuando comprendas que esas personas necesitan dirección y elogio.

Para determinar en qué punto de la escala está una persona, puede ser útil la siguiente pregunta: "¿Cómo sabe que realizó un buen trabajo, compró el coche indicado, tomó la decisión correcta...?" Una persona que recurre a su marco interno quizá responda algo así como: "Sé cuándo he hecho algo bien", mientras que una persona que recurre al marco externo quizá responda: "A mi familia le gustó mucho el coche".

Cuando hables con una persona que opera desde su marco interno de referencias, es posible que ejerzas mayor influencia utilizando frases como "tú eres el mejor juez", "lo dejo a tu discreción", "mira a ver cómo lo haces" y "examina los hechos y luego decide".

Ahora, cuando lo hagas con alguien cuyos referentes tienden a ser más bien externos, quizás obtengas mejor respuesta utilizando frases como "las estadísticas/investigaciones dicen que...", "seguro que le darán el visto bueno", "la opinión de los expertos dice que..." y "esto ha tenido mucha aceptación".

Global/detalle

Algunas personas encuentran más fácil ver o entender el panorama global de un asunto cuando empiezan a trabajar en un proyecto dado o cuando se establecen metas precisas. Otras ven difícil hacerse a una idea global pero les es mucho más fácil concebir los pasos necesarios para alcanzar las metas propuestas y prefieren trabajar a partir de detalles más pequeños.

Por *tamaño de la porción* se entiende la magnitud de las tareas con las que prefiere trabajar una persona. Una persona con una preferencia "global" repartirá sus tareas en fragmentos más grandes que la persona que se inclina por el detalle. Esta última necesitará que una tarea se corte en fracciones más pequeñas, en pasos más manejables. En resumen, la escala a la que la gente trabaja se conoce como el tamaño de la porción.

Si eres una de esas personas que prefiere trabajar a nivel global o conceptual y que tiene problemas para ver los detalles, en este momento preferirás un gran bosquejo general de lo que a continuación te queremos enseñar sobre lo que ocurre cuando aprendemos algo nuevo. Si el presentador se lanza a los detalles del tema que se va a tratar, es probable que te cueste entender el nuevo tema. Te resulta fácil ver el bosque pero te confundes en medio de los árboles. Si prefieres trabajar con la idea general, es probable que te desconectes o te impacientes con la cantidad de información que pueda darte la persona con inclinación por el detalle.

Pero si, por el contrario, prefieres tragarte el elefante a pedazos, presa a presa, entonces quizá seas propenso al control de detalles. Por eso te será difícil compartir la visión de alguien que piensa de manera global. La gente con inclinación por el detalle controla la información en pasos consecutivos y, por tanto, quizá tenga problemas a la hora de establecer sus prioridades porque es incapaz de realizar conexiones más generales con otras de las áreas con las que también trabaja. Este tipo de personas es muy bueno para trabajos en los que debe prestársele suma atención al detalle, particularmente durante un periodo de tiempo continuado, por ejemplo una línea de montaje o haciendo pruebas en un laboratorio.

La gente con inclinación por el detalle tiende a tirarse de cabeza a su trabajo sin pensar en el impacto que los pasos que da puedan tener sobre la deseada meta final. Como resultado, es posible que nunca alcance esa meta o que sólo la vea una vez ha invertido una buena cantidad de tiempo y energía siguiendo pasos que le conducían a una meta equivocada.

Cuando estés formando personal, conviene presentar inicialmente un vistazo general del curso, porque de lo contrario puedes perder la atención de la gente a la que le gusta la mirada global incluso antes de haber empezado.

Cuando yo (Romilla) trabajaba en tecnología informática, las reuniones semanales en una compañía multinacional eran interesantes. El gerente era una persona de aquellas a las que les gusta la idea global y uno de los programadores se encargaba siempre de hacerle un pormenorizado relato de sus progresos. El resto del equipo pasaba dificultades para no morirse de risa viendo las contorsiones faciales del gerente, que denotaban incomprensión, aburrimiento e irritación, hasta que por fin reventaba y le decía a uno de los jefes del proyecto: "Explíqueme qué quiere decir este tipo". Por fortuna, el jefe de proyecto era un individuo a medio camino en el espectro de la magnitud de las porciones y, por tanto, podía traducir aquellos detalles al gerente. El pobre programador sudaba a mares antes de las reuniones y sus niveles de estrés subían de manera casi insufrible antes de entrar a esa reunión.

¿Te has visto alguna vez aplazando la hora de iniciar alguna tarea en particular? Quizás te sientas abrumado por la magnitud de la tarea. Sigue este proceso para partir la tarea en fragmentos digeribles:

1. **¡Detente!**

   Si aún no estás paralizado.

2. **Busca papel y lápiz.**

3. **Siéntate y haz una lista.**

   Piensa y luego escribe qué te parece realmente importante.

4. **Ordena de nuevo la lista en estricto orden de importancia. Quizá desees pasar algunos de los puntos a otra lista de cosas por hacer o pasos que se han de seguir.**

5. **¡Pon manos a la obra!**

Para saber en qué punto de la escala entre lo global y el detalle se encuentra una persona, pregúntale por algún proyecto en el que haya trabajado. Una persona "detallada" te ofrecerá un relato paso a paso, por ejemplo:

"Juan y yo nos reunimos para almorzar el segundo martes del pasado julio. Recuerdo haberle preguntado muchas cosas porque me daba la impresión de que Juan saltaba de acá para allá y que debía mantenerlo concentrado en cada paso. Al principio, el asunto me puso muy nervioso pero, cuando pasamos un buen rato reuniendo toda la información para un único proyecto, me sentí muy feliz".

La persona con la mirada "global" presentará las cosas como si hubieran ocurrido al azar, resumiendo el resultado final así, por ejemplo:

Luchar, huir, paralizarse y… aplazar

Junto a luchar y huir, paralizarse también forma parte de los mecanismos del estrés. Un venado atrapado por un guepardo entra en un estado de excitación que lo paraliza. La reacción de supervivencia es hacer creer al guepardo que el antílope está muerto, dándole así la oportunidad al segundo de escapar en el caso de que el primero, engañado, resuelva guardar su presa para comérsela más tarde. La otra razón que explica esta reacción es que el antílope no sentirá dolor al ser destrozado si el guepardo opta por no postergar su banquete.

La procrastinación o aquello de dejar las cosas para más tarde por falta de decisión es el equivalente humano a la parálisis del antílope. ¿Sueles dejar las cosas para después? Quizá se deba a que asumes demasiadas cosas a la vez y no sabes por dónde empezar.

"Tom y yo almorzamos un buen día el año pasado y decidimos trabajar en la creación de un centro para animales. La biodiversidad es realmente importante. Creo que la gente necesita ayuda para tratar sus circunstancias como Dios manda. ¿No le parece?"

La persona que tiende a operar desde una perspectiva global entenderá las cosas con mayor facilidad si escucha términos como "perspectiva general", "la idea a vista de pájaro", "en dos palabras", "por lo general" y "esencialmente".

La persona que tiende al detalle escuchará mejor a quien utilice términos como "plan", "precisamente", "cronograma", "de manera específica", "primero…, segundo…", "acto seguido" y "antes de".

Similitud/diferencia

Si cuando aprendes o te enfrentas a algo nuevo intentas cotejar la información que recibes para hacerla corresponder con lo que ya conoces, esto revelaría tu preferencia por "lo similar".

Sin embargo, si eres una de esas personas que lo primero que nota son las similitudes entre dos situaciones y, acto seguido, se percata de las diferencias, en este caso tu tendencia podría ser hacia "lo similar con diferencias".

Si, por último, ves aquello que difiere de lo que ya conoces, prefieres clasificar las cosas mediante "la diferencia".

Las personas con inclinación por lo similar llevan una cierta ventaja cuando se trata de una comunicación con empatía, ya que esta última en el fondo no consiste en nada más que encajar, corresponder a la psicología y manera de pensar de otro… cosa que quizá, si dispones tú de esta inclinación, haces de manera automática. Pero, en ese caso, tenderás a hacer caso omiso de mucha de la información que recibes si no logras detectar similitudes con tus experiencias previas. Quizá tengas dificultad para aprender cosas nuevas porque no encuentras "ganchos" de los cuales colgar la información relevante que está entrando. Serás una de esas personas a las que no les gustan los cambios y quizás incluso te sientas amenazado por ellos… En poco tiempo, te costará adaptarte a cambios tanto en tu trabajo como en tu casa. Por regla general, sólo hacemos grandes cambios en la vida entre los 15 y los 25 años…

Si eres una persona con inclinación por lo similar con diferencias, lo primero que harás será buscar las similitudes y las diferencias en cualquier situación. Tienes lo que podría llamarse una actitud evolucionista frente al cambio, en cuyo caso preferirás hacer cambios mayores cada cinco o siete años y te resistirás a los cambios súbitos.

Ahora bien, si operas mediante el metaprograma de la diferencia, entonces prosperas con el cambio. Adoras una pequeña revolución en tu vida cada 18 meses y creas el cambio por el cambio. Igual que ocurre con la gente similar, tiendes a hacer caso omiso de grandes cantidades de información, excepto que, en este caso, la información que descartas es aquella en la que no ves diferencias. Algunas personas te encontrarán difícil debido a tu tendencia a ver siempre el otro lado de la moneda.

Un pariente cercano de una de las autoras (Romilla) clasifica y ordena por diferencias. Hasta que la autora conoció la PNL, la comunicación entre Romilla y su pariente era difícil, por no decir imposible. Hoy por hoy, Romilla valora sus comentarios. Cuando trabaja en un nuevo proyecto, todas las sesiones preliminares de *brainstorming* las hace con otros amigos y miembros de la familia. Cuando siente que ya tiene una idea lo suficientemente sólida, se acerca a su pariente, que suele llevar la contraria pero es muy bueno para identificar errores y problemas que los demás han pasado por alto. Este procedimiento ahorra mucho tiempo que de otro modo se hubiera perdido andando a ciegas.

Para descubrir el metaprograma preferido de una persona en un contexto específico, podemos preguntarnos lo siguiente: "¿Qué relación guarda este trabajo con su trabajo anterior?"

Una persona que busca lo similar podría responder así: "Ninguna, después de todo, sigo escribiendo programas".

Otra que opera un metaprograma con inclinación hacia lo similar con diferencias quizá conteste: "Sigo escribiendo programas para la sección de contabilidad, sin embargo, ahora tengo la responsabilidad de supervisar a tres programadores nuevos".

La persona con inclinación por las diferencias quizá diga algo como: "Me ascendieron como supervisor de unos jóvenes programadores y, por tanto, todo es completamente distinto".

Un bonito juego social consiste en preguntar a alguno de los participantes qué relación hay o se establece entre los rectángulos que pueden verse en la figura 8-2. Todos los rectángulos son del mismo tamaño, pero no se lo digas a esa persona antes de preguntárselo.

Quien opera con un metaprograma de lo similar quizá diga: "Todos son rectángulos" o "los rectángulos son todos del mismo tamaño".

Una persona que utiliza el metaprograma de lo similar con diferencias quizá conteste: "Todos son rectángulos pero uno está en posición vertical".

Y quien opere un metaprograma de diferencias es probable que diga: "Están dispuestos de distinta forma".

Figura 8-2:
El juego de lo similar/lo similar con diferencias/las diferencias

Si no dispones de unos rectángulos, utiliza monedas de la misma denominación pero pon dos con la cara hacia arriba y una con la cruz, y pregunta, claro, qué relación guardan las tres monedas.

La gente que prefiere lo similar utilizará palabras como "lo mismo", "igual", "en común", "como siempre", "estático", "tan bueno como…" e "idéntico".

La gente que opera desde la base de lo similar con diferencias utilizará términos y expresiones como "lo mismo excepto que…", "mejor", "superar", "gradual", "aumentar", "evolutivo", "menos", "sin embargo", "lo mismo, pero la diferencia reside en…". Para comunicarnos mejor con este tipo de personas conviene enfatizar aquellas cosas que son lo mismo o iguales pero seguidas de lo diferente, por ejemplo: "El trabajo será muy similar a lo que venía haciendo, sin embargo, deberá implementar nuevas soluciones".

Para influir sobre alguien que opera con inclinación por las diferencias, utiliza palabras y frases del tipo "como la noche y el día", "diferente", "modificado", "cambiado", "revolucionario", "completamente nuevo", "no tiene comparación" y "no sé si estará de acuerdo, pero…"

Combinaciones de metaprogramas

Disponemos de una combinación de metaprogramas a los que preferimos recurrir cuando nos encontramos en una situación cómoda. No olvides, sin embargo, que esta preferencia puede cambiar dependiendo de las circunstancias en las que te encuentras. Por ejemplo, un director de proyecto quizá combine elementos como "diferencia", "proactivo", "detalle" y "hacia algo" en su trabajo pero puede inclinarse por "lo similar", ser "reactivo", y tener una perspectiva "global" en su casa.

También es importante comprender que ciertas combinaciones de metaprogramas se ajustan mejor a unas profesiones que a otras y que existen muchos más metaprogramas que pueden ser útiles en un momento dado.

¿Te gustaría, por ejemplo, que el piloto del 747 en el que vas volando tenga un metaprograma con la combinación "opciones, global y diferencia"? Personalmente creo que me sentiría nerviosa en manos de una persona que pudiera decidir saltarse un par de los chequeos del plan de vuelo porque encuentra el procedimiento aburrido y además divertido ver qué ocurriría si empieza a titilar aquella bombillita roja.

¿Te gustaría que la receta médica para tu angina de pecho la prepare un farmacéutico al que le gustaría saber qué pasa si añade un par de gotitas más de ese bonito líquido azul en la fórmula?

Los anteriores ejemplos sólo pretenden ilustrar la idea de que hay trabajos que se realizan mejor cuando el perfil de la persona se ajusta a los parámetros del oficio.

Podría pensarse, por ejemplo, que el metaprograma que mejor se ajustaría a una persona encargada del control de calidad sería el de alguien con inclinación por el "detalle", tendencia "hacia algo" y gusto por los "procedimientos".

Para desarrollar tus metaprogramas

(Romilla) Los metaprogramas son uno de los temas que más interés despiertan en mis talleres. Esto quizá se deba a que los participantes captan la importancia de utilizar el "lenguaje" correcto. Por esto me refiero al uso de aquellas palabras y frases que mayor significado tienen para la persona con la que nos estamos comunicando. Esto nos permite crear empatía y lograr que nuestro mensaje sea mejor escuchado que si lo emitiera una persona menos diestra en el arte de los metaprogramas.

Teniendo presente lo anterior, te invitamos a que desarrolles tus habilidades considerando lo que sigue:

✔ ¿Puedes identificar los metaprogramas con los que operas en los distintos campos de tu vida? Esto te puede ser muy útil en el caso de que quisieras repetir el modelo exitoso en un área de tu vida para mejorar otro aspecto que quizá no esté funcionando tan bien como quisieras. Si, por ejemplo, crees que eres mejor para planificar tus vacaciones que para progresar en tu carrera, pregúntate si quizás eso es así porque eres más "proactivo", porque tiendes "hacia algo" y te gustan los "procedimientos" cuando programas tus vacaciones. Lo anterior puede significar que metes la nariz en el asunto, sales, investigas y planificas lo que quieres hacer con tus vacaciones. Entonces, una vez hayas decidido cuál es tu gran meta profesional, quizá te convenga inclinarte un poco más por los procedimientos para definir y dar los pasos que te conducirán hasta allí. Quizá también necesites enfocarte mejor "hacia" la meta y ser más proactivo para alcanzarla.

✔ En el caso de que tengas problemas con una persona, ¿será porque ambos están en los extremos opuestos de la escala metaprogramática? ¿Logras identificar los metaprogramas que tú y la otra persona usan? Como ya dijimos cuando hablamos del metaprograma "global/detalle", se trata de un metaprograma susceptible de generar mucho dolor. Por ejemplo, si hablas sobre la idea global y la otra parte resulta ser una persona con inclinación por los detalles, lo mejor será que hagas de tripas corazón y tragues. Cuando son metaprogramas que no hacen

juego, que no encajan, se pueden acabar generando conflictos e inco-
municación, de manera que practica aquello de retroalimentar lo que
escuchas en el discurso del otro.

✔ Si estás buscando personal para un trabajo, escribe los rasgos del candidato ideal una vez hayas establecido las responsabilidades inheren-
tes al cargo. ¿Qué preguntas le harías para determinar cómo se ajusta
al papel? Contratar a la persona equivocada para un cargo puede ser
muy costoso. De manera que, si vas a contratar a un contador fiscal,
quizá llegues a la conclusión de que la persona debe ser:

- "Proactiva" para mantenerse al día respecto al régimen tributa-
rio.

- Con inclinación por los "procedimientos" y los "detalles" para
desarrollar la ley al pie de la letra.

- Sensible al marco de referencia "externo" para que sea receptiva a los dictámenes del gobierno.

- Atenta a las "diferencias" para detectar cualquier discrepancia
en los impuestos de un cliente.

Parte IV

Para abrir la caja de herramientas

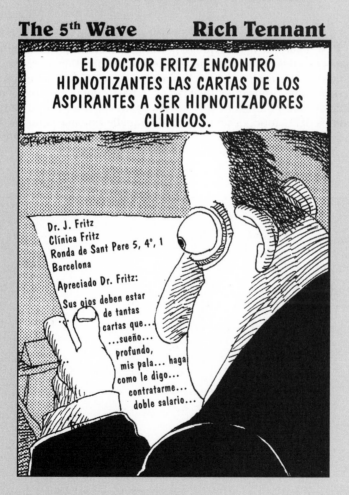

The 5th Wave   Rich Tennant

EL DOCTOR FRITZ ENCONTRÓ HIPNOTIZANTES LAS CARTAS DE LOS ASPIRANTES A SER HIPNOTIZADORES CLÍNICOS.

Dr. J. Fritz
Clínica Fritz
Ronda de Sant Pere 5, 4°, 1
Barcelona

Apreciado Dr. Fritz:

Sus ojos deben estar de tantas cartas que...
...sueño... profundo, mis pala... haga como le digo... contratarme... doble salario...

En esta parte...

Has llegado al corazón de las herramientas y técnicas esenciales de la PNL que te permitirán enfrentarte a situaciones difíciles. A medida que adquieras más práctica en el uso de estas herramientas, serás más y más capaz de ajustar tus reflexiones, pensamientos y actos. A partir del uso de técnicas de anclaje y de tener experiencias como viajar a lo largo de tu línea del tiempo, descubrirás todo aquello que necesitas para cambiar y construir tu propio repertorio. ¡Acércate, acércate y observa un futuro más cautivador!

Capítulo 9

Tirar anclas

- -

En este capítulo

▶ Observar cómo nos afectan ciertos ruidos, escenas, olores y sensaciones

▶ Controlar las emociones internas

▶ Superar el miedo a hablar en público

▶ Cambiar la manera de pensar sobre el pasado y el futuro

- -

"*¡N*o sé qué me pasó!" ¿Te suenan esas palabras? ¿Has llegado a sentir que tu reacción ante una situación fue exagerada... más allá de lo necesario? Quizá te sobrepasaron tus emociones, o mejor, fueron más fuertes que tú mismo... te pudo la emoción, como se dice vulgarmente. Quizá llegaste a pensar o decir que te desconociste, que no eras tú mismo.

Todos reaccionamos de manera emotiva. Algunas de estas reacciones son estupendas: enamorarse, sentir júbilo, placer. Otras, no tanto: el desamor, la tristeza, el dolor. Son precisamente esas reacciones las que hacen que la vida y el trabajo sean interesantes y divertidos pero también confusos e impredecibles. Con frecuencia nos encontramos con jefes que suspiran y desean que sus empleados y colegas dejaran en casa sus emociones. Y en casa... mucha gente preferiría que su pareja se dejara sus tensiones laborales en la oficina.

Quizás has presenciado ocasiones en las que alguien "explota" de manera inesperada. Por lo general dichos estallidos ocurren por lo que pareciera la menor provocación. Y casi todos entendemos el malestar y la agitación que implica caer en uno de esos estados. De hecho, en PNL el término *estado* se utiliza haciendo referencia al acto de observar y ser conscientes de cómo nos sentimos en cualquier momento dado.

Llevadas a sus extremos, estas emociones que nos sacan de quicio y que hacen que perdamos el control pueden asustar a la gente. Pueden afectar a nuestra carrera profesional y a nuestra vida social. La gente se pregunta si dicha persona sería de fiar en situaciones de alta responsabilidad o representando a la compañía.

Te gustará saber que, gracias a la influencia estabilizadora de la caja de herramientas de la PNL, dispones de ayudas para controlarte, controlar tu estado en cualquier momento dado y el efecto que tendrás sobre otras personas. Una vez has descubierto cómo hacerlo, la cosa es magia pura.

Empezar por usar las anclas de PNL

Las herramientas de la PNL que pueden ayudarte a crear estados positivos para ti mismo se conocen como *técnicas de anclaje*. La PNL define *ancla* como un estímulo externo capaz de desencadenar un estado o respuesta interna. La gente está arrojando anclas y respondiendo todo el tiempo. Sabemos cuándo detenernos ante un semáforo en rojo. Sabemos que ante ciertas comidas nos relamemos de puro gusto.

Quizá te preguntes por qué pueden ser útiles las anclas. La respuesta es que, cuando aprendes a usarlas, cuando aprendes a anclar, te será posible hacer acopio de todas tus experiencias y recuerdos positivos o retadores y jugar con ellos para tener más recursos en el futuro.

Los seres humanos aprendemos a comportarnos en respuesta a un estímulo: no sólo los delfines aprenden trucos sorprendentes. Desde el momento de la concepción, el bebé está programado para responder a ciertos estímulos. Permanentemente estamos moviendo y cambiando nuestro estado interno en respuesta al entorno, dando fe de la enorme flexibilidad de nuestra conducta.

Poner anclas para crearnos un estado pleno de recursos

Nuestros recuerdos están almacenados en asociación con nuestros sentidos. Los olores son poderosas anclas que nos sujetan a distintas épocas y acontecimientos. Así, por ejemplo, olemos un perfume en particular y el aroma quizá nos transporta a nuestra primera salida de novios, ese momento en el que nos pusimos un poco de colonia. O si alguna vez nos emborrachamos con whisky, quizás hoy su mero tufillo nos provoque náuseas. Permanentemente estamos creando anclas positivas y negativas.

¿Cómo se instala un ancla? Los maestros de la PNL sugieren varias técnicas. Ian McDermott y Ian Shircore recomiendan la siguiente técnica de tres pasos para asumir el control de nuestro propio estado, estableciendo anclas como recursos:

De Twitmeyer a Pavlov, o cómo empezó todo

Lo que el psicólogo ruso Pavlov descubrió gracias a sus famosos experimentos con perros fue un ejemplo temprano de lo que aquí llamamos anclaje. Presentar un estímulo, comida, y obtener una respuesta: salivar. Súmale el sonido de una campana, el estímulo condicionado al hecho de poner la comida en la boca del perro, y pronto el animal aprenderá a responder al sonido de la campana.

Un colega menos conocido que Pavlov, Twitmeyer, ya estudiaba el reflejo aquíleo humano en 1902, incluso antes de que Pavlov estudiara la salivación en los perros. Twitmeyer golpeaba la rodilla del paciente con un martillo y tenía una campana que sonaba en el momento en el que el martillo tocaba la rótula. Como tantos otros descubrimientos científicos, un mero cambio accidental en un experimento puede conducir a importantísimos avances. Un día tocó la campana sin dar el golpe con

el martillo, ¿y qué ocurrió? Sí, que la rodilla del sujeto reaccionó al mero toque de la campana.

Desafortunadamente para Twitmeyer, el científico se había adelantado a su tiempo y los médicos de entonces sólo bostezaban al oír sobre su contribución conductista. (O quizá con semejante término, "conductista", nadie se lo podía tomar en serio.) Si nos adelantamos un par de años en la historia para llegar a 1904, veremos cómo para entonces el trabajo de Pavlov con los perros logró cautivar a la gente y le mereció el premio Nobel en Fisiología.

Desde entonces, los estudios sobre el comportamiento animal son mucho más científicos y elaborados. Cada día leemos noticias de nuevas investigaciones sobre el cerebro, y aumentan nuestros conocimientos respecto a la inteligencia y el comportamiento humano.

1. **Ten claro el estado positivo en el que idealmente quisieras estar.**

   Recuerda que el estado en el que más seguro te sientes puede ser uno en el que te sientes atrevido o ingenioso, vigoroso, previsivo o entusiasta. Sé claro y específico en los términos que utilizas para describirlo.

2. **Recuerda una ocasión específica en el pasado, cuando estuviste en tal estado.**

   La idea es hallar una experiencia comparable, incluso en el caso de que el contexto sea muy distinto.

3. **Vuelve a vivirla con toda la intensidad que puedas.**

   Involúcrate totalmente con la vivencia, es decir, con lo que veías, oías, olías, la emoción física y las sensaciones internas que te embargaron entonces.

Cuando hayas dado estos tres pasos y te encuentres en el mejor y más alto de los estados positivos, habrá llegado la hora de anclarte por tus propios medios. Los movimientos de las manos funcionan bien en tanto que ancla física (cinestésica). Simplemente fíjate en qué están haciendo tus manos mientras revives la experiencia y aférrate a algún movimiento claro y distinto, como por ejemplo el puño cerrado o un círculo realizado con el pulgar y el dedo índice. (Un apretón de manos no serviría, porque es un gesto demasiado prosaico y rutinario.) Como alternativa, en calidad de ancla auditiva, escucha en tu imaginación algún sonido. Si tienes preferencia por lo visual, piensa en una imagen que simbolice el estado positivo.

Ahora, cuando necesites volver a un estado positivo, simplemente lanza el ancla como estímulo para cambiar tu estado. Para más información sobre el uso de anclas para cambiar de estado, ve a la sección "Para cambiar de estado usando las anclas", más adelante en este capítulo.

Las anclas deben ser:

✔ Inconfundibles: distintas a los movimientos, imágenes y sonidos cotidianos.

✔ Únicas: especiales para ti.

✔ Intensas: ubicadas allí donde revives de manera integral el culmen del estado.

✔ Oportunas: debes escoger el mejor momento para hacer la asociación.

✔ Deben reforzarse: utilízalas o de lo contrario las perderás; anclar es una habilidad que se adquiere con la práctica.

Es fácil establecer un ancla negativa sin querer. Piensa por ejemplo en la situación de un gerente muy estresado que conduce hacia su casa una vez terminado su trabajo, de noche, y llega por fin a su hogar después de haber mantenido varias conversaciones por su celular con el personal de su oficina sobre problemas de trabajo. Al cruzar la puerta de su casa, sus emociones negativas y relativas a su trabajo alcanzan una intensidad máxima. ¿Qué ocurrirá si en ese instante su esposa sale a recibirlo con un beso? Es posible que el gerente conecte de manera no intencional el beso de su mujer con los problemas laborales. Y así se establecen las anclas. Entonces, ¿qué pasa? Que cuando la esposa lo bese, el gerente empezará a sentir congoja sin saber por qué.

El sentido común parece sugerir que no vamos por el mundo estableciendo anclas negativas de manera deliberada. Entonces, ¿cómo evitarlo? La clave reside en reconocer qué desencadena una reacción negativa en nosotros y percatarnos de que tenemos la opción de escoger nuestra reacción. Si hemos caído en el hábito de responder de manera negativa ante ciertas situaciones, cuando nos percatamos de ello podemos decidir si se trata de una respuesta apropiada y útil o si nos vendría mejor hacer algunos cambios.

Para generar y calibrar estados

¿Te das cuenta de que una persona está (o no) en un estado positivo y feliz? ¿Cuáles son las señales? Cuando conoces a alguien y empiezas a construir una relación —social o de negocios— conviene calibrarla.

En PNL se define la *calibración* como el proceso de aprender a leer las respuestas y reacciones de otra persona. Los buenos comunicadores han aprendido a agudizar su capacidad de observación. En vez de adivinar qué está pensando la otra persona, perciben y reconocen las pistas sutiles y expresiones faciales de la gente con la que se rodean.

Por ejemplo, si sabes que tu jefa guarda silencio y aprieta los músculos faciales cuando se acerca la fecha de una entrega urgente, no sería recomendable que en ese momento intentes mantener una conversación informal y social. O si estás negociando un acuerdo, más vale tomarse un tiempo para conocer mejor a las personas con las que negocias. Amables preguntas sociales lanzadas frente a la máquina del café o mientras se espera el ascensor pueden ayudarte a calibrar el lenguaje corporal de la gente y desarrollar tu conciencia sobre sus respuestas y reacciones.

Intenta realizar el siguiente juego con un amigo para calibrar sus estados. Mientras lo haces, fíjate en sus cambios fisiológicos: qué ocurre con sus movimientos faciales y cambios en el color de su piel, así como su lenguaje corporal en general. Anota bien las diferencias.

1. **Primeramente, fíjate en su postura inicial... para ver qué aspecto tiene tu amigo en un estado neutro.**

   Para ubicarlo en un estado neutro, suéltale alguna pregunta banal y cotidiana: "¿De qué color son tus calcetines?" o "¿Cuántos bolígrafos tienes en el cajón de tu escritorio?"

2. **Luego pídele que piense un minuto en alguien que le caiga muy bien, con cuya compañía disfrute... y que preste atención a cualquier imagen, sonido o emociones que lo asalten.**

   (Dale tiempo para que reviva la experiencia.)

3. **Pídele que se ponga en pie y se sacuda lo anterior.**

   En PNL esto lo llaman *interrumpir* o *romper un estado*.

4. **Pídele ahora que piense en alguien que le caiga realmente mal, cuya compañía sea muy desagradable... prestando atención a cualquier imagen, sonido o emociones que surjan.**

5. **Compara las diferencias en la reacción de tu amigo ante una vivencia positiva y otra negativa.**

   Con algunas personas encontrarás cambios drásticos en su lenguaje corporal. Con otras, serán tan sutiles que no será fácil reconocer los cambios.

En la PNL existe un presupuesto que reza así: nos es imposible *no* comunicarnos. Nos guste o no, estamos permanentemente incidiendo e influyendo sobre otras personas. Bastan una mirada o una palabra para provocar estados en otros y en nosotros mismos. Es tan fácil... lo hacemos simplemente siendo nosotros mismos y haciendo lo que hacemos, sin el menor esfuerzo consciente.

Establecer nuestro propio repertorio de anclas

Una excelente manera de trabajar con los conceptos de la PNL consiste en encontrar nuestros propios estados óptimos. En otras palabras, la mejor manera de ser nosotros mismos. Es algo parecido a tener un repertorio de buenos golpes cuando jugamos golf o tenis. Pregúntate cuál sería la mejor manera de:

✔ Aprender con eficacia

✔ Ejercitarse lo mejor posible

✔ Relacionarse con los demás

Recuerda aquellos momentos pasados en los que has tenido éxito en cualquiera de las áreas anteriores. ¿Qué ocurría en tu vida entonces? ¿Dónde y con quién estabas, qué hacías en el momento que resultó particularmente útil? ¿Qué cosas creías que eran importantes?

Construye tu propio espectro de anclas visuales, auditivas y cinestésicas que te hagan sentirte bien contigo y con los demás. Quizá quieras pedir ayuda a un amigo y trabajar juntos en esto.

Reconocer tus propias anclas

¿Qué catalizadores, qué estímulos suelen afectarte más, tanto en el trabajo como en casa? Anótalo en la siguiente gráfica (figura 9-1) para empezar a ser consciente de aquellas instancias en las que te sientes bien y no tan bien. El propósito es que te concentres en tus vivencias positivas y cambies o te deshagas de las negativas.

	EN CASA		EN EL TRABAJO	
	Bien	Mal	Bien	Mal
V-Imágenes				
A-Sonidos				
C-Tacto/emociones				
O-Olores				
G-Sabores/gustos				

Figura 9-1:
Gráfica
de anclas
personales

Tómate tu tiempo, de manera que registres los detalles de las distintas experiencias que te hacen sentir bien o mal. Pueden ser sucesos en apariencia insignificantes y cotidianos, y seguro que serán muy personales.

Quizá te sientas bien en casa ante la imagen de un leño encendido en la chimenea o de un florero con tulipanes sobre la mesa, el sonido de tu CD preferido o el olor de una comida preparándose en la cocina. Del mismo modo, quizá la imagen de tu computadora sobre un escritorio bien ordenado o el rumor de las conversaciones de tus colegas, o el aroma de un café fresco te reciban con placer al llegar a tu oficina por la mañana.

En caso contrario, si te alteras cuando alguien sube demasiado el volumen de la televisión o cuando entra un nuevo correo electrónico o memorando a tu bandeja de entrada, entonces quizá te convenga encontrar estrategias para convertir los negativos en positivos. Cuando hayas identificado lo que te gusta y lo que no te gusta te será posible empezar a conducir los mínimos detalles de tu vida diaria en la dirección que más te conviene.

El diagrama anterior lo organizamos seleccionando los distintos sentidos VACOG (en el capítulo 6 encontrarás más información al respecto). A continuación vamos a ver algunas anclas que debes tener muy en cuenta:

✔ **Visuales:** imágenes, colores, la decoración

✔ **Auditivas:** música, voces, canto de los pájaros, sonidos

✔ **Cinestésicas:** texturas, sensación de los objetos físicos al tacto y vibraciones emocionales

✔ **Olfativas:** olores, sustancias químicas, aromas

✔ **Gustativas:** sabores, comidas y bebidas

Vuelve sobre estas ideas cada dos semanas para ayudarte a conseguir aquellas cosas que te dan placer. Si uno de tus cinco sentidos es el dominante —por ejemplo, si aparecen más anclas visuales que auditivas—, examina si es posible que esté perdiéndose y filtrando información de manera innecesaria.

Tus anclas cambiarán con el tiempo. A medida que te concentres más en aquello que te da placer, empezarás a notar que aquello que te alteraba en un comienzo cada vez te parecerá menos relevante. A continuación presentamos un ejercicio que quizá quieras convertir en un saludable hábito diario.

A medida que transcurra el día, recoge cinco instancias o vivencias que te hayan dado placer. Lleva un diario personal con aquellos asuntos en los que te está yendo bien. Con frecuencia son cosas muy pequeñas las que marcan la diferencia: una conversación agradable, un gesto amable, el aroma de una panadería o el sol que brilla cuando sea despejan las nubes. Cuando te sientas bajo presión, vuelve sobre la instancia buena y asegúrate de que pasas por lo menos una parte del día involucrado en aquellas cosas que realmente son importantes para ti.

Un regusto del pasado: anclas de uso común

Vuelve por un instante a tu primer día en la escuela. Escucha en silencio los sonidos que te rodeaban y qué sentías al estar en ese nuevo entorno. Los sonidos y los olores son particularmente útiles a la hora de evocar imágenes y recuerdos de infancia... buenos y malos. Quizás hoy mismo algo desencadenó un recuerdo del colegio. ¿Qué cosas te despiertan recuerdos escolares? Puede que el aroma de una comida o de un suelo recién encerado, ver un viejo trofeo del colegio o el sonido de la sirena que señalaba el final de las clases.

Para mí (Romilla), el olor de cardamomo de inmediato me transporta a mi idílica y colorida infancia en la India... sin embargo, para Kate, el mero hecho de escuchar las palabras "natillas del colegio" la remite con espanto a imágenes, sonidos, sabores desagradables y sensación de angustia al recordar el comedor de su antigua escuela.

Quienes trabajan con adultos o niños en calidad de formadores deben tener presente que hay quienes han tenido experiencias escolares infelices y que, por tanto, se enfrentarán a una natural resistencia. Afortunadamente, con buenos maestros y formadores, la mayoría descubrirá lo gratificante y divertido que puede ser seguir aprendiendo de adultos, incluso en los casos en los que lo mismo no fue cierto en la infancia.

Revisa las emociones para registrar las secuencias de los estados

Piensa en el día de ayer. Mientras revisas los sucesos del día, pregúntate cómo te sentiste a distintas horas. ¿Te mantuviste en el mismo estado durante todo el día? Poco probable. Igual que ocurre con un termómetro, es muy probable que hayas pasado del calor al frío, incluso experimentando todos los puntos intermedios de la escala: indiferente, sereno, cálido e interesado, acalorado, encendido y todas las combinaciones y variantes posibles.

Como seres humanos, recibimos la bendición de la flexibilidad de nuestra conducta y la maravillosa posibilidad de cambiar de estado. Necesitamos cambiar. Si operáramos en permanente éxtasis, pronto estaríamos exhaustos. Quienes mejor rendimiento tienen en sus oficios necesitan desconectar para recargar sus baterías; de lo contrario, se fundirían. Durante una presentación, por ejemplo, es importante variar el ritmo y compás de la misma para que el auditorio no pierda el interés. Habrá momentos en los que quieres que tu público esté relajado y receptivo a lo que dices, otros en los que prefieres que esté en extremo alerta al detalle o en los que buscas que sienta particular curiosidad e interés.

Cuando se trabaja en sesiones de formación individualizada y nos enfrentamos a problemas difíciles, los clientes por lo general expresan una amplia gama de emociones que oscilan entre las más extremas ira, frustración y preocupación hasta la franca carcajada en lapsos muy breves de tiempo. En ocasiones, cuando la cosa se agrava, el ambiente se inclina a ese punto en el que alguien exclama: "¡No sé si ponerme a reír o llorar!"

El humor ofrece un recurso extraordinario y valioso para cambiar de estado. Los personajes caricaturescos con frecuencia nos regalan la capacidad de ver la perspectiva opuesta a nuestra vivencia, la capacidad de tomar un tema serio y verlo desde otro punto de vista. La habilidad de cualquier líder, ya sea padre o maestro, descansa en nuestra capacidad de marcar el paso a alguien a lo largo de todos estos distintos estados y conducirlo a un resultado positivo.

Para cambiar de estado usando las anclas

Permanentemente estamos cambiando de estado, y, por tanto, el valor de las anclas consiste en que nos permiten alterar nuestro estado de manera que podamos pasar a otro más pleno de recursos cuando lo necesitemos. Digamos, por ejemplo, que tienes que tomar una decisión difícil, ver a alguien o asistir a un evento; piensa en la alta carga emocional en una boda o en un funeral y en la conveniencia de controlar las emociones con cuidado. Si estamos en el estado que corresponde, tomaremos las mejores decisiones y actuaremos en aras del mejor resultado.

Como analogía, imagina que navegas en un pequeño bote en medio de una tormenta y quieres llegar a un puerto seguro. Si desarrollas tu capacidad de arrojar anclas, te será posible alcanzar un estado sereno, o si así lo prefieres, pasar a uno de profunda actividad y energía, dispuesto a asumir todos los riesgos. Un ancla, por definición, se aferra a una posición estable: asegura el bote y no permite que flote a la deriva. Fuerza y estabilidad son las claves en este caso.

En cualquier momento en el que notes que no estás en un "buen estado", recuerda que tienes una opción. O te aferras al estado desagradable e incómodo porque por algún motivo encuentras algún valor en ello, o resuelves que existe un estado mejor al que te gustaría pasar. Para cambiar de estado te es siempre posible arrojar un ancla que te ubique en un estado más positivo para ti. (Ver la sección "Poner anclas para crearnos un estado [interno] pleno de recursos" para recordar lo fácil que es hacerlo siguiendo tres pasos.)

Con todo, estar anulando permanentemente anclas negativas con positivas puede crearnos problemas. Las anclas negativas pueden ser una manera en la que nuestro inconsciente nos señala que existe un asunto subyacente con el que debemos lidiar. Sentir cansancio, por ejemplo, puede indicarnos que nuestro actual patrón de trabajo nos está agotando. Si insistimos en anular esta señal a punta de un ancla más enérgica, de pronto nos fundimos.

Al compás de la música barroca

Los antiguos griegos lo sabían, los primeros psicólogos lo utilizaron y la ciencia moderna lo confirma: la música afecta a mente y cuerpo. La música influye sobre las ondas cerebrales que indican la actividad eléctrica del cerebro. Cuando estamos relajados, las ondas cerebrales son más lentas y se aceleran a medida que se cargan de energía. La música de unos 60 pulsaciones por minuto parece ser la más cómoda para todas las culturas porque coincide con el ritmo del corazón humano en reposo.

La música barroca resulta particularmente adecuada para crear un estado de conciencia relajada, conocido como *estado alfa*. Para exponerte a este tipo de música busca los largos y los adagios de piezas compuestas entre los años 1600 y 1750: Bach, Handel y Vivaldi son buenos para empezar.

Ondas cerebrales: de alfa a delta

Poseemos cuatro tipos de ondas cerebrales, medidas en ciclos por segundo:

1. Ondas cerebrales alfa, claras, serenas y relajadas: 8-12 ciclos por segundo.

2. Ondas cerebrales beta, alertas y dispuestas a resolver problemas: 13-30 ciclos por segundo.

3. Ondas cerebrales theta, creativas e imaginativas: 4-9 ciclos por segundo.

4. Ondas cerebrales delta, sueño profundo sin ensueños: menos de 4 ciclos por segundo.

A continuación veremos un par de maneras distintas de pensar respecto a la música que oyes. Quizás estés repitiendo un disco rayado debido a tus gustos musicales.

✔ **Diversifica la gama de CD que compras:** Del barroco al periodo clásico, jazz y *blues*, *reggae*, pop y rock, salsa, baladas, ópera…

✔ **Cambia el ritmo:** Compara ritmos predecibles con otros distintos y poco conocidos para alentar tu creatividad. La música del mundo es muy buena para esto.

✔ **¿Música instrumental o cantada?** Las palabras pueden distraernos… los solos instrumentales suelen ser buenos para relajarse.

✔ **Intuición:** Confía en tu gusto. Si no te gusta una pieza musical, no luches con ella; apágala… es probable que no te ayude a sentirte bien.

✔ **Empieza el día de manera distinta:** Cuando nos sentimos bien por la mañana, empezamos con el pie derecho. Intenta cambiar las noticias polémicas en el radio por música que te inspire y te levante los ánimos.

A continuación vamos a hacer un ejercicio para trabajar un asunto pendiente con la ayuda de la música:

1. **Piensa en un asunto pendiente o problema que te mortifique; califícalo en una escala del 1 al 10 y anota el resultado en un papel.**

2. **Escoge tres piezas musicales de distinto estilo.**

Por ejemplo, inténtalo con música del barroco, música instrumental y baladas suaves.

3. **Pon a sonar la primera pieza mientras piensas en tu asunto; luego califica tus reflexiones en una escala del 1 al 10. Ahora toma nota de cómo te sientes al respecto.**

4. **Repite el paso anterior mientras suena la segunda pieza; no olvides calificar tus sensaciones y opinar sobre tus reflexiones.**

5. **Repite una vez más el ejercicio escuchando la tercera pieza; no olvides calificar tus sensaciones y opinar sobre tus reflexiones.**

¿Has cambiado tu manera de pensar? ¿Qué música crees que te ha dado más energía y recursos?

Ponerse en la piel de otra persona

Otra manera de desarrollar tus habilidades de PNL consiste en encontrar un modelo positivo que puedas imitar: alguien que te parece que se comporta como a ti te gustaría hacerlo. Y luego haz una prueba emulando su lenguaje corporal. Una manera de lograrlo es imitar su porte y compostura: muy derecho o de modos suaves, sonriente o serio, etc., y luego intenta caminar como dicha persona. En inglés conocen este ejercicio como *moccasin walk*; en el fondo, no es más que imaginar que estás en la piel de ese alguien y luego caminar por la habitación o la calle como si pisaras las huellas del otro.

Al cambiar tu propia fisiología, cambiará también tu estado interior... es decir, cómo piensas y sientes.

Si eres un hombre (o una mujer) pequeño que intenta emular a un hombre muy grande o viceversa, el ejercicio anterior puede enseñarte algo respecto a cómo tu constitución física influye sobre la manera en la que influyes sobre los demás. Gabriela, una bonita y diminuta clienta nuestra, luchaba para que se le prestara atención en las reuniones de la junta directiva. Cuando aprendió a sintonizar mejor con la masa física de sus colegas masculinos, Gabriela adaptó el estilo de sus presentaciones de manera que fueran más expansivas, literalmente, que ocuparan más espacio, y lo hizo desplazándose con determinación a lo largo y ancho del estrado mientras hablaba. Hoy por hoy, además, extiende sus papeles y libretas para que ocupen una mayor porción de la mesa de juntas. Ambas estrategias sirven para que Gabriela marque su territorio y autoridad. Del mismo modo, hombres muy grandes, cuando trabajan con niños, prefieren hablarles sentados, más cerca del suelo, en lugar de hacerlo desde las alturas de su estatura.

Trabajar de manera elaborada con las anclas

En la siguiente sección se te indica cómo técnicas de anclaje más recientes pueden ayudarte a enfrentarte a situaciones desafiantes o que te intimidan. Quizá te encuentres luchando por dejar de fumar o de alimentarte con comida chatarra. Quizá simplemente quieras aumentar tu confianza en la práctica de un deporte o al hablar en público.

Para ser realistas, la PNL no te convertirá en un cantante de ópera o en un atleta olímpico de la noche a la mañana —la PNL no te otorgará competencia en habilidades que no posees— pero las técnicas de anclaje pueden ayudarte a que accedas a tus recursos internos y los explotes a tope.

Para cambiar anclas negativas

A veces es necesario encontrar una manera de cambiar un ancla negativa. Para tomar un ejemplo sencillo, quizá quieras cambiar un hábito destructivo. Una persona que se acerca a la caja de galletas cada vez que se toma una taza de té o café, ha creado un ancla negativa: la bebida implica la galleta. O el empleado de oficina que se siente ansioso todos los días al entrar al trabajo porque un día tuvo un roce con su jefe, puede estar desarrollando una enfermedad causada por el estrés.

Desensibilizarse

Una de las maneras más comunes para deshacernos de un ancla consiste en un proceso llamado *desensibilización*. Para hacerlo, primeramente debemos ponernos en un estado neutro o disociado y acto seguido introducir el problema pero en pequeñas dosis. De manera que si el asunto es el de adelgazar, lo primero que habría que hacer es ponernos en un estado fuerte en el que nos sea posible decirle "no, muchas gracias" a la comida que engorda. Y luego practica esto de dejarte tentar en estado fuerte. En el fondo, no es más que una manera de aprender nuevos hábitos.

Para anular o contrarrestar un ancla: el colapso de anclas

Otra estrategia consiste en *anular* o *contrarrestar un ancla*, cosa que se logra activando dos anclas de manera simultánea: la negativa y no deseada junto a una positiva pero más potente. Lo que ocurre al hacer lo anterior es que nos quedamos en un estado de confusión (colapso) que, sin embargo, crea o hace que surja un nuevo estado diferente. Así, rompemos un patrón de conducta abriendo camino a uno nuevo.

Yo (Romilla) tengo una cliente, Jane, que hace poco se divorció y obtuvo la custodia de sus dos pequeños hijos. Jane solía enfadarse en exceso cada vez que su marido llamaba para cambiar las visitas a los niños. A su vez, los niños empezaron a ponerse muy nerviosos con las visitas a su padre, acompañado de su nueva pareja, durante los fines de semana. Romilla logró que Jane aprendiera a anclar recurriendo a una selección de distintos estados apacibles y positivos, de manera que le fuera posible mantener un diálogo firme y abierto con su ex marido.

Interconectar cadenas de anclas

Ya hablamos sobre cómo pasamos por distintos estados emocionales en el curso de un día. Las anclas suelen operar en una especie de reacción en cadena, donde una conduce a otra, esta a la siguiente y así sucesivamente. Bueno, a veces puede ser útil crear una cadena de anclas, como eslabones de una pulsera. Así, cada eslabón de la cadena estimula el siguiente, creando una secuencia de estados. Lo anterior se puede comparar con una cantante de ópera que, mientras se prepara para una función, se obliga a transitar por una secuencia de estados hasta considerar que está mentalmente dispuesta y concentrada para salir a escena.

También es posible diseñar una cadena de anclas como camino para llegar al estado que deseamos cuando el cambio, del estado en el que nos encontramos al estado positivo deseado, sea demasiado brusco para hacerlo de un solo salto.

Por ejemplo, tu estado en este momento puede ser uno de "ira" y quieres llegar a uno que podríamos llamar "relajado": un salto considerable como para hacerlo de golpe. Sin embargo, primero podrías pasar de la ira a la preocupación, ya que las dos tienen algo en común. Tu segundo paso podría ser pasar de la preocupación a la curiosidad. De nuevo, los dos estados comparten algunas similitudes. Y el último paso podría ser pasar de la curiosidad a sentirte por fin relajado. Para dar cada paso es necesario ir instalando una nueva ancla, como se explicó al comienzo de este capítulo, hasta alcanzar el estado deseado.

La confusión y la curiosidad son dos pasos útiles y muy prometedores a la hora de lograr un cambio de estado en nosotros o en los demás. Suelen distender situaciones emocionalmente cargadas. (Kate) Trabajaba en un proyecto de asesoría donde uno de los gerentes más antiguos con frecuencia interrumpía teleconferencias tensas con la siguiente afirmación: "A ver, estoy un poco confundido. ¿Podría alguien repetirme lo último que se acaba de decir?" Siempre que lo hacía, su intervención resultaba ser la estrategia perfecta para distender la situación y generar nuevas ideas. Bastaba que una persona alegara estar confundida para que todos se calmaran un poco y se preguntaran qué era lo que habían entendido.

Anclas para hablar en público

Para mucha gente hablar en público es una situación extremadamente tensa. Un buen número de estudios, resultado de nuestra experiencia con clientes, demuestran que hay gente que preferiría morir antes que hablar en público.

Trabajamos con regularidad con clientes para los que dicha ansiedad de hablar en público se les manifiesta sudando profusamente, sufriendo una súbita pérdida de voz, padeciendo cólicos y trastornos. Cuando al invitado especial se le pide un discurso tras la cena en su honor, con frecuencia no logra disfrutar de la cena pensando en que tendrá que divertir al auditorio haciendo gala de su chispa e inteligencia a la hora del café.

Recurrir al círculo de excelencia

El *círculo de excelencia* de la PNL es una técnica que nos ayuda a aunar la confianza suficiente para desempeñar una actividad, de manera que puedes recurrir a la técnica del círculo si te da pavor hablar en público o si quieres nutrir tu confianza para dar lo mejor de ti practicando algún deporte o en muchísimas otras ocasiones.

El círculo de excelencia es la técnica clásica de la PNL que se ha de practicar si eres el elegido para entretener la sobremesa de la cena. Funciona mucho mejor si reclutas a un buen amigo o a un practicante de PNL capaz de guiarte con delicadeza, paso a paso, manteniéndose en estrecha comunicación contigo y sin prisa.

Primeramente, piensa en la situación en la que vas a hacer tu representación e imagina tu propio círculo mágico en el suelo, frente a ti. Traza un círculo generoso, de por lo menos un metro de diámetro. Las siguientes instrucciones, señaladas paso a paso, te van a conducir dentro y fuera de tu círculo indicándote qué hacer en cada etapa con la ayuda de tu compañero.

CÍRCULO   Qué hacer.

FUERA   Identifica tu mejor estado. Cuéntale a tu compañero cuál es ese estado.

Tu compañero dice: "Recuerdas aquella vez en la que tú xxxxxxxxxxxx" (repite tus palabras)... vuelve sobre ese momento... observa lo que viste y oíste entonces.

DENTRO   Entra en el círculo y revive la experiencia. (Hazla lo más viva posible, métete en ella.)

Reflexiona y siente lo que estén haciendo tus manos y sostén o ancla tal estado con un movimiento de la mano.

FUERA   Sal del círculo e interrumpe o rompe el estado (ver el capítulo 9 para más información al respecto); ahora repite el ejercicio con una segunda experiencia en tu mejor estado.

Con el objeto de preparar la futura experiencia, tu compañero dice: "Piensa en una ocasión o situación en que este estado te podrá ser útil".

DENTRO   Con tu mano anclada (en posición de anclaje), entras en el círculo y tu compañero te pedirá que veas, escuches y sientas cómo puede ser tal situación en este momento para ti.

FUERA   Relájate… ¡lo has logrado!

Anclar el espacio o entorno

Lo que se conoce como *anclaje espacial* es una manera de influir sobre tu auditorio utilizando anclas. Cuando repetimos algo (un movimiento, un gesto) en el mismo lugar del escenario, el público empieza a esperar un comportamiento específico de nuestra parte, dependiendo del lugar en el que estemos. Un atril es un ancla definitiva: cuando estamos ante el atril, la gente espera que hablemos.

Sin embargo, cuando te encuentres en medio de una presentación, puedes establecer otras expectativas con relación a tu público y crearlas en distintas partes del escenario. Quizás optes por exponer la mayor parte de tu presentación desde el centro del escenario. Sin embargo, dirígete a un lado cuando estés contando anécdotas y hacia el otro extremo cuando expongas información técnica. Muy pronto la gente aprenderá a esperar cierto tipo de información dependiendo de tu ubicación.

Un último punto respecto a las anclas

Las anclas pueden o no funcionar cuando empiezas a usarlas. Igual que con todas las herramientas que ofrecemos en este libro, aprenderás con mayor rapidez si tomas un curso en PNL trabajando con un practicante experimentado. Pero independientemente de cómo quieras desarrollar tus capacidades, solo o en compañía, inténtalo. Permítenos invitarte a que persistas incluso si al principio todo parece muy raro. Cuando aprendas a controlar tu estado, se ampliarán tus opciones y eso vale la pena.

Capítulo 10

Controlar los mandos

• •

En este capítulo

▶ Descubrir cómo llegar a sentirse bien y luego aún mejor

▶ Descubrir cómo poner a punto la información que proviene de los sentidos

▶ Aprender a abandonar una creencia que limita y a crear una que fortalece

▶ Aprender a pasar de un estado que no se desea a uno que sí se desea

▶ Aprender a quitarle el veneno a una experiencia dolorosa

• •

*I*ntenta lo siguiente: piensa en una experiencia pasada placentera. No tendrás que compartirla con nosotras, de manera que puedes dar rienda suelta y meterte en serio en el asunto. Al pensar en la experiencia, ¿ves alguna imagen, sientes alguna emoción, escuchas algún sonido? Estupendo si las tres cosas son ciertas, pero basta con una o dos de las tres. Trabajaremos a tu lado para que revivas las tres. ¿Puedes empezar a intensificar la experiencia? ¡Estupendo! Ahora, ¿puedes intensificarla más?

¡Bienvenido de vuelta! Ahora dinos, cuando has revivido la experiencia, ¿cómo la has intensificado? ¿Has logrado que la imagen fuera más luminosa, más grande, más colorida? O quizá lo que has hecho ha sido aproximarla. Tal vez has subido el volumen a los sonidos que has escuchado o, si lo que te ha embargado ha sido una emoción, entonces quizá lo que has hecho ha sido extender esa emoción por todo tu cuerpo. Acabas de descubrir cómo jugar con tus submodalidades.

Como las *submodalidades* son los componentes básicos de nuestra manera de sentir, de vivir el mundo, un ligerísimo cambio en una submodalidad puede llegar a tener un efecto muy significativo en la transformación o cambio de la experiencia inicial. Esto significa que podemos controlar cómo escogemos sentir, vivir nuestro mundo. Podemos optar por cambiar nuestra mente de manera que intensifiquemos una instancia placentera o nos deshagamos de las emociones negativas que nos suscita una experiencia desagradable. También podemos aprender a alejarnos de un estado en el que no queremos estar, por ejemplo confundidos, y pasar a uno mejor, por ejemplo el de entender. En resumen, podrás escoger el significado y sentido que quieres dar a lo que te ocurra en la vida. En este capítulo te decimos cómo.

Submodalidades: cómo registramos nuestras experiencias

En el capítulo 6, "Ver, oír y palpar nuestro camino para lograr una mejor comunicación", descubrimos que experimentamos el mundo a través de nuestros cinco sentidos (seis, en realidad, pero sobre esto volveremos en otro momento). Pues bien, en la PNL estos cinco sentidos se conocen como *modalidades*. Y las *submodalidades* son los medios mediante los cuales podemos afinar o poner a punto nuestras modalidades con el propósito expreso de cambiar sus cualidades.

Ejemplos de submodalidades para tu sentido de la vista pueden ser el tamaño, el color y el brillo de una imagen, foto o pintura y si está enmarcada o no, por ejemplo. Submodalidades del oído pueden ser el volumen, el ritmo, el tempo o el timbre de una voz, y de un sentimiento puede ser una sensación de pesadez o mariposas en la barriga. ¿Nos entendemos?

Cuando tomamos dos experiencias y luego comparamos y contrastamos las submodalidades de cada una de ellas, hacemos lo que se conoce como *análisis de contraste*. Si, por ejemplo, te pedimos que compares las submodalidades de algo que sabes que existe en realidad —un perro— con las de algo que sabes que es mera fantasía —un unicornio—, notarás que las submodalidades son diferentes en cada caso.

Información básica o aquello que necesitas saber antes de empezar

Las submodalidades son el medio a través del cual damos sentido y significado a nuestras experiencias: que algo es real o falso, bueno o malo, etc. Pero podemos utilizar las submodalidades para cambiar la intensidad del sentido, del significado. En el ejercicio con el que empieza este capítulo le diste sentido o significado a tu vivencia: era placentera. Al cambiar las submodalidades de la vivencia te fue posible intensificar la experiencia y, por lo tanto, el significado de la misma: se volvió aún más placentera.

De manera que ahora sabes que puedes controlar tus recuerdos simplemente cambiando las submodalidades de las imágenes, sonidos, sensaciones y emociones que suscita el recuerdo. Del mismo modo que ya eres consciente de que las modalidades se pueden dividir en submodalidades, también deberías darte cuenta de que las submodalidades pueden llegar a diferenciarse aún más. Por ejemplo, una imagen puede ser a todo color o en blanco y negro. Puede enmarcarse o ser panorámica. ¿No entiendes lo de panorámica? Imagínate de pie, sobre una montaña, observando el paisaje que tienes delante al tiempo que giras lentamente la cabeza cubriendo un ángulo de 180º. Aquello que ves es una vista panorámica. Más adelante en este capítulo veremos cómo el hecho de que nos asociemos o disociemos con una imagen puede afectar a nuestras emociones. Los sonidos pueden estar dentro de tu cabeza o a un lado. Las emociones y los sentimientos pueden tener textura.

Es decir, es posible cambiar todas y cada una de las modalidades; con este propósito te hemos suministrado una lista de ellas para ayudarte a realizar los cambios. Te recomendamos, eso sí, que llenes el formulario antes de empezar a hacer cambios para que así puedas volver a la estructura original de una modalidad en el caso de que tu tarea de cambiarla te provoque ansiedad.

Asociarse o disociarse

Esta sección te ayuda experimentar aquello de que es posible entrar o salir de tus recuerdos con el propósito de ofrecerte más opciones en lo que concierne a "subirles" o "bajarles" el tono a tus emociones. La experiencia nos dicta que es una submodalidad muy importante y que, por tanto, requiere más explicación.

Cuando nos visualizamos en una imagen es como observarnos en una película casera, en cuyo caso estamos *disociados*. O puede ser que estemos dentro de la imagen, observando el mundo exterior con nuestros ojos; en ese caso estamos *asociados*. Estar asociados o disociados con relación a una imagen puede llegar a ser una submodalidad muy importante cuando vivimos emociones a partir, o mejor, como resultado de las imágenes que recreamos.

Por lo general, las emociones se intensifican cuando nos asociamos a la imagen. En ocasiones hay gente que encuentra difícil asociarse o disociarse de una imagen. Por ejemplo, una persona que ha sufrido una enorme pérdida afectiva o está traumatizada por algo, puede encontrar muy difícil asociarse a ese recuerdo y por tanto tendrá que aprender a hacerlo.

Para conocer la sensación de estar asociados o disociados de una imagen, imagina el cuadro de ti mismo sentado en el asiento delantero de un coche.

Si estás disociado, verás una imagen de ti dentro del coche, como si te vieras en televisión o en una fotografía. Ahora, si deseas asociarte a la imagen, imagina que abres la puerta del coche mientras estás allí sentado. Ahora observa con tus propios ojos. Tienes el tablero de mandos enfrente. ¿Puedes distinguir y ver la textura y el color del tablero? Ahora levanta la vista y observa el parabrisas. ¿Está salpicado con los restos de insectos suicidas (o alienígenas, si has visto la película *Men in Black*)?

¿Te cuesta disociarte? Imagínate sentado dentro de un coche. Ahora imagina que bajas a la acera. Date la vuelta y observa desde allí el coche y a ti mismo sentado en el asiento delantero. Si aún no logras disociarte, imagina que lo que observas es una película y que tú eres el que está en la pantalla, en la parte delantera del coche.

Si llegas a sentir que en realidad no has podido cogerle el modo al asunto (o a cualquier otro de los ejercicios), siéntete en libertad de hacer un alto. Siempre podrás volver al asunto y darle otra oportunidad al ejercicio cuando hayas incorporado más aspectos de la PNL en tu mente y cuerpo. O puedes buscar un experto en PNL o un grupo que practique PNL para trabajar con ellos y así volverte más diestro.

Para detallar tus recuerdos

Si estás sentado leyendo este libro, es muy probable que no seas consciente de la sensación de la silla contra tu espalda y piernas... aunque ahora lo seas porque te lo acabamos de decir. Del mismo modo, no siempre serás consciente de las cualidades de tus recuerdos hasta que te pidamos que recuerdes aquella vez que te estabas cepillando los dientes o esa otra en la que jugabas a tal juego, leías tal libro o cocinabas aquel plato. Entonces te das cuenta de que los recuerdos tienen una buena gama de cualidades. Por ejemplo, cuando leías tal libro... seguro que la imagen que tienes de ti mismo, del libro o de la trama del libro puede estar (o no) enmarcada o puede ser en blanco y negro; quizás llegues a escuchar el ruido lejano del tráfico o el de las páginas al pasarlas con la mano. Quizás el libro que leías te hizo reír y te sentías estimulado y feliz. En fin, nos es posible ser conscientes de las cualidades de las submodalidades prestando atención a lo que vemos, oímos o sentimos cuando pensamos en una experiencia pasada. En las secciones que siguen se te formulará una serie de preguntas que pueden ayudarte a rescatar la cualidad peculiar de las submodalidades visuales, auditiva y cinestésicas.

Nota: En este capítulo hemos decidido centrarnos sólo en las submodalidades visuales, auditivas y cinestésicas y dejar a un lado, por el momento, el gusto y el olfato. Y lo hacemos porque consideramos que, culturalmente hablando, a menos que seas un catador de vinos, té o café, estos dos últimos sentidos no tienen la relevancia que quizá tengan en otras culturas. Con todo, dicho lo anterior, los sabores y olores pueden llegar a afectar poderosamente a nuestro cerebro emotivo y, por ejemplo, el olor de los turrones puede transportarnos de súbito a viejos villancicos navideños mientras caía la nieve.

Para establecer las submodalidades visuales

Es posible precisar la cualidad de una imagen en términos de dónde está ubicada en el espacio al tiempo que la observamos. Por ejemplo, puede estar justo delante de nosotros, a nuestra izquierda o derecha, o incluso puede estar un poco cargada hacia arriba o abajo. Si es una imagen panorámica, entonces la verás como si estuviera de pie en un punto y giraras la cabeza para contemplar la vista que tienes al frente. Tendrá, además, otras cualidades como brillo, forma, etc. Podrás descubrir cómo formas las imágenes en tu cabeza pensando en las cualidades que señalamos a continuación.

Submodalidades visuales	*Preguntas para precisarlas*
Ubicación imagen. ¿Está lejos o cerca?	¿Dónde está en el espacio? Señala la
Color/blanco y negro	¿Es en color o en blanco y negro?
Asociada o disociada? ¿Te ves en la imagen u observas lo que ves?	¿Se trata de una imagen asociada o disociada?
Tamaño aproximado crees que tiene?	¿Es grande o pequeña? ¿Qué tamaño
En dos o tres dimensiones	¿La ves en dos o en tres dimensiones?
Brillo/luminosidad	¿Es brillante u opaca?
Estática o en movimiento grama, o se mueve, como una película? Si es una película, ¿cuál es la velocidad de las imágenes?	¿Es una imagen estática, como un foto-
Forma tangular?	¿La imagen es redonda, cuadrada o rec-
Enmarcada/panorámica	¿Tiene marco o es una vista panorámica?
Nítida/borrosa	¿Esta bien enfocada o es más bien borrosa?

Para establecer las submodalidades auditivas

Igual que ocurre con las imágenes que se nos vienen a la cabeza, los sonidos también tiene sus cualidades. Quizá no reconozcas los atributos de los sonidos que evocas hasta que te concentres en ello. Para hacerlo, piensa en las preguntas que siguen.

Submodalidades auditivas	Preguntas para precisarlas
Ubicación dentro de tu cabeza o lo escuchas fuera? Señala de dónde proviene.	¿De dónde proviene el sonido? Lo oyes
Palabras o sonidos bras, ¿se trata de la voz de alguien conocido?	¿Oyes palabras o sonidos? Si son palabras,
Volumen rro o escuchas con claridad y nitidez?	¿Es un ruido fuerte o suave? ¿Es un susurro
Agudo/grave da, rica, nasal, carrasposa?	Si es una voz, ¿es aguda o grave? ¿Profunda,
Tono	¿Qué tono tiene?
Monofónico/estéreo ¿Te envuelve el sonido?	¿Oyes por los dos lados o por uno solo?
Constante/intermitente	¿Continuo o intermitente?
Ritmo	¿Tiene compás, ritmo?
Tempo	¿Lento o rápido?
Afinado/desafinado	¿Entonado o desafinado?

Para establecer las submodalidades cinestésicas

Y, aunque no lo creas, ¡las submodalidades relativas a las emociones también tienen cualidades que ayudan a definirlas!.

Submodalidades cinestésicas	Preguntas para precisarlas
Ubicación Señala dónde se manifiesta tu emoción.	¿En qué parte del cuerpo la sientes?
Forma	¿La emoción o el sentimiento tienen forma?

Submodalidades cinestésicas	*Preguntas para precisarlas*
Presión/peso ¿Pesa?	¿Ejerce algún tipo de presión u opresión?
Tamaño grande o pequeña?	¿Se puede decir que tenga tamaño? ¿Es
Cualidad todo el cuerpo o es generalizada?	¿Te produce cosquilleo? ¿La sientes por
Intensidad fuerte o débil?	¿Qué intensidad tiene la emoción? ¿Es
Estática/móvil za por el cuerpo?	¿Permanece en un solo lugar o se despla-
Temperatura bien fría?	¿Es una sensación calurosa, tibia o más
Constante/intermitente	¿Es continua o intermitente?
Textura	¿Le puedes atribuir alguna textura?

Cuando juegues a cambiar las submodalidades de un recuerdo, es muy importante que hagas una lista al comenzar, antes de empezar a modificarlas porque, si en algún momento empiezas a sentirte incómodo con el proceso, podrás volver a poner y dejar la imagen, los sonidos o los sentimientos donde estaban. Al final de este capítulo encontrarás unos ejercicios para que hagas justamente eso. Saca tantas copias como sean necesarias.

No olvides preguntarte si quieres seguir haciendo modificaciones y cambios. Si te percatas de una resistencia, si sientes que algo te incomoda, reconoce el sentimiento y da las gracias a tu inconsciente por advertirte respecto a la posibilidad de algún conflicto interno. Por ejemplo, cuando yo (Romilla) trabajaba resolviendo una pena profunda de un cliente, el hombre no quería deshacerse del dolor que le produjo la pérdida. Creía que si se deshacía del dolor olvidaría a su padre. Sin embargo, cuando por fin se liberó del dolor pudo recordar mejor a su padre. En ese caso quizá puedas resolver el asunto dándote un tiempo razonable para ti mismo o quizá te convenga hablar con alguien, por ejemplo un practicante de PNL.

Un poco de práctica

Imagina que tienes un control remoto con tres botones, uno en el que hay una V por visual, otro con una A para auditivo y el tercero con una C de cinestésico. Es posible modificar las cualidades de toda imagen y sonido que se te crucen por la cabeza, cualquier emoción o sentimiento que embargue tu cuerpo simplemente moviendo hacia arriba o hacia abajo los botones V, A y C. (Para más información sobre las modalidades VAC, ve al capítulo 6 "Ver, oír y palpar nuestro camino para lograr una mejor comunicación").

¿Para qué o por qué podríamos desear ajustar, modificar o cambiar nuestros recuerdos? Supón que, hace años, mientras ensayaban una pieza de teatro en el colegio, una profesora muy estresada te soltó el siguiente alarido: "¡Idiota, la has fastidiado otra vez!" Digamos ahora que, hoy por hoy, tienes un trabajo en el que has de hacer unas presentaciones ante colegas y clientes. Sin embargo, cada vez que inicias una presentación empiezas a sudar y a tartamudear, y una vocecita por dentro te repite "¡Idiota, la has fastidiado otra vez!". He ahí un caso en el que quizá sea conveniente ajustar o modificar las cualidades de tu recuerdo, ya que este último se interpone en el camino de lo que quieres lograr. Imagina entonces que tomas el botón que controla la intensidad y lo mueves para que la imagen de la profesora se atenúe, sea menos efusiva. Luego, con el mismo control remoto, vas haciendo que la profesora se haga más y más pequeña, hasta volverla insignificante. Por último ajustas el botón del volumen hasta convertir el alarido en algo menos que un susurro. Y ahora comprendes que puedes hacer sus presentaciones tal y como siempre supiste que podía hacerlas.

Para ver lo eficaz que puede ser esto de modificar las submodalidades, haz el siguiente ejercicio utilizando la hoja de ejercicios que ofrecemos al final de este capítulo:

1. **Piensa en alguien que te caiga bien.**

2. **Recuerda la última vez que pasaste un rato agradable con esa persona.**

3. **Anota las cualidades de la imagen que ves, los sonidos que oyes y cualquier emoción que te embargue.**

4. **Modifica la imagen que generaste; hazlo interviniendo en cada una de las submodalidades visuales, una por una. Nota cómo cada cambio afecta al recuerdo que tienes del tiempo que pasaste con esa persona.**

5. **Cambia ahora los sonidos que te trajo el recuerdo; hazlo interviniendo, una por una, en cada una de las submodalidades auditivas. Nota cómo cada cambio afecta al recuerdo que tienes del tiempo que pasaste con esa persona.**

6. **Cambia las emociones o sentimientos que te embargan al recordar; hazlo interviniendo, una por una, en cada una de las submodalidades cinestésicas. Nota cómo cada cambio tiene un impacto en la experiencia que viviste con esa persona.**

Descubrir cuáles son tus submodalidades cruciales o críticas

Algunas submodalidades pueden ser muy poderosas a la hora de establecer la respuesta de una persona. Un ejemplo puede ser el tamaño o la luminosidad y brillo de la imagen mental. Quizá descubras que, al aumentar el tamaño o la intensidad luminosa de la imagen, la vivencia se intensifica. O puedes también descubrir que, al cambiar de lugar la imagen o al asociarte o disociarte de la misma, el hecho puede tener efectos sobre los sonidos o las emociones asociadas a la experiencia en cuestión.

Una *submodalidad crítica* es aquella que, al ser modificada, puede cambiar otras submodalidades de la misma experiencia. También afectan las submodalidades de otros sistemas representacionales. Esto quiere decir que, al cambiar, por ejemplo, la luminosidad de una imagen, no sólo cambian automáticamente otras cualidades de la imagen sino también los atributos de los sonidos y las emociones que se vivieron con relación a dicha imagen, todo eso sin la menor intervención consciente.

Yo (Romilla) trabajaba con una clienta, Suzy, que se tenía problemas con una meta que quería lograr desde hacía casi seis meses. Le pedí a Suzy que examinara las submodalidades de la meta que quería alcanzar. Suzy me replicó que veía esa meta arriba y a la izquierda. (Imagina un reloj gigantesco delante de ti; Suzy veía su meta a las once y casi a la altura del techo.) Entonces le pedí a Suzy que reubicara la imagen frente a ella y más o menos a un metro de distancia. La reacción de Suzy fue impresionante. Saltó de su asiento con tal energía que casi se cae al suelo, su rostro se encendió y no podía dejar de reír. Cambiar la ubicación de su meta tuvo un impacto real en Suzy y le trajo la meta a la vida, ya que pudo sentir lo que sería alcanzarla... además, de manera mucho más inmediata. Ayudándose de un par de técnicas para establecer los objetivos con precisión, una Suzy radiante consiguió lo que quería en cuatro meses.

Experimentamos el mundo a través de nuestros cinco sentidos: el visual (ojos), el auditivo (oídos), el cinestésico (emociones y tacto), el olfativo (olores) y el gustativo (sabor y gusto). Es probable que prefieras usar uno de los sentidos antes que los otros a la hora de recoger información del mundo que te rodea, particularmente en momentos de tensión. Dicho sentido se conoce como tu *guía* o *sistema representacional primario*. Y claro, dicho sentido incide sobre tu forma de aprender y de representar el mundo exterior dentro de tu cabeza.

Durante una sesión con Charles, otro de mis clientes, descubrí que su sistema representacional primario era el auditivo, que era más cinestésico que visual y, por tanto, vivía con intensidad sus emociones. Por entonces Charles luchaba por cambiar una fastidiosa e incesante vocecita que se encargaba de minar la confianza en sí mismo cada vez que empezaba algún proyecto nuevo y que, para rematar, no lo dejaba dormir por las noches. Tras examinar las cualidades de la voz, descubrió que se trataba de su madre, cuya voz escuchaba dentro de su cabeza. Desafortunadamente, la madre de Charles tenía una forma más bien negativa de plantear las cosas. Cuando Charles oía la voz podía llegar a sentirse físicamente mal y una negra y pulida piedra se le instalaba a la altura del plexo solar. Una vez le sugerí que modificara la voz: logró ponerle sordina hasta convertirla en un susurro que ahora ubicaba en un punto debajo de su oído izquierdo y fuera de la cabeza. Cuando hizo lo anterior, dijo sorprendido: "Se fue la sensación; ahora sólo siento un resplandor en el ombligo". Con todo, Charles no estaba preparado para seguir haciendo cambios a la vocecita porque creía que la voz le servía para advertirle sobre posibles problemas. Lo único que necesitaba era cambiar una de sus cualidades para seguir tranquilo con su vida.

Hacer cambios en la vida real

Al jugar con los ejercicios que te hemos propuesto, esperamos que te hayas hecho una idea de qué submodalidades tienen mayor impacto sobre ti, es decir, cuáles son tus submodalidades críticas, capaces de modificar otras submodalidades, tus submodalidades impulsoras. Esperamos, también, que ya estés convencido de que controlas tus experiencias y de que puedes modificarlas para escoger lo que quieres sentir, o mejor, escoger cómo te sientes. A la luz de este conocimiento, te invitamos a que sientas lo que significa hacer un cambio real en la vida con la ayuda de los ejercicios que se incluyen a continuación.

No olvides que puedes sentarte y programar tu mente mientras viajas en tren, en medio de un atasco del tráfico o incluso mientras transcurre una tediosa sobremesa en casa de tus suegros (o ex suegros... perdona, es un chiste malo). Y recuerda, la práctica hace al maestro, de manera que hazlo tranquilo, con la seguridad de que jamás te arrestarán por jugar con tus submodalidades... aunque lo hagas en público.

Quitarle impacto a una vivencia

¿Recuerdas alguna experiencia desagradable? No estamos hablando de una de esas que destruyen una vida sino más bien algún incidente que, cuando lo recuerdas, te hace sentir fatal. ¿La tienes? Bien. Ahora, con la ayuda de la lista que ofrecemos al final de este capítulo, examina y toma nota de las submodalidades de dicha experiencia. Sabiendo lo que ahora sabes, empieza a cambiar la imagen, los sonidos y los sentimientos y emociones que surgen cuando piensas en la experiencia desagradable. ¿Qué ocurrió? Ya te siente mejor, ¿verdad? ¿No? En este caso, averigua qué ocurre cuando cambias las submodalidades de la experiencia desagradable por las de la experiencia placentera que te pedimos que recordaras al principio de este capítulo.

Cambiar una creencia limitante

¿Cuántas veces te has oído decir cosas como "no puedo hacer eso", "no soy bueno para las matemáticas" o "debería aprender a cocinar"? Cada una de estas aseveraciones son buenos ejemplos de lo que llamamos creencias limitantes o restrictivas. En el capítulo 2 hemos explicado que las creencias son generalizaciones que hacemos sobre nosotros mismos y el mundo. Estas creencias pueden inhabilitarnos porque nos paralizan o pueden darnos más poder. La verdad es que las creencias suelen hacerse realidad aunque al principio no fueran más que una vaga noción o idea. Acto seguido, nuestros filtros (metaprogramas, valores, creencias, actitudes, recuerdos y decisiones, capítulo 5) empiezan a alinearse como compuertas abiertas, de manera que sólo dejan entrar aquellos "hechos" y experiencias que refuerzan nuestras creencias. Por ejemplo, digamos que buen día te diste cuenta de que tenías un par de kilos de más y decidiste empezar una dieta. Quizá seguiste la dieta durante unos días pero acabaste por ceder a la tentación. En este punto, te surge la vaga sospecha de que "tal vez no soy bueno para seguir una dieta". Luego intentas y fallas de nuevo hasta que acabas por llegar a la creencia restrictiva y limitante de que, "simplemente, no puedo hacer ninguna dieta".

1. **Piensa en alguna creencia que hoy por hoy te esté limitando, una que quisieras cambiar.**

2. **Piensa en una vieja creencia de la que alguna vez estuviste convencido pero que ya no sea cierta.**

    Puede ser algo como "ya no soy un adolescente". No tiene que ser necesariamente una creencia limitante que hayas superado.

3. **Ayudándote de las listas que se incluyen al final de este capítulo,**

identifica las submodalidades de la creencia que ya no es cierta para ti.

Por ejemplo, cuando piensas en un personaje ficticio como el Ratón de los Dientes o Santa Claus, quizá los veas a tu derecha, en la distancia, pero en colores y muy luminosos. Puede que se despierte una tibia y vaporosa sensación en tu pecho y alcances a escuchar el sonido de una voz suave.

4. **Piensa ahora en la creencia limitante y ponla o ajústala a las submodalidades de la vieja creencia en la que alguna vez creíste.**

5. **Sospechamos que, cuando piensas en la creencia limitante, las submodalidades deben ser distintas.**

6. **Desplaza la imagen que te viene a la cabeza cuando piensas en la creencia limitante al mismo lugar donde viste a Santa Claus y ponle los mismos colores y el mismo brillo. Ahora deja que las emociones se alberguen en tu cuerpo e intenta oír la misma voz.**

¡Mira cuánto ha cambiado tu creencia negativa... si es que no ha desaparecido del todo!

Crear creencias que nos fortalezcan

Como ya sabemos que las creencias pueden llegar convertirse en realidad, es útil recordar que podemos escoger a cuáles aferrarnos y a cuáles no. En el anterior ejercicio se te indicó cómo salir de una creencia limitante. ¿No te parecería muy útil aprender a incrementar tus opciones en la vida atreviéndote a escoger creencias que te permitan hacer lo que realmente quieres hacer?

1. **Piensa en alguna creencia que te sería francamente útil y llamémosla creencia deseada.**

Podría ser, por ejemplo, "merezco el éxito".

2. **Piensa en una creencia que para ti sea absolutamente cierta.**

Por ejemplo: "el sol saldrá por la mañana" (sí, a pesar de las nubes).

3. **Con la ayuda de las páginas que se incluyen al final de este capítulo, identifica las submodalidades de esta creencia absolutamente cierta.**

Por ejemplo, cuando piensas en el sol naciente quizá lo veas frente a ti, a unos dos metros de distancia, brillando con cierta palidez, en colores naranjas y muy luminoso. Quizá sientas la tibieza del aire y oigas el canto de los pájaros.

4. **Coloca la creencia deseada de manera que ajuste con precisión sobre las submodalidades de la creencia absolutamente cierta.**

   Desplaza la imagen que surge cuando piensas en tu creencia deseada a la misma posición y distancia del sol naciente y ponle los mismos colores y luminosidad. Luego genera la misma sensación de tibieza e intenta escuchar el canto de los pájaros.

Para quitarse ese dolor de espalda

El procedimiento a continuación puede utilizarse para otras molestias...:

1. **Califica tu peculiar dolor de espalda en una escala de 1 a 5.**

2. **Fórmate una imagen del dolor de espalda.**

3. **Ayudándote de la lista que se incluye al final del capítulo, anota las submodalidades del dolor de espalda.**

4. **Cambia cada uno de los atributos del dolor de espalda, uno a uno.**

   Si tiene algún color, ¿qué ocurre si le pones otro, por ejemplo un azul sanador? ¿Qué ocurre si imaginas que aquella barra de acero se deshace para convertirse en telas ondeando al viento? En el caso de que se trate de un dolor sordo, ¿puedes convertirlo en una cosquilla? Si el dolor quema, ¿puedes hacer que una brisa fresca sople sobre el área afectada? Estos cambios ya deben haber reducido el dolor de espalda si es que no ha desaparecido del todo.

5. **Ahora imagina que estás sentado frente a una pantalla de cine. Separa el dolor de espalda de tu cuerpo y proyecta una imagen del dolor sobre la pantalla.**

6. **Reduce la imagen del dolor en la pantalla hasta que sea del tamaño de un pequeño globo.**

7. **Y ahora observa al globo ascender, flotando hacia el cielo cada vez más alto y, a medida que el globo se aleja, siente cómo se va reduciendo tu dolor de espalda.**

8. **Cuando el globo alcance las nubes y mide de nuevo tu dolor; este tendrá un valor de 1.**

9. **Cuando el globo desaparezca tras las nubes, tu dolor no será más que un vago recuerdo.**

El chasquido de dedos para cambios inmediatos

Se trata de una poderosa técnica para hacer cambios duraderos en lo que concierne a hábitos y conductas. El chasquido, igual que muchas otras cosas en la PNL, se basa en la psicología conductista. Asumiendo que aprender a responder o reaccionar de cierta manera termina por hacer que exhibamos un comportamiento particular, entonces el chasquido nos enseña a responder de manera distinta, reemplazando la conducta no deseada. La idea tras el chasquido es la de usar los caminos aprendidos del comportamiento no deseado para crear un nuevo y deseado patrón de conducta. Si quieres, por ejemplo, dejar de morderte las uñas, piensa en aquellas cosas que te inducen a mordértelas y crea una imagen del catalizador. Quizás el impulso surge cuando, al recorrer con la yema del dedo el borde de la uña, sientes una irregularidad, o quizá se trate de una respuesta a cuando te sientes nervioso. La imagen deseada es lo que quisieras hacer o ver a cambio. En este caso puede ser, por ejemplo, unas manos con unas uñas perfectas.

Identifica la conducta no deseada:

1. **Asegúrate de que quieres hacer el cambio. Pregúntate: ¿me parece bien?**

2. **Identifica el catalizador que desencadena la conducta no deseada y crea una imagen asociada. Esta se convertirá en la imagen clave o pista visual.**

3. **Juega con la imagen hasta dar con una o dos submodalidades críticas.**

4. **Interrumpe el estado.**

   Interrumpir el estado significa cambiar el ánimo en el que te encuentras. Para hacerlo, basta con ponerte de pie y sacudir el cuerpo o dar una vuelta por la habitación en el momento en el que estás pasando de un ejercicio a otro, creando un espacio mental para romper con las imágenes o emociones que había suscitado la primera etapa del ejercicio.

5. **Piensa en la imagen deseada. Crea una imagen disociada de ti siguiendo la conducta preferida o donde te veas de cierta manera.**

6. **Interrumpe el estado.**

7. **Recuerda la pista visual o imagen clave. Asegúrate de que está asociada a la imagen y ponle un marco.**

8. Crea una imagen del resultado deseado.

9. Mete la imagen deseada en un pequeñísimo punto negro y ahora coloca ese punto en la esquina inferior izquierda de la imagen clave.

10. Con un chasquido de los dedos, haz que el pequeño punto negro estalle cubriendo la imagen clave por completo.

11. Interrumpe el estado.

12. Repite el procedimiento varias veces.

Bueno, ya has tenido bastante experiencia jugando con tus submodalidades y, por tanto, ya sabes que las puedes cambiar para aumentar las opciones que te ofrece la vida. Puedes agregar *exhausto* a las submodalidades de *relajado* como hiciste al practicar el anterior ejercicio.

Submodalidades: hojas de ejercicio

Submodalidades visuales   **Describe lo que es**

Ubicación

Color/blanco y negro

Asociada/disociada

Tamaño

Dos o tres dimensiones

Brillo/luminosidad

Estática/ en movimiento

Forma

Enmarcada/ panorámica

Nítida/ borrosa

Submodalidades auditivas   **Describe lo que es**

Ubicación

Palabras/sonidos

Volumen

Agudo/grave

Tono

Monofónico/estéreo

Constante/intermitente

Ritmo

Tempo

Afinado/desafinado

Submodalidades cinestésicas   **Describe lo que es**

Ubicación

Forma

Presión/peso

Tamaño

Cualidad

Intensidad

Estática/móvil

Temperatura

Constante/intermitente

Textura

Capítulo 11

Cambios con niveles lógicos

• •

En este capítulo

▶ Ver lo fácil que es cambiar

▶ Jugar con las herramientas de la PNL esenciales para controlar mejor el cambio

▶ Descubrir tu norte y tu sentido vital

▶ Concentrarte en tu carrera, en tu vida y en ti mismo

• •

*U*no de los presupuestos clave de la PNL es "no confundir el mapa con el territorio" (más información sobre esto en el capítulo 2), que quiere decir que tu mapa de la realidad sólo es parte del cuento, que el territorio alrededor de tu mapa es mucho más amplio, con un agravante más: que el territorio de tu experiencia cambia tan rápidamente como el mapa. Ese paisaje de la realidad que exploras cambia permanentemente. De manera que, si aceptas que el mundo en el que vives y trabajas es dinámico, ¿cómo hacer frente a ese hecho?

La tesis de la PNL respecto al cambio es que no existe un único mapa correcto para el cambio en un momento dado. Para sobrevivir y prosperar, se necesita reconocer y asumir, antes que nada, que los cambios no dejan de producirse y que, por lo tanto, es necesario ingeniar permanentemente estrategias con las cuales trabajar siguiendo la dirección de los cambios antes que a contracorriente.

En este capítulo te presentamos un modelo favorito de la PNL que fue desarrollado en buena parte gracias al trabajo de Robert Dilts. Dicho modelo puede ser muy útil particularmente para dos cosas:

✔ Entender el cambio como un asunto que te concierne en tanto que individuo.

✔ Entender el cambio también en las organizaciones.

¿Cuál es tu perspectiva?

Dependiendo de la imagen por la que optes, el cambio puede ser una oportunidad y una energía positiva, ya se trate de un cambio personal u organizacional. Es una pena que tantas cosas de las que se dicen sobre el cambio suelan repetir lo difícil que es hacerlo. La mayoría de las dificultades nos las inventamos, son hechas por el hombre. Una pregunta que quizá quisieras considerar mientras lees este capítulo es: "¿Qué ocurriría si asumes lo contrario, a saber, que el cambio será fácil?"

Entra y conoce una de las mejores guías de la PNL, donde, para empezar, se te muestra una manera de entender qué puedes estar sintiendo cuando estás en tiempos de cambio.

✔ Observa cómo fragmentar el cambio en pasos que puedas controlar.

✔ Trabaja en ello con confianza y seguridad más que tratando el asunto como un combate cuerpo a cuerpo o escondiéndote en una esquina, con la cabeza cubierta con una bolsa de papel o huyendo calle abajo como una gallina degollada.

Cuando empieces a valorar el tipo de cambios que presientes que están ocurriendo, un par de niveles lógicos pueden ayudarte a encontrar el paso adelante en tiempos confusos.

¿Qué es un nivel lógico?

Los *niveles lógicos* son una herramienta poderosísima a la hora de pensar respecto al cambio en tanto que fragmentan el proceso para hacerlo en categorías de información distintas (ver figura 11-1). (En otra literatura de PNL, también oirás hablar de ellos como niveles neurológicos.)

A pesar de que hemos presentado los niveles en un diagrama jerárquico, quizá te sea útil observarlos como una red de relaciones o incluso como una serie de círculos concéntricos. Todos los niveles se conectan. Recurrimos al modelo sólo para crear una semblanza de estructura y poder explicar con más facilidad cómo opera todo el asunto.

Muchas veces resulta más fácil cambiar en los niveles inferiores del diagrama que en la parte de arriba. Así, a una compañía le sería más fácil hacer cambios al edificio (entorno) pintando las paredes de un nuevo color que cambiar la cultura de la empresa o crearse una nueva identidad. Ahora bien, cada nivel afecta a todos los que están por encima y por debajo. El

Figura 11-1:
Los niveles
lógicos del
cambio

verdadero valor del modelo reside en que suministra una aproximación
estructurada para entender un poco mejor lo que está ocurriendo.

Los franceses tienen una expresión para aludir a lo que sentimos cuando
estamos contentos con nosotros mismos y las cosas parecen ir solas. Dicen: "*Il va bien dans sa peau*" (literalmente se traduciría como "se siente
cómodo en su pellejo"). Del mismo modo, las personas familiarizadas con
la PNL utilizan el término *congruencia* para describir cómo nos sentimos
cuando realmente somos nosotros mismos. Es decir, cuando sabemos que
estamos bien encaminados y hemos sido consistentes. En tal caso, todos
los niveles lógicos de conducta, capacidad, creencias, valores y habilidades
están bien alineados. Intenta observar esta alineación tanto en las organizaciones como en los individuos. Cuando alguno de los dos esté en un periodo de cambio, es muy probable que esta alineación se desajuste y entonces
la gente puede llegar a comportarse de manera impredecible, sin reflejar de
manera fiel aquello que verdaderamente cree que es correcto.

Hacerse las preguntas pertinentes

Cuando empieces a pensar en un cambio que quisieras hacer, pregúntate lo
siguiente respecto a los distintos niveles:

✔ Por *entorno* se entienden aquellos factores que constituyen oportunidades o limitaciones externas. Contesta a las preguntas **¿dónde?**,
¿cuándo? y **¿con quién?**

✔ El *comportamiento* o la *conducta* lo constituyen aquellas acciones o
reacciones que tienen lugar en el entorno. Contesta a la pregunta **¿qué
ocurre?**

¿Por qué es "por qué" la pregunta más difícil?

En tanto que escritora sobre el mundo de los negocios, (Kate) he pasado muchos años de vida feliz entrevistando a presidentes de corporaciones, interpretando su visión y publicando sus sabias palabras en un formato sencillo y fácil de digerir.

En otras palabras, preguntando quién, qué, dónde, por qué y cómo, es decir, las preguntas que constituyen el consabido arsenal de los periodistas. Sin embargo, sólo cuando me crucé con los niveles lógicos en PNL empecé a entender por qué ciertas preguntas recibían por respuesta miradas perplejas, incluso hostiles, mientras que otras preguntas eran calurosamente recibidas.

Cuando quieras saber sobre un tema, trabaja los niveles lógicos. Empieza por el entorno: dónde, cuándo y con quién. Son preguntas concretas y fáciles de resolver. Sigue luego con el qué y el cómo. Deja el por qué para el final. Es muchísimo más difícil contestar "¿por qué hiciste eso?", pregunta que se lanza de cabeza al ámbito de las creencias, que "¿cómo lo hiciste?", una aproximación más amable; o incluso "¿cómo ocurrió?", formulación que disocia un poco al entrevistado respecto de la pregunta.

✔ Las *capacidades* tienen que ver con el conocimiento y las habilidades, aquel "cómo hacerlo" que suele guiar y dar dirección al comportamiento. Contesta a la pregunta **¿cómo?**

✔ Las *creencias* y los *valores* proporcionan el refuerzo (la motivación y el permiso) que respalda (o no) nuestras capacidades. Contesta a la pregunta **¿por qué?**

✔ Los factores que constituyen la *identidad* determinan nuestro sentido de ser, lo que somos. Contesta a la pregunta **¿quién?**

✔ El *propósito* va más allá de la autoconciencia y se relaciona con el panorama más amplio de la misión para preguntar **¿para quién o para qué?**

Abordar los niveles lógicos paso a paso

Es posible ayudarse de los niveles lógicos para pensar en el mundo que nos rodea y hacerlo paso a paso. Hacerlo te ayudará a comprender mejor la estructura, el patrón que siguen y el contenido de distintos asuntos, eventos, relaciones u organizaciones.

Miremos, para empezar, cómo podrías desarrollar este modelo cuando te enfrentas a una toma de decisión o a un dilema que requiere pronta solución. El concepto de niveles lógicos puede serte útil a la hora de encontrar cuál es el mejor paso hacia adelante. El proceso funciona así:

1. **Primero, reconocer que las cosas están desalineadas.** Sabe que este es el caso cuando te sientes incómodo y sabes que te gustaría que las cosas fueran de otro modo.

2. **Averigua dónde debe hacerse el cambio.** Esto se logra preguntándose ciertas cuestiones que te ayuden a identificar dónde debe hacerse el cambio. A cada nivel lógico le corresponde cierto tipo de preguntas. Ve a la sección "Encontrar la palanca adecuada para cada cambio" para trabajar con cada uno de los niveles lógicos en particular.

3. **Una vez identificado el nivel lógico, ajusta dicho nivel de manera que se alinee con los otros.** En los niveles inferiores de cambio, por ejemplo cuando se trata del entorno o de la conducta, es posible que basten un par de modificaciones o cambio de hábitos sencillos de ajustar. Sin embargo, construir o fortalecer tus capacidades puede tomarte más tiempo, además de que quizá necesites la ayuda de un experto (o de un asesor de negocios en el contexto de una organización) para examinar en profundidad tus creencias y valores o desarrollar una nueva identidad.

Javier trabajaba como gerente de formación para una cadena hotelera que había sido comprada por otro grupo hotelero, uno de varios fieros competidores. Una vez superó el sobresalto de la noticia, tenía que decidir si abandonaría la organización o se quedaría en ella tras la fusión. Después de examinar las similitudes y diferencias entre las dos organizaciones, Javier optó por quedarse basándose en que los valores esenciales eran muy parecidos: aunque ambas compañías operaban de manera distinta (su comportamiento) compartían la importancia que se le daba al servicio al cliente y un profundo respeto por la gente.

Para que el cambio perdure, conviene saber muy bien dónde debe hacerse. Con frecuencia intentamos resolver asuntos cambiando, por ejemplo, el nivel lógico del entorno o la conducta, cuando en realidad deberíamos estar pensando en los distintos niveles lógicos de los valores, las creencias o la identidad. Del mismo modo, cuando estés lidiando con asuntos relativos a la conducta de otra persona, recuerda no cuestionar su identidad y respetar sus creencias.

Para que el cambio sea fácil se requiere de los recursos adecuados, en el momento justo y en el lugar indicado. Los recursos es todo aquello que te puede servir de ayuda; puede ser externo, como por ejemplo gente y equipo, o asuntos internos, como tu experiencia o forma de pensar. En PNL se asume que la gente siempre cuenta (o puede contar) con los recursos que necesita para lograr lo que quiera.

Cuando estés operando con los niveles de un cambio, es muy importante asegurarte de que ubiques los recursos en el lugar que corresponden respecto a los niveles lógicos de los que hablamos arriba. Para lograr un cambio perdurable a nivel del entorno, por ejemplo, tendrás que hacer las cosas correctamente (conducta). Para desarrollar capacidades, tendrás que tener creencias pertinentes y útiles en el lugar indicado.

Usos prácticos de los niveles lógicos

Es posible usar los niveles lógicos para hacer acopio de energía y concentración en distintas situaciones. A continuación incluimos un par de ejemplos:

- ✔ **Compilar y estructurar información:** Redactar un informe, un ensayo o cualquier otro material por escrito.

- ✔ **Fortalecer las relaciones familiares:** Explorar lo que todos los miembros de la familia quieren para trabajar juntos en ello. Esto resulta particularmente útil cuando la estructura de la familia ha sufrido un cambio dramático como ocurre, por ejemplo, tras un divorcio o un segundo matrimonio.

- ✔ **Mejorar el rendimiento personal o corporativo:** Decidir dónde hacer cambios empresariales o comerciales que puedan sacar adelante una compañía en problemas o una que se enfrenta a fusiones y adquisiciones.

- ✔ **Desarrollar liderazgo y confianza en sí mismo:** Dar los pasos necesarios, nivel a nivel, para alinearlos y sentir seguridad al liderar un equipo o una empresa.

No importa lo mágica que sea la caja de herramientas que abramos, un paquete de marcadores de múltiples colores, un juego de pinturas o de brocas para taladros eléctricos o de llaves, siempre habrá unas que se convierten en nuestras favoritas. Una y otra vez volvemos sobre estas fieles amigas y contamos con ellas para sentirnos bien. Pronto descubrirás que el modelo de los niveles lógicos otorga una y otra vez el famoso valor agregado. Ahí permanece, como un compinche que nos ayuda a descifrar información compleja, ya se trate de entender un proyecto empresarial o desentrañar una conversación difícil. Si alguna vez encuentras que vuelves una y otra vez sobre alguna bien amada herramienta entre las que te ofrece la PNL, quizá sea la tuya.

Encontrar la palanca adecuada para cada cambio

Carl Jung, uno de los más destacados psicólogos del siglo XX, alguna vez dijo las siguientes sabias palabras: "No podemos cambiar nada si antes no lo aceptamos. La mera condena no nos libera, es más, nos oprime". Y tenía razón, porque el primer paso para lidiar con el cambio es aceptar que lo que quiera que sea aún sigue ocurriendo. Entonces, y sólo entonces, podemos enfrentarnos al asunto de manera proactiva y crearnos opciones antes de sentarnos a esperar a que ocurra lo que buenamente nos ocurra.

Son tres los requisitos que deben darse para que se produzca el cambio. Debemos:

✔ Querer cambiar

✔ Saber cómo cambiar

✔ Conseguir o crear la oportunidad para cambiar

En las secciones que presentamos a continuación ahondaremos en aquello de los niveles lógicos. Al tiempo que indagas, no olvides la siguiente pregunta: "¿Qué puedo hacer para que el cambio me resulte más fácil?"

Todas las preguntas que formulamos en las siguientes secciones las redactamos pensando en ti en tanto que individuo. Pero también puedes hacerte las mismas preguntas sobre la organización que te concierne, si lo deseas.

Entorno

El entorno tiene que ver con el tiempo, el lugar y la gente. Es el contexto físico en el que te desenvuelves. Se trata de encontrar el momento y el lugar indicado. Si quieres llegar a hablar con soltura un nuevo idioma, el camino más fácil para hacerlo sería irse a vivir durante un tiempo a un país donde lo hablen y sumergirse en esa cultura, preferiblemente viviendo con gente del lugar. Ese sería el mejor lugar para aprender. Del mismo modo, si quisieras aprender sobre un nuevo *software*, lo más indicado sería vincularte a un proyecto con una persona o equipo que utilice dicho paquete en su negocio. De nuevo, el entorno sería propicio para aprender, cosa que de por sí es una especie de cambio. Es obvio que el momento para hacerlo también es crucial: no podrás aprender si el momento en el que quieres hacerlo no es oportuno, por ejemplo porque te preocupan otros temas.

Veamos algunas preguntas relativas al entorno para que te las formules cuando sospeches que no te encuentras en el lugar adecuado o que quizá no sea este el momento oportuno para conseguir lo que quieres:

✔ ¿En qué lugar es donde mejor trabajas?

✔ ¿Dónde quisieras ponerte a explorar?

✔ ¿Qué tipo de entorno para vivir te resulta adecuado: moderno, minimalista o tradicional?

✔ ¿De qué tipo de gente te gustaría rodearte? ¿Con quiénes te sientes bien, vigoroso y cómodo? ¿Quién o quiénes te agotan? ¿Prefieres trabajar solo?

✔ ¿A qué hora del día te sientes bien? ¿Te gusta trabajar por la mañana o eres más bien noctámbulo?

Preguntas como las anteriores te ayudarán a recoger la información que necesitas para que resuelvas con qué tipo de asuntos relativos al entorno puedes trabajar.

Comportamiento

Tu comportamiento o conducta tiene que ver con todo aquello que haces y dices, las cosas en las que, conscientemente, te metes. En términos de la PNL, el comportamiento o la conducta alude tanto a lo que piensas como a lo que haces. También señala que todos nuestros comportamientos tienen siempre un propósito, que implican una intención personal positiva.

Hacer cambios a nivel de comportamiento es fácil cuando se tiene un norte claro y este se ajusta a tu identidad, valores y creencias.

A continuación veamos algunas preguntas relativas al comportamiento cuando sientas que necesitas un cambio en tu conducta para alcanzar lo que quieres. ¿Tu comportamiento respalda tus metas?

✔ ¿Se ajusta a tu manera de ser?

✔ ¿Qué cosas haces que hagan interesante y divertida tu vida?

✔ ¿Qué cosas te oyes decir con regularidad? ¿Percibes un patrón de conducta?

✔ ¿Qué cosas te llaman la atención de las palabras y dichos que usa la gente?

✔ ¿Cuál es tu nivel de conciencia respecto al comportamiento de los demás, es decir, cómo caminan, el tono de sus voces, sus sonrisas?

> ✔ ¿De qué cambios de color o tono te percatas en la gente cuando esta habla?
>
> ✔ ¿Cómo y cuándo cambias el ritmo de tu respiración?
>
> ✔ ¿Qué lenguaje corporal adoptas en determinadas circunstancias?
>
> ✔ ¿Cómo crees que te oyen?

Maximizar conductas eficaces

Para generar un cambio positivo, vale la pena desarrollar aquellos comportamientos o conductas que te sirven, que te vienen bien. Con frecuencia, los pequeños cambios tienen un efecto acumulativo. Si estás adelgazando para quedar estupendo/a en ese nuevo traje, entonces comerse una saludable ensalada todos los días en vez de tus bocadillos habituales sería un valioso hábito que empezar a cultivar. Del mismo modo, si quieres mejorar tus reuniones en el trabajo, establecer horarios claros para comenzarlas y terminarlas sería un buen comportamiento para el equipo en cuestión.

Mientras escribíamos este libro, y con la presión de las fechas de entrega a cuestas, escuchamos los consejos de varios escritores de éxito. El mensaje clave que sacamos fue respecto al valor y la importancia de escribir algo todos los días, no importa si 200 o 2000 palabras. (Supimos de un famoso autor que escribía sistemáticamente 600 palabras diarias incluso si hacerlo implicaba interrumpir una oración por la mitad.) Un cambio de conducta que nos fue fácil consistió en levantarnos temprano todas las mañanas y escribir todos los días durante un par de horas. Al concentrar nuestras energías al comenzar el día, sentimos no sólo claridad de propósito sino también identidad en tanto autoras de la colección ...*para Dummies*.

Practicar una conducta indicada hasta que se vuelva un hábito aumenta nuestra capacidad. ¿Cuántos grandes deportistas o músicos nacieron con una raqueta de tenis o un violín en la mano? Sí, quizá tengan un talento natural innato, pero la clave reside en las horas de práctica a conciencia y en la voluntad de ir siempre un poco más allá. Uno de nuestros profesores de tenis recordaba un tiempo en el que fue profesor del tenista estrella británico Tim Henman cuando era niño. Tim estaba más que dispuesto a seguir practicando horas después de que los demás ya se habían largado. El golfista Tiger Woods es famoso porque está en el campo de golf antes que haya llegado nadie. Para mantenerse entre los primeros en cualquier juego se requiere de una práctica constante.

Modificar conductas no deseadas

¿Y qué ocurre con los comportamientos no deseados, aquellas cosas que hacemos y quisiéramos no hacer, hábitos tontos como fumar o ser descuidados con las comidas? La razón por la que se vuelve tan difícil dejarlas es porque están ligadas a otros niveles lógicos más altos que atañen a nuestras creencias o a nuestra identidad.

"Soy fumador" = una afirmación de identidad.

"Necesito un cigarrillo cuando estoy estresado" = aseveración de una creencia.

"Es un tipo grande y fuerte" = una afirmación de identidad.

"No puede vivir solo de ensaladas y frutas" = aseveración de una creencia.

Para que te sea más fácil hacer el cambio puedes crearte una nueva identidad, como, por ejemplo, "soy una persona sana", respaldada con creencias como "soy capaz de adoptar los hábitos que necesito para cuidar de mí mismo".

Capacidades y habilidades

Las capacidades son tus talentos y habilidades. La gente y las organizaciones las tienen muy valoradas. Son aquellos comportamientos que seguimos tan bien que podemos realizarlos sin el menor esfuerzo consciente. Cosas como caminar y hablar son habilidades que adquirimos sin jamás entender cómo lo logramos. Somos naturalmente una maravillosa máquina de aprendizaje.

Otras cosas las aprendemos de manera más consciente. Quizás sepas cómo hacer volar una cometa, montar en bicicleta, usar una computadora, jugar un deporte o tocar un instrumento musical. Todas son habilidades que aprendimos de manera intencionada. Quizá tengas del don de ver el lado gracioso de la vida o escuchar con atención a tus amigos, o eres bueno para llevar a los niños al colegio a tiempo. Todas estas habilidades valiosas que tú tal vez das por hecho, otros podrían aprenderlas. Sin embargo, es probable que recuerdes una época anterior, cuando no sabías hacer estas cosas, aunque casi con toda probabilidad quizá no recuerdes una época en la que no sabías caminar o hablar. Las organizaciones se encargan de crear unas competencias clave dentro de su proceso empresarial, estableciendo unas habilidades esenciales necesarias para que la compañía funcione lo mejor posible.

En la PNL se presta muchísima atención al nivel de las capacidades, trabajando sobre la premisa de que todas las habilidades se pueden aprender. Se asume, también, que todo es posible siempre y cuando se tome el asunto en fragmentos. El honorable director de una de las cadenas de almacenes minoristas más prestigiosas del Reino Unido nos dijo recientemente: "Al contratar a alguien, en principio nos fijamos en su actitud: si esta es la correcta, después podemos enseñarle a nuestro personal las habilidades que necesita para llevar a cabo su trabajo".

Pero incluso las actitudes son susceptibles de ser aprendidas siempre y cuando exista el deseo, se tenga el conocimiento mínimo necesario y se presente la oportunidad de aprenderlas. La pregunta que no podemos perder de vista es: "¿Cómo puedo hacer eso?" No olvides preguntarte lo anterior todos los días a lo largo del día. El enfoque de la PNL es que, emulando modelos de otros y de nosotros mismos, nos abrimos a los cambios y desarrollamos nuestras capacidades. Si quieres hacer algo bien, antes que nada encuentra a alguien que haga muy bien lo que quiera que sea y préstales suma atención a los niveles lógicos que usa esa persona.

A continuación incluimos algunas preguntas relativas a las capacidades y habilidades para que te las formules cuando quieras valorar las tuyas y ver qué cosas podrías aprender y mejorar:

✔ ¿Qué habilidades aprendiste de las que te sientas orgulloso y cómo lo hicisite?

✔ ¿Acaso te volviste experto en algo que, la verdad sea dicha, no es tan bueno como debiera ser? ¿Cómo ocurrió?

✔ ¿Conoces a alguien con una actitud verdaderamente positiva de quien podrías aprender? ¿Cómo podrías aprender de esa persona?

✔ Pregúntales a otros para qué creen que eres bueno.

A medida que fortalezcas tu capacidad, el mundo te abrirá sus puertas. Estarás en condiciones de asumir retos mayores y de enfrentarte mejor a los que debes hacer frente ahora.

Creencias y valores

Las creencias y los valores son los principios fundamentales a la hora de hacer algo. En el capítulo 4 puedes ver cómo las creencias y los valores dirigen nuestras vidas, aunque con frecuencia no nos demos cuenta de ello. Lo que consideras ser verdad con frecuencia no será lo mismo que yo creo es verdad. Aquí no estamos hablando de verdad en un sentido religioso, que sino más bien de una percepción muy personal a un nivel muy profundo, muchas veces inconsciente.

Lee es un golfista amateur empeñado en lanzarse como profesional en el circuito internacional. Considera que tiene las mismas posibilidades que

Tiger Woods y que también él podría vivir como golfista profesional. Y tal convicción motiva sus capacidades: en efecto, es un golfista muy competente. Sus creencias también reafirman su comportamiento: se le ve siempre practicando en el campo de golf todos los días del año al tiempo que cultiva sus relaciones con los medios y posibles patrocinadores. Sus creencias además determinan el entorno en el que pasa la mayor parte del tiempo: cuando no está en el campo de golf, está en el gimnasio.

Del mismo modo, los valores son aquellas cosas que tú consideras importantes, las que te hacen saltar de la cama (o no) por las mañanas: asuntos como la salud, el dinero o la felicidad. Las creencias y los valores y el orden de importancia que les asignamos son distintos para cada cual. Por eso resulta tan difícil motivar a un equipo de gente mediante un único enfoque. La idea de una talla universal que le ajuste bien a todo el mundo no funciona cuando se trata de creencias y valores.

Los valores también son aquellas normas que nos mantienen por un camino socialmente aceptable. Quizá queremos dinero, pero el valor que otorgamos a la honestidad nos impide robarle ese dinero a alguien. Algunas veces surge un conflicto entre dos valores importantes, por ejemplo entre la vida en familia y el trabajo. Cuando se trata de hacer cambios, comprender a fondo las creencias y los valores nos brinda un poderoso apalancamiento. Cuando la gente valora algo o lo considera de suma importancia, esto se convierte en un vigoroso incentivo para el cambio. Son personas concentradas en lo que realmente les importa, haciendo lo que realmente quieren hacer y acercándose a la persona que quieren llegar a ser. Están ubicadas en el lugar indicado, donde se sienten naturalmente cómodas. Entonces, las creencias y los valores nos impulsan, motivan e influyen sobre los niveles inferiores de capacidad, conducta y entorno. Así, todos los niveles empiezan a alinearse.

Con frecuencia trabajamos con personas que pasan de un puesto a otro con creciente insatisfacción. David, un experto en informática, era una de ellas. Más o menos cada dos años se hartaba, decidía que era hora de cambiar y presentaba su currículum en otro lugar para realizar un trabajo similar pero en otro sitio, mejor pagado y con mejores prestaciones, claro, siempre con la esperanza de que las cosas mejorarían significativamente. Pero David hacía cambios a nivel del entorno: nueva compañía, nuevo país, nueva gente. "Todo será mejor si trabajo en Nueva York". Cuando se puso a evaluar sus valores y creencias, comprendió que faltaban unos ingredientes esenciales. Había invertido tiempo y energía en una maestría y consideraba que el estudio y desarrollo profesional eran muy importantes. Sin embargo, terminaba una y otra vez trabajando en organizaciones que contrataban y despedían gente, empresas demasiado ocupadas como para invertir tiempo en su gente o para operar de manera estratégica: es decir, lugares que consumían todas sus energías hasta dejarlo exhausto. Sus creencias y valores no se ajustaban a las de las organizaciones para las que trabajaba. Cuando entendió lo anterior, llevó y ofreció sus habilidades a una prestigiosa escuela internacional de administración de negocios, que valoró sus conocimientos y le dio la oportunidad de seguir desarrollándolos y desarrollándose.

A continuación veamos algunas preguntas relativas a las creencias y los valores para que te las formules cuando te encuentres con un conflicto a este nivel lógico que puede estar impidiéndote alcanzar lo que realmente quieres:

✔ ¿Por qué hiciste eso? ¿Por qué hicieron eso?

✔ ¿Qué factores crees que son importantes en la situación relevante?

✔ ¿Qué es importante para los demás?

✔ ¿Qué consideras que está bien y qué consideras que está mal?

✔ ¿Qué tiene que ser absolutamente cierto para conseguir lo que quieres?

✔ ¿En qué circunstancias dices "debo hacerlo" y en cuáles "no debo hacerlo"?

✔ ¿Qué opinas sobre la persona o la situación pertinente? ¿Colaboran contigo? ¿Qué creencias te podrían ayudar a conseguir mejores resultados?

✔ ¿Qué pensaría otra persona de estar en tu pellejo?

Cuando hayas contestado a estas preguntas quizá quieras ponerte a trabajar sobre tus valores y creencias para asegurarte de que te sirvan de respaldo en tiempos difíciles. Mientras cuestionas tus creencias respecto a ti mismo, quizá sea útil salir de algunas que ya no te hacen tanto bien.

En algunos programas para el control de cambios en los negocios, con frecuencia se oye hablar de "ganarse a la gente". Esto significa que debemos tener en cuenta las creencias y los valores de la gente. Cuando las creencias adecuadas son firmes y se colocan en su lugar, la PNL predice que los niveles inferiores (capacidades y conductas) ocuparán el lugar que toca de manera automática.

Identidad

La identidad nos define, es lo que creemos que somos. Es posible que nos manifestemos mediante creencias, valores, capacidades, comportamientos y el entorno, pero somos más que eso. La PNL presupone que la identidad de una persona está desligada de su conducta y recomienda estar atentos a la diferencia. Somos más que lo que hacemos. En PNL se separa la intención que subyace al acto del acto mismo. Y por eso en PNL se evita calificar o etiquetar a la gente. "Hombres portándose mal", por ejemplo, no significa que sean intrínsecamente malos, lo malo es su comportamiento.

Hay un dicho en el mundo corporativo que reza así: "Mano suave con la persona, mano dura con el asunto en cuestión". Se trata de un estilo de administración positivo que coincide con la premisa de la PNL de que todos optamos siempre por lo mejor, dadas las circunstancias en cualquier momento.

Si deseas retroalimentar a alguien con el propósito de estimular el aprendizaje y el rendimiento de esa persona, asegúrate de que la retroalimentación sea muy específica y sobre lo que la persona ha dicho o hecho en términos de comportamiento, antes que hacer un comentario a nivel de la identidad. Así, en vez de decir, "Juan, lo siento, pero estuviste fatal", intenta más bien algo como: "Juan, fue difícil oírte bien en la reunión porque no dejabas de mirar la computadora y además estabas dando la espalda al auditorio".

A continuación encontrarás algunas preguntas relativas a la identidad para que te las formules cuando creas que estás enfrentándote a un conflicto de identidad:

✔ ¿De qué manera lo que ahora sientes es una manifestación de la persona que eres?

✔ ¿Qué tipo de persona eres?

✔ ¿Cómo te definirías?

✔ ¿Qué etiquetas sueles ponerle a la gente?

✔ ¿Cómo te definirían los demás?

✔ ¿La gente piensa de ti lo que quisieras que pensaran?

✔ ¿Qué imágenes, sonidos o emociones surgen en tu conciencia cuando piensas en ti?

A mayor conciencia de nosotros mismos, mejor preparados estamos para cualquier proceso de cambio. Con demasiada frecuencia la gente intenta cambiar a los demás cuando cambiarnos a nosotros mismos sería una forma más eficaz de comenzar.

Propósito

Este nivel, que está más allá del de la identidad, es el que nos conecta al panorama general cuando nos preguntamos por el propósito, la ética, la misión o el sentido de nuestra vida. Conduce al individuo al ámbito de lo espiritual y a sus vínculos con el orden de las cosas en el universo. Por lo que se refiere a las organizaciones, ayuda a definir su razón de ser, visión y misión.

La supervivencia del hombre en medio de increíbles sufrimientos depende en buena medida de lo que podríamos llamar un verdadero autopatrocinio que va más allá de la identidad. Piénsese en la resistencia y capacidad de recuperación del Dalai Lama, exiliado del Tíbet, o en la historia de la fortaleza de Víctor Frankl durante el Holocausto en su libro *Man's Search for Meaning* (El hombre en búsqueda de sentido).

A medida que pasan los años y vamos recorriendo las distintas etapas de nuestra vida, es natural que empecemos a preguntarnos qué estamos haciendo. A veces algo nos inspira, nos empuja a la acción encendiendo nuestra pasión. En fin, un amigo y gerente de logística en una industria, Alan, viajó a Kenia de vacaciones y vio de primera mano las necesidades educativas de ese país. Y entonces inició una portentosa campaña de un hombre solo que absorbió su vida entera y lo condujo a crear una organización benéfica internacional que lleva material pedagógico a África y todo gracias a su personal pasión por marcar la diferencia. Al hablar con él al respecto, suele decir: "No sé por qué yo. Es una locura. Pero sé que tengo que hacerlo". Su propósito es mayor que su identidad.

A continuación incluimos unas preguntas relativas al propósito para que te las formules cuando quieras examinar si estás conduciendo tu vida por el camino que para ti es el correcto:

✔ ¿Para qué estás en el mundo?

✔ ¿Cuál te gustaría que fuera tu contribución a los demás?

✔ ¿Qué puntos fuertes crees tener que podrían aportar algo al mundo?

✔ ¿Cómo o por qué te gustaría que te recordaran?

En su libro *El elefante y la pulga*, el gurú de la administración de empresas, Charles Handy, describe la pasión que surge cuando se tienen un sentido de misión y propósito subyacentes. Describe a algunos de los empresarios mencionados en otro de sus libros y de los de su mujer (la fotógrafa Elizabeth Handy), *Los nuevos alquimistas*, como gente que va más allá de la lógica y se aferra a sus sueños: "La pasión les impulsaba, una fervorosa fe en lo que estaban haciendo, una pasión que los sostenía en los tiempos difíciles y que parecía justificar sus vidas. Pasión es un término mucho más fuerte que misión o propósito, y me doy cuenta, mientras escribo, de que también estoy hablando conmigo mismo".

Cuando operamos con propósito... nada nos puede detener, y no hay mejor momento para alinear todos los niveles lógicos.

Discernir los niveles de los demás: lenguaje y niveles lógicos

El tono del lenguaje de una persona, cómo se expresa, te puede indicar a qué nivel está operando. Toma, por ejemplo, la siguiente frase: "(Yo) no puedo hacerlo aquí" y fíjate en dónde se pone el énfasis:

Yo no puedo hacerlo aquí = afirmación de identidad.

(Yo) *no puedo* hacerlo aquí = afirmación de creencia.

(Yo) no puedo *hacer*lo aquí = afirmación de capacidad.

(Yo) no puedo hacer*lo* aquí = afirmación de conducta.

(Yo) no puedo hacerlo *aquí* = afirmación de entorno.

Cuando sabemos a qué nivel opera alguien, podemos ayudarle a cambiar algo a ese nivel. Si la supuesta persona está trabajando a nivel del entorno, la pregunta indicada sería: "Si no aquí, ¿entonces dónde?" Si la persona se encuentra a nivel de la identidad, la pregunta indicada sería: "Si no usted, ¿entonces quién?"

Ejercicio de niveles lógicos: formando equipo en el trabajo y en el juego

Ya hemos dicho que la PNL es vivencial. Esto quiere decir que, para sacar provecho a los ejercicios de PNL, a veces será necesario que te muevas tanto física como mentalmente. Como el gurú de la PNL, Robert Dilts, dice: "El conocimiento no es más que un rumor mientras no se haya convertido en músculo". Para el siguiente ejercicio puedes distribuir unos papeles sobre el suelo y luego caminar a lo largo de los distintos niveles o puedes, también, usar sillas, como en el ejercicio que incluimos a continuación.

El siguiente ejercicio es estupendo para someter a tu equipo a una buena lluvia de ideas. Puedes realizar el ejercicio escuchando música barroca para que las ideas empiecen a fluir y aceleren el proceso, tal como se hace cuando se juega a las sillitas... También sería bueno contar con una persona que se encargue de anotar las ideas en el pizarrón.

1. **Asigna a una persona para que dirija el ejercicio, haga las preguntas y registre las respuestas.**

   Esta persona será el "maestro de la pregunta".

2. **Pon seis sillas en una fila; marca cada uno de los respaldos con diferentes niveles lógicos.**

3. **Sienta a cada uno de los miembros del equipo en una silla.**

4. **Pide al maestro de la pregunta que formule preguntas a cada uno de los participantes relacionadas con los niveles de la silla en la que está sentado cada uno.**

   Los siguientes son ejemplos de preguntas para cada nivel:

   - **Silla del entorno:** ¿Dónde, cuándo y con quiénes trabaja mejor este equipo?

   - **Silla de la conducta:** ¿Qué hace bien este equipo?

   - **Silla del comportamiento:** ¿Cómo hacemos lo que hacemos cuando lo hacemos bien?

   - **Silla de las creencias y los valores:** ¿Por qué está este equipo aquí? ¿Qué consideramos importante?

   - **Silla de la identidad:** ¿Cómo contribuye este equipo al más amplio y mayor panorama? ¿Cuál es nuestra misión frente a los demás?

5. **Cuando todos los miembros del equipo hayan contestado a tus preguntas, haz que cambien de silla y repite las preguntas.**

Mantén a la gente en movimiento. No importa si todos hacen dos rondas. Una vez registradas las ideas, el siguiente paso será transmitir la información recogida para detectar patrones y nuevas ideas, y luego construir a partir de las fortalezas como equipo.

Capítulo 12

Hábitos dominantes: descubre tus programas secretos

• •

En este capítulo

▶ Entender la psicología de nuestros hábitos y comportamientos

▶ Usar estrategias para comunicarnos mucho mejor

▶ Desarrollar las estrategias conocidas para superar la ira por conducir en situaciones difíciles de tráfico

▶ Aprender buena ortografía

• •

Cuando te levantaste esta mañana, ¿qué hiciste primero, lavarte los dientes o ducharte? Cuando yo (Romilla) estudiaba yoga bajo la guía del swami Ambikananda, una de las tareas que se le puso a la clase fue la de comprender mejor los rituales inconscientes que todos desempeñamos a diario. El swami Ambikananda sugirió que iniciáramos el día cambiando la secuencia del orden con el que nos vestíamos, desayunábamos y nos preparábamos para ir al trabajo. ¡Y Dios, qué lío se montó! Fue increíble lo mucho que tuvimos que concentrarnos para que el resto del día fluyera con normalidad. Por lo menos para mí fue como si se me hubiera olvidado algo crucial y mi cabeza no dejaba de intentar recordarlo. Una experiencia muy incómoda.

Todo el mundo tiene una estrategia para todo y muy pocas personas se dan cuenta de las muchas cosas que hacen como autómatas. Sin embargo, la buena noticia es que, cuando comprendas que estás recurriendo a una estrategia equivocada, dispondrás de las herramientas necesarias para cambiarla y… también sabrás cómo encontrar la estrategia que a otra persona le funciona bien y podrás copiar su modelo.

Como dijo James Tad, el creador de la técnica conocida como Terapias de Líneas de Tiempo, "Una *estrategia* es cualquier conjunto (orden, sintaxis) de experiencias internas o externas que produce un resultado específico de manera consistente".

Usamos estrategias para todos los comportamientos: sentirnos amados, amar a nuestra pareja, padres, hijos o mascotas, odiar a alguien, irritarnos con nuestra hija, comprar nuestro perfume preferido, aprender a conducir, tener éxito, fracasar, la salud, el dinero y la felicidad y así sucesivamente *ad infinitum*. En este capítulo conocerás la mecánica de tus comportamientos y conductas, algo que te permitirá llevar el mando de tu vida.

La evolución de las estrategias

El modelo de estrategia en la PNL surgió tras un proceso evolutivo. Comenzó con Pavlov y sus perros para luego ser ampliado por Miller, Galanter y Pribram, que fueron psicólogos cognitivos, antes de ser finalmente refinado por Grinder y Bandler, los padres fundadores de la PNL.

El modelo E-R

Los psicólogos conductistas basaron su trabajo en Pavlov y sus perros. Los perros oían una campana que les indicaba comida (estímulo) y entonces salivaban (respuesta). Los conductistas creían que los seres humanos respondíamos a estímulos. Por ejemplo, "El hombre pega a su mujer (respuesta) porque fue golpeado en su infancia (estímulo)". O "Siempre le da dinero a la gente desamparada y sin hogar (respuesta) porque tuvo una niñez muy pobre (estímulo)". La figura 12-1 ilustra el modelo E-R.

El modelo POPS

Construyendo a partir del modelo conductista estímulo-respuesta (E-R), Miller, Galanter y Pribram llegaron al modelo POPS (Prueba, Operar, Prueba, Salir), que se ilustra en la figura 12-2. El modelo POPS opera bajo el principio de que, cuando nos portamos de una manera particular, lo hacemos porque ya tenemos un objetivo en la cabeza. El propósito de nuestra conducta es acercarnos tanto como nos sea posible al resultado que deseamos.

Figura 12-1:
El modelo
estímulo-
respuesta

Estímulo → Respuesta

Hacemos una prueba para discernir si hemos logrado nuestro objetivo. Si lo alcanzamos, la conducta llega a su fin. Si no lo alcanzamos, modificamos la conducta y lo intentamos de nuevo, incorporando un sencillo circuito de retroalimentación y respuesta. De manera que, si el resultado que esperas es hervir el agua en la tetera, la prueba será ver si la tetera ha hervido; si aún no lo ha hecho, seguimos esperando hasta que lo haga, probamos, y una vez ha hervido el agua, acabamos, salimos de la operación.

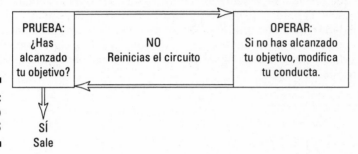

Figura 12-2:
El modelo
POPS

SÍ
Sale

La estrategia de la PNL: POPS + sistemas representacionales (rep)

La experiencia del mundo nos llega a través de los cinco sentidos: la vista (ojos), el oído (orejas), la cinestesia (tacto y emociones), el olfato (nariz) y el gusto (los sabores). Ellos constituyen nuestros *sistemas representacionales o rep*, también conocidos como *modalidades*. Las modalidades están constituidas por *submodalidades*. Por ejemplo, si te formas una imagen en la cabeza de algo, estás recurriendo a tu sistema de representación o modalidad visual. Es posible ajustar o modificar las cualidades o submodalidades de esa imagen, por ejemplo, haciéndola más grande, más brillante o acercándola a nosotros. Encontrarás más información sobre tus submodalidades particulares y cómo influyen en tu manera de vivenciar el mundo en el capítulo 10.

Bandler y Grinder incorporaron los sistemas rep (o modalidades) y las submodalidades a las fases de Prueba y Operación del modelo POPS, refinándolo hasta brindarnos el modelo de las estrategias de la PNL. Según Bandler y Grinder, la meta que tenemos cuando establecemos una estrategia y los medios a los que recurrimos para determinar si dicha meta ha sido alcanzada o no, dependen de una combinación de nuestras submodalidades. Por ejemplo, quizá primero nos formamos una imagen mental de la meta y luego oímos una vocecita que nos dice qué debemos hacer. Luego, cuando vamos a medir el grado de éxito que obtuvimos, tal vez entonces nos embarga una sensación muy específica, escuchamos un sonido y además nos formamos una imagen, de modo que estaríamos juzgando el éxito a partir de que sintamos, oigamos y veamos lo que previamente imaginamos que íbamos a sentir, oír y ver a través de las submodalidades.

El modelo estratégico de la PNL en acción

En esta sección se describe cómo opera un modelo de estrategia para alguien que revive o representa un incidente de ira o agresión como respuesta al tráfico. El modelo POPS (ver figura 12-2) se enriquece al incorporarle modalidades, de modo que el nuevo modelo de la estrategia se puede usar para comprender cómo suele operar cualquier persona siguiendo un patrón de conducta particular. La figura 12-3 muestra cómo funciona el modelo estratégico de la PNL.

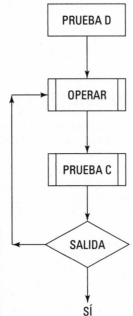

Figura 12-3: Modelo de estrategia de la PNL

✔ **Prueba D(esencadenadora):** Catalizador que desencadena una estrategia. Se trata de la prueba mediante la cual ponderamos si la información que nos envían nuestros sentidos se ajusta a los datos que consideramos que justifican el inicio de esta estrategia. Si somos propensos a ataques de ira mientras conducimos en medio de un tráfico intenso, el catalizador puede ser esa persona que intenta adelantarnos y se nos mete justo delante en un embotellamiento (confirmación visual) pero nosotros, por la sencilla razón de que estamos de buen humor (ausencia de confirmación cinestésica), optamos por no iniciar la estrategia. Sin embargo, si estamos de mal humor (confirmación cinestésica) desencadenamos nuestra estrategia de ira tan pronto como confirmamos visualmente que alguien nos cierra el paso. El resultado esperado es asegurarnos de que aquel conductor impertinente sepa lo que pensamos de él (o ella) y recrearnos en dar vuelo a nuestra ira (cinestésico).

✔ **Operar:** Proceso mediante el cual recogemos la información que nos permitirá desplegar nuestra estrategia. Así, en el caso de la estrategia para un ataque de ira de conductor agredido, recordamos dónde está ubicado el claxon del coche, dónde está el cambio de luces y qué agresivo gesto de la mano podemos usar. En el ejemplo anterior se recurre a una modalidad visual en el momento de traer a cuento el arsenal que se va a utilizar para llevar a cabo la estrategia. Aunque también se recurriera a la modalidad de diálogo interno mientras la persona en cuestión recuerda todas las palabrotas soeces que conoce. Y entonces nos vamos, lanza en ristre, armados con nuestra ira.

✔ **Prueba C(omparar):** Momento en el que comparamos toda la situación actual con el resultado obtenido tras desarrollar la estrategia. Sí, en efecto, tocamos el claxon (auditivo); sí, soltamos nuestras palabrotas de mayor calibre (visual, por lo menos por lo que al otro conductor se refiere) y hacemos todos los gestos pertinentes (cinestésico para nosotros mismos y visual para el infractor). Sí, nos sentimos divinamente mientras la ira nos embarga con su mortal abrazo (cinestésico). Pero... ¡Dios, olvidamos rematar haciendo el cambio de luces (visual)!

✔ **Salida:** Momento en el que abandonamos nuestra estrategia. En este ejemplo, y a raíz de que olvidamos hacer el cambio de luces, remediamos el asunto retornando a la estrategia para hacer el cambio de luces al transgresor y abandonarla del todo.

Cuando estaba (Romilla) cursando mi maestría en PNL, el ejercicio para imitar modelos implicaba romper una tabla. Se trataba de un sólido pedazo de madera que me aterraba no poder romper. Mi estrategia para mentalizarme fue ver la tabla rompiéndose (visual), sentir la energía en mi plexo solar, sacar pecho y levantar y dejar caer mi brazo (cinestésico) al tiempo que me repetía: "puedes hacerlo" (diálogo interno). Lo anterior se ajusta al modelo POPS así:

1. Prueba 1: Acercarse a la tabla para romperla desencadena mi estrategia.

2. Operar: Revisar mi estrategia para mentalizarme recurriendo a mis sistemas de representación visual, cinestésico y diálogo interno (modalidades).

3. Prueba 2: Probé para ver si estaba bien mentalizada.

4. Salida: Hasta que no estuve preparada, volví una y otra vez a operar la estrategia mentalmente, reforzando mis modalidades. Cuando me sentí preparada, pude llevar a cabo la estrategia y romper la tabla.

Los ojos lo dicen todo: para reconocer la estrategia de otros

Toda estrategia sigue etapas muy bien definidas. Las etapas se pueden definir como Prueba Desencadenante, Operación, Prueba de Comparación y Salida (explicadas con detalle en la página anterior). Considera el siguiente caso: Lucas acaba de empezar sus estudios universitarios y puede disponerse a seguir la siguiente estrategia para llamar a casa:

- ✔ Sus emociones le dicen que echa de menos su casa. Prueba D (cinestésica).

- ✔ Se forma una imagen mental de su familia. Operación (visual).

- ✔ Se repite el número telefónico de casa de sus padres. Operación (diálogo interno).

- ✔ Marca. Operación (cinestésica).

Para efectos de este ejercicio, supongamos que Lucas se comunica, cumpliendo así la Prueba C y, por tanto, abandona la estrategia por la que optó para llamar a casa.

Cuando una estrategia está bien incorporada en nuestra neurología, tenemos poca o ninguna conciencia de sus distintos pasos. Sin embargo, si sabemos qué buscar, nos será fácil esclarecer la estrategia de otra persona. Y lo que hay que buscar, observar con atención, es el movimiento de los ojos de dicha persona. Si, por ejemplo, le hubiéramos preguntado a Lucas qué hace cuando llama a su casa, sus ojos se habrían inclinado ligeramente a su derecha (añora su hogar), y luego hacia arriba y a su izquierda (imagen visual de su familia). Después, hubieran permanecido un rato en esa posición, hacia arriba y a la izquierda (mientras recuerda el número telefónico) antes de marcar.

Podemos llegar a hacernos a una idea bastante precisa de en qué está pensando una persona (imágenes, emociones, etc.) observando sus ojos (ver figura 12-4). Por lo general, los ojos de una persona se mueven de las siguientes maneras (más sobre los secretos que revelan nuestros ojos en el capítulo 6):

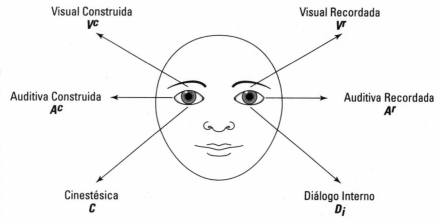

Figura 12-4:
Este diagrama
muestra los
movimientos
oculares
cuando
observas a
alguien

Cuando la persona...	Sus ojos...
Recuerda una imagen	se mueven hacia arriba y a la izquierda.
Crea una imagen	se mueven hacia arriba y a la derecha.
Recuerda un sonido o una conversación	se mueven horizontalmente a la izquierda.
Imagina un sonido	se mueven horizontalmente a la derecha.
Examina emociones	se inclinan a la derecha.
Conversa consigo misma	se inclinan a la izquierda.

Los movimientos oculares de una persona pueden depender de si es zurda o diestra. En el diagrama que muestra la figura 12-4 se ilustra una persona diestra. Así, una persona zurda quizá mire hacia arriba y a la derecha cuando tiene un recuerdo visual. De manera que, cuando quieras establecer la estrategia de otro, siempre será mejor calibrar un poco las respuestas de dicha persona formulándole algunas preguntas inocentes del tipo "¿Qué calle tomaste para venir hasta aquí?" Esto obligará a la persona a crearse un recuerdo visual y tú tendrás una indicación respecto a su estrategia ocular.

Ejercita tus músculos estratégicos

Nos pasamos toda la vida desarrollando estrategias. La mayoría de las esenciales (como caminar, comer, tomar, escoger y hacer amigos) las creamos siendo muy jóvenes. Otras las desarrollamos a medida que nos topamos con nuevas circunstancias a lo largo de la vida. A veces, una estrategia de nuestra propia cosecha puede no ser tan eficaz como la que utiliza otra persona, y esto se puede deber a que dicha persona quizá empezó con una mejor base de información o tuvo un maestro. Del mismo modo, si somos capaces de reconocer que nuestra estrategia es susceptible de mejoras, eso ya puede ser una muy buena herramienta. Por ejemplo, si tu colega gana más dinero que tú, haciendo el mismo trabajo, ¿no será porque el jefe de ambos ve el éxito de tu colega con mejores ojos, es decir, desde un prisma mejor?

Adquirir nuevas capacidades

En el capítulo 11 se explica el concepto de la PNL de niveles lógicos, en esencia, la idea de que operamos, en tanto que individuos, a distintos niveles: identidad; valores y creencias; capacidades y habilidades; conducta y comportamiento; y entorno. Las estrategias conciernen nuestro nivel de capacidades y habilidades. A veces es posible mejorar nuestras estrategias adquiriendo nuevas habilidades. Por ejemplo, en el caso del colega que gana más dinero y que mencionamos al principio de esta sección, nos es perfectamente posible aprender cómo construye y mantiene tan buena comunicación con el jefe. Quizá sólo sea, por ejemplo, que le mantiene muy bien informado respecto al progreso del proyecto en el que trabaja. Quizá, por tanto, podrías hacer lo mismo.

Carla había trabajado siempre en una oficina en la que se sentía segura; además, tenía fe en sus habilidades. Pero cuando decidió montar su propio negocio, descubrió que tenía que aprender un montón de comportamientos. Comprendió, por ejemplo, que debía aprender a crear nuevos contactos para divulgar la noticia de su nuevo trabajo. Desafortunadamente, a pesar de las muchas reuniones a las que asistía para crear esos contactos y conexiones, solía salir con la sensación de que no había logrado nada. La verdad es que era muy vaga al expresar sus objetivos, en gran parte debido a que consideraba que sólo asistía a tales reuniones para conocer gente nueva que podría llegar a ser útil para su negocio.

Entonces se dio cuenta de que iba a necesitar aprender estrategias para conectar con éxito con la gente nueva. Y lo hizo observando detenidamente a Laura, una amiga suya que tenía mucho éxito a la hora de presentarse y sintonizar con gente nueva. Empezó a adoptar las estrategias de Laura (ofrecemos una lista a continuación aplicada al caso de Carla) hasta que se encontró ella misma estableciendo nuevos y exitosos contactos.

> ✔ **Piensa en el resultado que esperas de una reunión para establecer nuevos contactos.**

Carla decidió que quería intercambiar tarjetas de presentación por lo menos con seis personas que podían serle útiles a ella y viceversa, ya fuese en un contexto social o de negocios.

✔ **Acércate a alguien y preséntate:**

"Hola, soy Carla, ¿a quién tengo el gusto de...?"

✔ **Haz preguntas para romper el hielo:**

"Es la primera vez que vengo aquí. ¿Usted ya había estado antes?"

"¿Le han parecido útiles estos encuentros?"

"¿Viene de muy lejos?"

"¿A qué se dedica?"

✔ **No pierdas de vista lo que la otra persona está diciendo y tampoco lo que esperas del encuentro.**

Carla comprendió que se concentraba tanto en lo que la otra persona decía que terminaba por olvidar intercambiar las tarjetas de presentación o que se tomaba tanto tiempo con una única persona que olvidaba que quería conocer también a los demás. Para no perder de vista su propósito, optó por conservar su tarjetero en la mano izquierda en vez de guardado en el bolso. Esto le dejaba la mano derecha libre para saludar sin perder de vista su meta.

Recodifica tus programas

Las estrategias se pueden cambiar. En el ejemplo anterior del ataque de ira al sentirse agredido por un conductor impertinente, ¿qué ejemplo seguías? ¿Acaso no era el tuyo? Lo cual es todavía peor si sabes que la ira y el estrés pueden hacerle daño físico a tu cuerpo. Entonces, ¿por qué no desarrollar otra estrategia parecida a la que sigue?

✔ **Prueba D:** Desencadenante: un conductor se cruza cerrándote el paso.

✔ **Operar:** En vez de recurrir a tus más sustanciosas palabrotas y gestos, piensa en nuestro sol estrellándose contra alguna nebulosa planetaria en unos cinco mil millones de años, época para la cual toda esta angustia será completamente vana e inútil y, a cambio, sonríe y sigue gozando tu vida.

✔ **Prueba C:** ¿Ha servido tu estrategia para mantenerte en un estado positivo? De ser así, ve al último paso. De lo contrario, vuelve al paso anterior e intenta una nueva estrategia.

✔ **Salida:** Opta por seguir tu propia agenda y sal.

Los practicantes chinos de Qiqong saben que su técnica de la "sonrisa interna" mejora el sistema inmunológico, permite que el cerebro trabaje con mayor eficiencia y reduce la presión arterial, la ansiedad y la depresión simple.

La cuestión reside en el "cómo"

En la PNL interesan más los procesos —cómo hacemos algo— que el contenido de nuestra experiencia. De manera que el meollo del asunto no es la ira que sentimos cuando perdemos un partido de ping-pong (contenido) sino CÓMO y por qué caminos nos enfurecemos cuando perdemos un partido de ping-pong (proceso).

Precisamente, como en la la PNL la preocupación es el "cómo", esto hace que sea posible cambiar una estrategia que no nos está dando los resultados esperados. De manera que, en vez de arrojar al suelo la raqueta, más bien imagínate pagando más tarde una suma significativa por un nuevo par, y hazlo precisamente construyendo una imagen visual. Y como todas las estrategias se pueden modificar, nos es posible repetir el modelo que usamos cuando hacemos algo bien para mejorar otros aspectos que sentimos que podríamos mejorar.

Miguel era un tipo muy pulcro y ordenado en su oficina, pero, desafortunadamente, su casa era un desastre. No sabía cómo mantenerla ordenada. Yo (Romilla) trabajé con él para identificar los procesos que seguía para mantener ordenada su mesa de trabajo. Tras examinar su estrategia, descubrió:

✔ **Prueba D:** Desencadenante: al ver papeles y carpetas sobre su escritorio, decidía que quería espacio libre sobre el mueble para trabajar.

✔ **Operar:** Miguel hacía lo siguiente:

  • Imaginaba a su jefe entrar y hacer algún comentario respecto a su desorden. Como apunte interesante, el tono de voz que usaba el jefe era muy similar al que usaba la madre de Miguel cuando él era pequeño.

  • Inmediatamente sentía un malestar en el plexo solar.

  • Pensaba en el lugar donde archivaba su material.

  • Se ponía de pie y archivaba papeles y carpetas donde correspondía.

✔ **Prueba C:** Ahora que contemplaba un escritorio despejado, sentía un calorcito agradable en el plexo solar.

✔ **Salida:** Cuando Miguel no podía ver suficiente espacio libre sobre su escritorio, la sensación cálida a la altura del plexo solar no se manifestaba y entonces ordenaba un poco más antes de abandonar su estrategia.

Cuando Miguel comprendió cuál era su estrategia de "escritorio ordenado", también pudo mantener ordenada su casa. Organizó sus estantes de manera que pudiera guardar sus cosas en orden. Cuando no veía espacio libre en el suelo de su departamento, se imaginaba a su jefe entrando en su casa y, acto seguido, ponía en marcha su estrategia para conservar su vivienda en orden. Una muy exitosa transferencia de estrategias.

Para utilizar las estrategias de la PNL en asuntos de amor y éxito

No importa lo que hagamos, lo hacemos gracias a que hemos aprendido una estrategia para realizarlo, por lo general de manera inconsciente, o porque la desarrollamos para cumplir una función. Por ejemplo, vemos mejor por un ojo que por el otro: es probable que hayamos aprendido, también de manera inconsciente, a ubicar y mantener el material de lectura frente al ojo por el que vemos mejor moviendo un poco la cabeza. Es muy útil aprender a formular preguntas que susciten estrategias, por ejemplo, preguntar "¿Cómo sabe cuándo ir al gimnasio?" y luego observar los ojos de la otra persona mientras formula su respuesta. Esto te proporcionará indicios importantes sobre las posibles estrategias de esa persona. Si tienes dudas, afina la pregunta.

Estrategia para el amor profundo

Todo el mundo tiene su particular estrategia para sentirse amado. A esto lo llamamos la *estrategia del amor profundo*. Cuando por fin aparece alguien que se ajusta a esa estrategia de amor profundo... ¡bingo! Ahora todo será color de rosa cada vez que miremos a nuestra media naranja.

Cuando conocemos a alguien que nos atrae o que encontramos interesante, para comenzar encendemos todas las modalidades.

✔ Visual: Hacemos esfuerzos por vernos guapos/as. Quizá nos ponemos una prenda del color que ya sabemos que le gusta a la persona objeto de nuestro interés. La miramos profundamente a sus arrobadores ojos negros, azules, pardos o verdes.

✔ Auditivo: Hablamos con dulzura y decimos las palabras que creemos él o ella quiere escuchar.

✔ Cinestésico: Nos cogemos de la mano. Nos acariciamos.

✔ Olfativo: ¡Hummm! Esperemos que esta colonia/perfume no sea demasiado. ¡Upps! Olvidé el enjuague bucal.

✔ Gustativo: Cenas íntimas a la luz de las velas con finas hierbas y especies para probar que ese otro, en realidad, es una persona especial.

Ya hemos pescado a la persona que deseamos y caminamos cogidos de la mano hacia el sol poniente. Pero luego... tras un tiempo... se escuchan sordos rumores de descontento. "¿Qué ha salido mal?", nos preguntamos, quizá llorando. Nada, en realidad. Puede que simplemente tú y tu pareja habéis vuelto a la modalidad con la que operan de manera natural. Y así, allí donde la mujer puede añorar el contacto físico de abrazos y caricias para sentirse amada, el hombre puede estar manifestando su amor haciendo todo lo que es capaz de hacer por ella; por ejemplo, algunas reparaciones para mantener la casa en buen estado, lavando el coche y dejándolo siempre con el tanque de gasolina lleno.

Para descubrir la estrategia que utiliza una persona para ser amada, intenta lanzar una pregunta de este estilo: "¿Sabes que te quiero, verdad?" "¿Qué te haría sentir aún mejor, mi amor?" Al preguntar, asegúrate de prestar suma atención a los movimientos de los ojos y al lenguaje corporal. Una respuesta como "Pues la verdad, no lo sé muy bien", al tiempo que los ojos se inclinan hacia abajo y a la derecha (C de cinestesia), puede indicar que habrá que incluir más arrumacos en la receta. Prueba tu sospecha. Si ahora los ojos se mueven horizontalmente a la izquierda de la persona (Ar), intenta preguntarle qué palabras le gustaría oír o qué música quisiera escuchar.

✔ Nunca preguntes en momentos de mucho estrés, como por ejemplo en medio de un embotellamiento (lo que generaría una respuesta que no te va a gustar), sino que más bien hazlo en ese momento especial y tranquilo en el que los dos están solos.

✔ Calibra bien la respuesta que recibes cuando haces algo por la otra persona. ¿Llegar a casa con un ramo de rosas suscita la respuesta especial que necesitas?

En la PNL llamamos *calibración* o *calibrar* al proceso mediante el cual leemos la respuesta de otra persona a nuestro mensaje. Una bofetada es una respuesta muy clara y manifiesta y, esperamos, no repetirás las palabras o la conducta que la provocaron. Con todo, la mayoría de las respuestas suelen ser mucho más sutiles: un ceño fruncido, una mirada de desconcierto, mejillas enrojecidas, mandíbula apretada. Un maestro de la comunicación exitosa debe aprender a detectar estas cosas, particularmente cuando las señales son mixtas: por ejemplo, una sonrisa con mirada perpleja puede indicar que la persona en realidad no ha entendido de qué hablamos pero es demasiado cortés para decirlo.

No hay nada como una retroalimentación positiva para que nuestra estrategia sea eficaz, de manera que hazle saber a él o a ella cuándo ha dado en el blanco, sobre todo si quieres saber cuál es la estrategia de amor profundo a la que recurre tu bienamada o amado. Por ejemplo, (Romilla) conozco a una pareja que lleva 27 años de feliz matrimonio. Todo lo que necesita la esposa es una sutil caricia en la cara con una mirada particular de su marido, para que sienta que es el centro del universo de él... y casi se le oye ronronear.

Estrategias para influir sobre la gente

Si utilizamos el conocimiento que ya tenemos respecto a las estrategias, podemos llegar a convertirnos en comunicadores irresistibles. Cuando hemos descubierto las estrategias de otra persona, podemos utilizarlas como marco de referencia para nutrirla con nuestra información siguiendo los pasos de su estrategia. Por ejemplo, supón que queremos utilizar la estrategia de un adolescente para ayudarle con una tarea.

Para retroalimentarlo con información utilizando la estrategia a la que recurre el adolescente, lo primero que debemos hacer es, por supuesto, establecer cuál es esa estrategia. Para ello, podemos formularle una pregunta —"¿Cómo te motivas cuando quieres jugar a fútbol?", por ejemplo— y luego observar el movimiento de los ojos del joven al tiempo que contesta. Imaginemos que, en este hipotético caso, nuestra pregunta generó en el joven la respuesta o reacción verbal acompañada de los movimientos oculares que muestra la figura 12-5.

"Me veo con mi uniforme puesto, acompañado por el resto del equipo (mueve los ojos hacia arriba y su izquierda: Vr) y luego oigo las voces entusiastas de todos (mueve los ojos horizontalmente a su izquierda: Ar), y entonces me digo 'vamos a ganar' (mueve los ojos hacia abajo a la izquierda: Di) y me siento de maravilla (mueve los ojos hacia abajo a la derecha: C).

Figura 12-5:
Los ojos
revelan la
estrategia

Vr   Ar   Di   C

Basados en la respuesta del joven y sus movimientos oculares podemos elaborar nuestra respuesta en consecuencia. Ya sabemos que, para motivarse, el muchacho primero recuerda una imagen (Vr), luego los exaltados ánimos de sus compañeros (Ar). Por último se habla a sí mismo (Di) antes de sentirse muy bien. Con esta información podríamos sugerirle lo siguiente:

✔ ¿Recuerdas la imagen del día, la semana pasada, cuando entregaste tu trabajo de física a tiempo?

Estamos pidiendo al joven que recuerde una imagen de aquella vez en la que acabó su trabajo, obligándolo a ubicarse en el primer paso de su estrategia (Vr).

✔ Ahora cuéntame, cuando el profesor Saunders te felicitó, ¿recuerdas qué dijo?

Le estamos pidiendo que recuerde las palabras que se usaron para así disparar el siguiente paso de su estrategia de automotivación (Ar).

✔ ¿Recuerdas la sorpresa y placer con las que te dijiste "Por primera vez entiendo algo de física"?

Al solicitarle que repita su monólogo, lo estamos encaminando al penúltimo paso de su estrategia (Di).

✔ ¿Recuerdas lo bien que te sentiste? ¿No te parecería estupendo terminar de nuevo esa tarea y volver a sentirte igual de bien?

Con este último paso estamos haciendo que el joven se motive a sí mismo precisamente al engancharse con la sensación de bienestar (C) y sugiriéndole a la vez que le es posible recrear esa sensación simplemente terminando su tarea.

Puedes utilizar esta técnica siempre que quieras ser realmente convincente. Primero, haz una pregunta y observa los ojos mientras la persona responde; por último, formula tus sugerencias usando los términos que mejor resultado te puedan traer.

La estrategia de la PNL para la buena ortografía

Igual que con otras estrategias, toda persona que sabe escribir ha desarrollado una estrategia para hacerlo con la mejor ortografía posible. Lo que ocurre con las personas que tienen mala ortografía es simplemente que tienen una estrategia ineficaz.

La ortografía es un proceso visual en gran medida. Si consideras que tienes buena ortografía, probablemente moverás los ojos hacia arriba y a la izquierda (visual recordada) cuando intentas visualizar la palabra que quieres escribir. Por lo general, intentar recordar o deletrear fonéticamente la ortografía de una palabra es una estrategia ineficaz.

De manera que, si eres de los que deletrean la palabra y quieres mejorar, intenta lo siguiente:

1. **Piensa en una palabra que te gustaría escribir con ortografía correcta, escríbela en letra grande y tenla a mano.**

2. **Ahora piensa en una palabra que sabes que escribes bien.**

La razón por la que te pedimos que escribas una palabra cuya ortografía conoces es para crearte una sensación agradable. Lamentablemente, cuando los profesores nos enseñan ortografía, no siempre nos enseñan una estrategia para tener buena ortografía. Y así, en muchas ocasiones, podemos llegar incluso a ser encasillados como "un estudiante poco brillante", lo que a su vez hará que siempre que nos toque escribir con buena ortografía nos sintamos mal. Y pasado el tiempo, la ortografía puede llegar a ser sinónimo de malestar. Puede llegar a influir sobre nuestra identidad: "Soy mal estudiante". Permítete reconocer y aceptar cualquier creencia negativa que pueda surgir y trátate bien, con cariño. Si no hiciste buenas migas con tu profesor de español y la idea de aprender ortografía te recuerda malos ratos, tranquilo, no pasa nada. Ahora estás al mando de ti mismo y te puedes dar el capricho de ser tan bueno para la ortografía como puedas o quieras ser. De manera que a jugar con las palabras y adelante.

3. **Mueve los ojos a la posición del recuerdo visual (por lo general, arriba y a la izquierda) y fórmate una imagen, o mejor visualiza la palabra que sabes cómo escribir correctamente.**

Saber cómo se escribe la palabra te genera una sensación agradable (de satisfacción, confianza, etc.).

4. **Ahora haz un esfuerzo por recordar esa sensación; céntrate en ella y amplíala, resáltala; haz una pausa, respira hondo y amplíala aún más.**

5. **Ahora echa una rápida mirada a la palabra cuya ortografía quieres aprenderte.**

6. **Aferrado a tu sensación positiva, mueve los ojos hacia arriba y a tu izquierda y fórmate una imagen de la nueva palabra que quieres escribir correctamente.**

Asegúrate de que la imagen que generas de la palabra sea clara, luminosa y grande y obsérvala bien, realmente bien.

7. **La próxima vez que quieras escribir esa palabra, lo único que tendrás que hacer es poner los ojos en posición de recuerdo visual y ¡listo! Como por arte de magia, verás la palabra en tu mente y podrás empezar a creer que puedes tener una buena ortografía, ¿verdad?**

Mientras discutíamos este asunto de la estrategia ortográfica, (Kate) descubrí que, para recordar algo, suelo recurrir a la sección visual de mi memoria. Intenta este método para recordar teléfonos o aprender las tablas de multiplicar.

Tener o no tener éxito

Hace poco hablaba (Romilla) sobre el asunto del éxito con Bernie, un conocido, y llegamos a la conclusión de que la pregunta importante es: "¿Por qué tenemos éxito en algunos aspectos de la vida y en otros no?" Es muy posible que, si indagamos, lleguemos a descubrir que simplemente desarrollamos estrategias menos eficaces en aquellos aspectos en los que no tenemos éxito. Entonces, ¡a cambiarlas! El procedimiento es el siguiente: identifica un área de tu vida en la que hayas sido exitoso y pregúntate: "¿Qué estrategia desarrollo cuando me está yendo muy bien?" En el fondo, no es más que ponernos a jugar al "digamos que...". Pongamos por caso que te consideras un tenista más bien bueno y siempre has querido correr la maratón. Sin embargo, cada vez que empiezas a prepararte para la maratón, terminas por abandonar porque pierdes impulso, continuidad. Ahora, si examinas las estrategias que utilizas cuando juegas al tenis, quizá descubras que tu respiración y concentración mental son distintas cuando corres por la pelota en la cancha de tenis que cuando corres distancias largas. Si adoptas las estrategias que usas cuando juegas a tenis y las desarrollas al correr largas distancias, quizás un buen día te encuentres con que tu deseo de ser un buen corredor de maratones sea una realidad.

Capítulo 13

Viajar en el tiempo

● ●

En este capítulo

▶ Qué se entiende en PNL por línea temporal o del tiempo

▶ Eliminar la opresión de las emociones negativas

▶ Cambiar creencias volviendo atrás en el tiempo

▶ Descubrir cómo organizamos el tiempo

▶ Aprender a crearnos un futuro paralelo a nuestra línea de tiempo

● ●

*E*l tiempo tiene una extraña elasticidad. Pasa realmente rápido cuando nos involucramos en algo interesante y parece extenderse sin fin cuando nos permitimos aburrirnos. ¿Eres una de esas personas a las que les sobra tiempo y, por tanto, siempre tienes todo el tiempo de mundo, o una de aquellas que siempre se quedan sin tiempo y nunca tiene tiempo para nada? Quizás esto de tener tiempo, como ocurre con el dinero, sea una cuestión de dónde centramos nuestra atención. A pesar de que un día y una noche son 24 horas para ricos, pobres, jóvenes y viejos, el tiempo lo percibimos de maneras distintas. Algunas personas se quedan atrapadas en el pasado, otras siempre están mirando al futuro, y otras viven el momento.

> *"El tiempo es un sistema en el que se integran la cultura, la sociedad y la vida personal. De hecho, nada ocurre si no es en algún tipo de marco temporal."*
>
> *The Dance of Life* (La danza de la vida), Edward T. Hall, Anchor, 1984.

El tiempo "americano-europeo" es resultado de la Revolución Industrial, cuando la gente se vio obligada a estar en las fábricas a una hora específica. Tiene un formato lineal, es decir, un evento o una transacción sigue a la otra. El tiempo en América Latina, el mundo árabe y en algunos otros países del hemisferio sur posee una estructura multidimensional que permite a la gente realizar diversas tareas al mismo tiempo. Cada uno de los dos tiempos tiene sus fortalezas y debilidades, además del potencial para generar conflicto en el caso de intercambio transcultural.

El tiempo también da sentido a nuestros recuerdos. Sin embargo nos es posible cambiar el sentido y significado de un recuerdo si modificamos su cualidad y su relación con el tiempo. Hacerlo nos permite liberarnos de emociones negativas y de decisiones limitantes y nos brinda los medios necesarios para crear el futuro que preferiríamos libres de la influencia de recuerdos que nos debilitan.

Cómo organizamos los recuerdos

Piensa en algo que hagas con regularidad. Es decir, algo que recuerdes haber hecho en el pasado, imaginas o vives en el presente y puedes verte haciendo en el futuro. ¿Ves cómo las imágenes que te surgen cambian de ubicación? Al ir al pasado para examinar un recuerdo y luego al futuro haciendo una parada en el presente, no has hecho otra cosa que un pequeño viaje en el tiempo sin mover los pies de la tierra. (Un poco más adelante te informamos sobre una variedad de lo mismo pero aerotransportada, en la sección "Descubre tu línea del tiempo".)

Quizás has pensado en algo como leer un libro, ir a unos grandes almacenes, trabajar en tu mesa, salir a cenar a un restaurante o lavarte los dientes. Si has pensado en otra cosa, pues tanto mejor. De cualquier forma, ¿te has percatado de las cualidades de las tres imágenes, asuntos como ubicación, brillo u opacidad, tres o dos dimensiones, película o fotograma, a color o en blanco y negro? Estas cualidades o atributos se conocen como *submo-dalidades*. En el capítulo 10, "Controlar los mandos", encontrarás muchas extraordinarias aplicaciones con las submodalidades.

Al pedirte que pienses en esos atributos estamos haciéndote ver que tus recuerdos tienen una estructura. Al examinar las particularidades de la imagen de un recuerdo sabemos que el recuerdo está en el pasado o que estamos creando una imagen suya en el futuro.

Si te pidiéramos que definieras de manera figurada los componentes que te constituyen, es decir, de qué estás hecho, en el caso de ser mujer quizá contestaras "de azúcar, especias y cosas sabrosas" y, de ser hombre, algo así como "de pelo, piel y sangre...". Pero, como es obvio, tú, tu ser integral, es mucho más que las partes que lo constituyen. Justamente eso es lo que se entiende por Gestalt. *Gestalt* se define como una estructura o patrón que no se puede reducir a sus meros componentes. Así, cuando alguien piensa en nosotros, la mente de otra persona siempre salta de sus componentes a su totalidad, a su ser integral.

Nuestros recuerdos están ordenados o distribuidos en una Gestalt. Todos los recuerdos que están asociados de alguna manera conforman una Gestalt, aunque su formación se inicie en el momento en el que vivimos una experiencia que, primero, desencadena una respuesta o reacción emocional, un Evento Emocionalmente Significativo, que a veces se conoce como EES o como *causa raíz*. Si vivimos una experiencia similar y se genera una respuesta emocional parecida, conectamos o ligamos los dos eventos. Este proceso continúa y pronto obtenemos una cadena.

Uno de los padres fundadores de la psicología, William James, comparaba nuestros recuerdos con una hilera o ristra de perlas, donde cada recuerdo asociado está unido al anterior y al siguiente mediante un hilo. Cuando se trabaja con nuestra línea del tiempo, si cortamos el hilo antes del primer recuerdo, la Gestalt se rompe (ver la figura 13-1).

Descubre tu línea del tiempo

Los recuerdos siguen un patrón ordenado. Si ahora se te pidiera que señalases la dirección de donde proviene tu último recuerdo, ¿hacia dónde señalarías? Del mismo modo, si se te pide que señales la imagen de aquello que harás en el futuro, fíjate hacia dónde señalas en este caso. ¿Te sería posible señalar el lugar de donde proviene la imagen que tienes del presente? Pues bien, si trazas una línea entre el recuerdo del pasado, el que tienes del presente y el que se ubica en el futuro, ya tienes tu propia línea del tiempo.

Algunas personas imaginan su pasado a sus espaldas y el futuro delante. Otras pueden imaginar una línea en V. Otros ven su pasado a la izquierda y el futuro a la derecha, un asunto interesante ya que, como podrás observar en el capítulo 6, la izquierda es el lugar hacia donde la mayoría de la gente mueve los ojos cuando intenta recordar algo y la derecha a donde los mueve cuando quiere imaginar algo que no es real... todavía. Igualmente interesante: algunas personas ordenan geográficamente su línea del tiempo. Así, por ejemplo, quizá ubiquen su pasado en Cornualles, Los Ángeles o Salamanca, y su presente en el lugar donde residen actualmente. Tu futuro bien puede estar en aquel lugar a donde quieres ir a vivir.

Figura 13-1:
Una hilera de recuerdos Gestalt

Una mujer que asistió a uno de los talleres que imparto (Romilla), llamado "Futuro perfecto" (al cual la gente asiste para crear el futuro en el que desea vivir), se confundió muchísimo a la hora de descifrar su línea del tiempo. Pronto descubrimos que su pasado había transcurrido en Sudáfrica, su presente en Inglaterra y no podía decidirse respecto a dónde ubicar su futuro. Señalaba hacia delante, un poco a su derecha. Cuando logramos que trazara una línea de vuelta a Sudáfrica, logró establecer su línea del tiempo.

Si te parece más fácil, traza una línea imaginaria sobre el suelo y, confiando en tu inconsciente, camina siguiendo la línea desde donde imaginas tu pasado hasta donde sientes que está tu futuro.

Caminar a lo largo de una línea del tiempo puede ser difícil si ciertas restricciones espaciales nos lo impiden, por ejemplo, una habitación demasiado pequeña. De manera que el ejercicio que ahora te sugerimos te mostrará cómo puedes visualizar tu línea del tiempo simplemente "elevándote" o "flotando hacia arriba" desde donde quiera que estés relajándose para obtener una imagen clara de la línea temporal extendiéndose mientras la observas desde las alturas.

1. **Piensa en algún incidente que te haya ocurrido recientemente.**

2. **Ahora respira profundamente y relájate tanto como te sea posible.**

3. **Imagina que empiezas a elevarte sobre tu presente inmediato, más allá de las nubes, hasta alcanzar la estratósfera.**

4. **Ahora imagina tu línea del tiempo allá, muy abajo, como una cinta... y que puedes verte a ti mismo en ella.**

5. **Flota recorriendo tu línea del tiempo hasta que esté justo sobre la experiencia reciente en la que pensaste al comenzar este ejercicio.**

6. **Mantente allí a flote tanto tiempo como quieras hasta que resuelvas flotar al presente y descender hasta tu propio cuerpo.**

Espero que hayas disfrutado este vuelo de prueba. Recuerda el procedimiento, ya que lo repetirás muchas veces.

Cambiar las líneas temporales o del tiempo

Una vez hayas trazado tu línea del tiempo, ¿dónde estás? Por ejemplo, ¿acaso corrías con relación a tu cuerpo como en los dos primeros diagramas en-el-tiempo (ver figuras 13-2 y 13-3)? ¿O más bien la viste frente a ti, como se muestra en el diagrama a-través-del-tiempo (ver figura 13-4)?

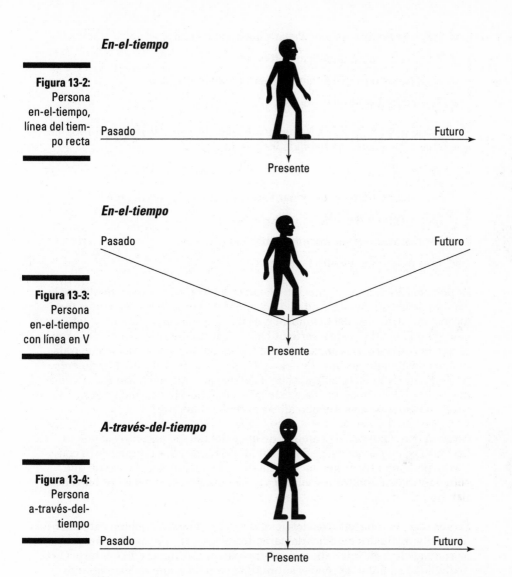

En-el-tiempo

Figura 13-2:
Persona
en-el-tiempo,
línea del tiempo recta

Pasado

Futuro

Presente

En-el-tiempo

Pasado

Futuro

Figura 13-3:
Persona
en-el-tiempo
con línea en V

Presente

A-través-del-tiempo

Figura 13-4:
Persona
a-través-del-
tiempo

Pasado

Futuro

Presente

La configuración o forma de tu línea del tiempo puede influir sobre distintos rasgos de tu personalidad. Si la tuya corresponde a la que hemos denominado *a-través-del-tiempo*, tu modelo de tiempo sería el americano-europeo, lo que quiere decir que presentarás las siguientes tendencias:

✔ Eres muy consciente del valor del tiempo.

✔ Te orientan los objetivos y las metas.

✔ Sabes la importancia de llegar puntual a las citas.

✔ Eres bueno para planificar actividades.

✔ Eres capaz de separar emociones y acontecimientos.

✔ Te es difícil vivir en el ahora.

Si tu modelo corresponde a lo que hemos llamado *en-el-tiempo*, es probable que tengas las siguientes habilidades y tendencias:

✔ Eres creativo.

✔ Eres bueno para desempeñar varias tareas al mismo tiempo.

✔ Sientes con intensidad tus emociones.

✔ Te gusta conservar opciones abiertas.

✔ Eres bueno para vivir el momento.

Es posible cambiar la orientación de nuestra línea del tiempo y modificar la manera de pensar sin necesidad de cambiar ninguno de los recuerdos que forman nuestra línea del tiempo. Si eres una persona en-el-tiempo y debes cumplir un horario, podría serte útil modificar tu línea del tiempo de manera que te conviertas en una persona a-través-del-tiempo, es decir, con toda tu línea del tiempo delante. Por ejemplo, si eres adicto al trabajo y quieres relajarte un rato con tu colega al final del día, ¡por qué no darte cuenta de que tu línea del tiempo queda a este lado de tu puerta de salida y convertirte en una persona en-el-tiempo apenas cruces el umbral?

No es muy recomendable cambiar de línea del tiempo excepto cuando lo hacemos en una situación segura, sentados o recostados porque, de lo contrario, podemos sufrir una incómoda desorientación. En el caso de que esto ocurra, tranquilízate y vuelve a la orientación original de tu línea del tiempo.

Si eres una persona a-través-del-tiempo y ves tu línea del tiempo extendiéndose ante ti, puedes modificarla parándote sobre ella de manera que te veas obligado a girar la cabeza o cuerpo para mirar tu pasado o futuro. Otra posibilidad es flotar, ascender sobre tu línea del tiempo de manera que esta quede abajo, y luego, cuando desciendas para posarte sobre ella, la línea quede a tus pies o incluso corra por entre tu cuerpo.

Si, por el contrario, eres una persona en-el-tiempo, puedes bajarte de tu línea del tiempo de manera que puedas verla frente a ti y, por tanto, te será posible ver tu pasado, presente y futuro como un continuo sin tener que girar el cuerpo. Ahora, si lo prefieres, puedes flotar sobre tu línea del tiempo y, cuando desciendas, podrás ubicarte de manera que la línea del tiempo quede delante de ti.

(Romilla) Siempre les pido a los participantes de mis seminarios "Futuro perfecto" que cambien la orientación de sus líneas temporales y que conserven la nueva orientación después de la hora de almuerzo tanto tiempo como les sea posible sin llegar a sentirse incómodos. Una participante, una inveterada mujer en-el-tiempo, alcanzó a sentir náuseas y mareo cuando extendió su línea del tiempo frente a sí (a-través-del-tiempo) pero quiso seguir con la práctica. Tras sentarse un rato, se estabilizó y salió. Al volver después del almuerzo, para todos fue evidente el alivio que sintió cuando pudo regresar sobre su línea del tiempo en-el-tiempo.

Además de cambiar la orientación de tu línea del tiempo, quizá también te sea útil aprender a espaciar tu presente y futuro sobre la misma.

Carlos estaba estresado. Sentía que todas las cosas se le venían encima al mismo tiempo y que no podría lidiar con tanto trabajo. Mientras retrocedía en su línea del tiempo con la ayuda de la Terapia de Línea del Tiempo (codesarrollada por Tad James), recordó que siendo aún muy niño no hizo méritos suficientes para una beca. Su madre era una mujer cáustica y sentenciosa. Carlos comprendió que desde entonces no dejaba de intentar satisfacerla, casi siempre haciendo más de lo que podía. Al examinar el "espaciado" de su línea del tiempo, encontró que veía muy cerca su presente, a la altura de la nariz, y su futuro apenas unos veinte centímetros detrás. Cuando nos deshicimos de todas las emociones negativas que generó aquel "fracaso" (qué palabra más detestable), Carlos pudo alejar el presente hasta sentirlo a unos sesenta centímetros delante de él y espaciar su futuro de manera que quedó casi cinco metros más allá. Había querido extender su línea del tiempo lo más que le fuera posible y le entró pánico porque sentía, literalmente, que "jamás volvería a lograr nada". Cuando pudo acortar su línea del tiempo se sintió mucho más cómodo porque sabía a ciencia cierta que sería capaz de hacer planes y cumplir sus objetivos.

Simón sufría justamente de lo contrario que Carlos. Decía que jamás lograba cumplir con las fechas de entrega. Al examinar su línea del tiempo, Simón descubrió que su futuro se extendía tan lejos frente a él que jamás sentía suficiente urgencia respecto a sus metas. De manera que lo que Simón hizo fue comprimir su línea del tiempo y hacer como si caminara sobre una cinta transportadora, al tiempo que ponía metas a distancias específicas sobre la correa. En el capítulo 3, "Asuma el control de su vida", sugerimos hacer una lista con cosas para hacer al día siguiente. Cuando Simón cumplía su "lista", dejaba avanzar la cinta una muesca más. Y realmente tuvo efectos muy positivos en aquello de cumplir sus compromisos.

Viajar a través de nuestra línea del tiempo para visitar a un yo más feliz

Nuestra línea del tiempo está constituida por una secuencia de recuerdos que poseen su propia estructura: las imágenes podemos verlas en color, los sonidos pueden ser fuertes o suaves y las emociones pueden alegrarnos o entristecernos. Para mayor información al respecto, lee el capítulo 6. Nuestra mente se encarga de crear nuestros recuerdos: si tú y nosotras fuéramos testigos de un incidente al mismo tiempo, cada uno de nosotros recordaría el incidente de manera distinta. Al tiempo que viajamos por nuestra línea del tiempo, examinando nuestros recuerdos y comprendiendo mejor las lecciones que deben ser aprendidas, es posible liberarnos del dominio que a veces tienen algunos recuerdos sobre el presente y cambiarles su estructura, hacerlos más pequeños, más ligeros, menos intensos. Así, nuestro pasado ya no tiene por qué arrojar su sombra sobre nuestro presente... o más importante, sobre nuestro futuro.

Para deshacerse de las emociones negativas y de las decisiones limitantes

Por emociones negativas entendemos: ira, miedo, vergüenza, dolor, tristeza, culpa, remordimiento y ansiedad, por mencionar algunas. Dichas emociones no sólo pueden llegar a tener un poderoso e indeseable efecto físico sobre nuestro cuerpo sino que también pueden tener efectos devastadores sobre la manera como conducimos nuestra vida.

Por decisión limitante se entiende una por la que optamos hace tiempo, ocasión en la que decidimos que no podíamos hacer algo porque éramos muy brutos, ineptos, pobres o cualquier otra razón; por ejemplo: "Jamás seré delgada" o "Soy malo para los números".

Las emociones negativas y las decisiones limitantes alcanzan a afectar a nuestro presente desde el pasado remoto. Ahora bien, si logramos ir al pasado, viajando por nuestra línea del tiempo, y entender de manera consciente qué era aquello de lo que nuestro inconsciente intentaba protegernos, nos será más fácil deshacernos de esas emociones y decisiones.

Bueno, esto de lidiar con emociones negativas puede resultar algo... sí, emotivo. De manera que antes de intentar utilizar las técnicas que aquí ofrecemos para deshacernos de emociones negativas o para entender nuestras decisiones limitantes, ten en mente los siguientes puntos:

✔ Si se trata de aclarar asuntos en verdad emocionalmente pesados e importantes (como por ejemplo maltrato infantil o un divorcio complicado), te recomendamos que busques la ayuda de un maestro de PNL o un experto en Terapia de Línea de Tiempo.

✔ El proceso que aquí ofrecemos no sirve para tratar traumas o fobias ya que, en ese caso, necesitarás de un terapeuta profesional para asegurarte de que tus asuntos sean profesional y debidamente tratados y así resolver el trauma.

✔ Cuando trabajes con la línea del tiempo, siempre es mejor hacerlo en compañía de alguien, ya que esta persona podrá ayudarte a conectar con tierra en el caso de que olvides que estás haciendo un ejercicio y sucumbas ante las emociones que se manifiesten. Además, también pueden asegurarse de que sigas los pasos del ejercicio en el orden correcto.

El diagrama que muestra la figura 13-5 es muy importante para los ejercicios que se incluyen a continuación en tanto que aclara las distintas ubicaciones o posiciones a lo largo de tu línea del tiempo, posiciones de las que necesitas ser consciente y estar atento. El diagrama será particularmente útil a las personas con inclinación visual, es decir, aquellas que recrean imágenes con facilidad.

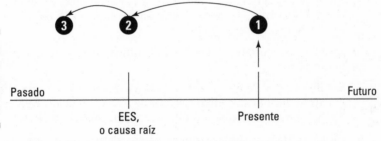

Figura 13-5:
Ubicaciones
a lo largo de
tu línea del
tiempo

✔ La posición número 1 en la figura representa la posición que alcanzas tras flotar hacia arriba, justamente encima del presente en tu línea del tiempo.

✔ La posición número 2 está directamente encima del EES (evento emocionalmente significativo) o causa raíz.

✔ La posición número 3 sigue por encima de tu línea del tiempo pero 15 minutos antes de la causa raíz.

El ejercicio que añadimos a continuación te introduce en un proceso que te ayudará a deshacerte de cualquier emoción negativa a la que puedas seguir aferrado. Por ejemplo, quizá seas propenso a sentimientos o ataques de ira inoportunos e incluso poco apropiados. Cuando domines esta técnica, puedes usarla para eliminar también decisiones negativas por las que quizás hayas optado en el pasado, como por ejemplo, "Jamás tendré éxito". Por favor, mantén tu mente atenta y abierta a cualquier respuesta que pueda ofrecerte tu inconsciente.

1. **Busca un lugar tranquilo y seguro donde te puedas relajar, y piensa en alguna emoción ligeramente negativa que hayas sufrido en el pasado.**

2. **Examina si sería provechoso aprender algo del incidente y liberar la emoción que suscita. Cuando estés relajado, pregúntale a tu inconsciente: "¿Está bien dejar ir mi ira?"**

3. **Pregúntale a tu inconsciente: "¿Cuál es la causa raíz de este problema que, una vez me desconecte de él, hará que desaparezca el problema? ¿Fue antes, durante o después de nacer?"**

Cuando le preguntes a tu inconsciente si la raíz del problema fue antes, durante o después de nacer, debes estar muy atento y perceptivo a la respuesta. Nuestra mente inconsciente absorbe grandes cantidades de información y toma también muchas decisiones sin que nos demos cuenta de manera consciente. Los clientes de Romilla más de una vez se han sorprendido con las repuestas que recibieron.

4. **Cuando hayas llegado a la causa raíz, vuela hacia arriba sobre tu línea del tiempo, de manera que alcances a ver tu pasado y futuro extendiéndose ante tus ojos.**

En este momento te encuentra en la ubicación 1, que se muestra en la figura 13-5.

5. **Sin descender de altura sobre tu línea del tiempo, vuela ahora hacia atrás, hasta estar justo encima de EES (ubicación 2 en la figura 13-5), y observa lo que aquella vez viste, sentiste y oíste.**

6. **Pídele a tu inconsciente que averigüe y aprenda lo que necesite sobre el suceso, para poder deshacerte de las emociones negativas fácil y rápidamente.**

7. **Vuela ahora hasta la ubicación 3 indicada en la figura 13-5, que es un lugar encima, justo 15 minutos antes del EES.**

8. **Al tiempo que flotas sobre tu línea del tiempo en la ubicación 3, ponte de cara al presente, de manera que puedas ver la causa raíz al frente y debajo tuyo.**

9. **Permítete soltar o prescindir de todas las emociones negativas asociadas al incidente y fíjate en dónde está la emoción negativa.**

¿Han desparecido todas las demás emociones negativas asociadas al incidente?

10. **Si aún quedan algunas emociones negativas, aprovecha cada exhalación de tu respiración para liberar las emociones asociadas al EES.**

11. **Permanece en la ubicación 3 hasta que sientas o sepas que todas las emociones negativas se han disipado.**

12. **Cuando estés listo, cuando sientas que te has liberado de la emoción negativa, flota de vuelta a la ubicación 1.**

    No vayas más rápido de lo que tu inconsciente te lo permita, de manera que este tenga tiempo para aprender de otras situaciones similares y así deshacerse de todas las emociones asociadas.

13. **Baja de nuevo a la habitación.**

14. **Sólo por curiosidad, intenta la siguiente prueba: ve al futuro a alguna ocasión en la que algún suceso o incidente podría desencadenar la emoción pertinente y nota cómo, probablemente, tal emoción ha desaparecido.**

Este ejercicio también puede usarse para olvidarse de una decisión limitante. Por ejemplo, quizás hayas decidido (sin saberlo) salir de pobre o no gozar de buena salud, o cualquier otro tipo de decisión contraproducente. Sigue los pasos anteriores reemplazando la emoción negativa o la decisión limitante.

Para perdonar

En retrospectiva, y con la ayuda de la madurez, nos es posible perdonar a alguien en nuestro pasado. Hacerlo nos permite liberar toda la energía que hasta entonces invertimos en alimentar el resentimiento, la ira u otra suerte de emociones nocivas. Y entonces podemos seguir adelante y utilizar toda esa energía para hacernos más creativos o amorosos o para cualquier otra cosa maravillosa que queramos. Una buena manera de hacer esto consiste en comprender los motivos por los que la persona nos hizo daño y darnos cuenta de que, por razones de orden personal, aquel individuo probablemente operaba desde una realidad que le dejaba muy pocas opciones.

A modo de ejemplo, imagina que en algún momento de tu vida ardías en deseos de llegar a ser actor y por eso tus padres te hicieron la vida imposible. Ahora reconoce que lo hicieron mostrando genuina preocupación paternal por ti. Sólo hacían lo mejor para ti con los recursos de los que disponían. Vuelve atrás en tu línea del tiempo, a un tiempo y lugar que te recuerden uno de esos momentos difíciles con tus padres. Podrás entonces revolotear desde lo alto sobre tu línea del tiempo mientras asimilas cualquier lección que quizás entonces se te escapó. Desciende al evento original, abraza a tus padres y hazles saber que ahora comprendes que ellos sólo lo hacían por tu bien. De encontrarlo fácil, podrías intentar rodearte en una burbuja de luz y disfrutar de la sensación de amor, compasión y perdón.

Consuela a tu antiguo y joven "yo"

Cuando viajes atrás en tu línea del tiempo y te encuentres con una situación que te implique cuando eras joven, aprovecha la oportunidad para abrazar a ese joven que eras, tranquilízalo y asegúrale que todo va a salir bien, rodéense los dos de luz y déjense curar a la vez. Ahora imagina que traes de vuelta toda esa alegría y todo ese alivio a lo largo de tu línea del tiempo, hasta el presente.

Para librarse de la ansiedad

La ansiedad no es más que una emoción negativa respecto a un incidente futuro. Ya sabes que es posible deshacerse de una emoción negativa o decisión limitante simplemente viajando hasta antes de que ocurriera el hecho que generó la emoción negativa o la toma de la decisión limitante (ver la sección anterior, "Para deshacerse de las emociones negativas y de las decisiones limitantes" para más detalles). Pues bien, es posible deshacerse de la ansiedad viajando al futuro más allá de la feliz conclusión del incidente que tanta angustia te produce.

Imagina lo que verás, oirás y sentirás cuando el incidente que ahora te genera ansiedad se haya resuelto. Entonces, cuando viajes hacia delante, volando sobre tu línea del tiempo hasta ese punto un poco después de la conclusión exitosa del suceso, verás con sorpresa que la ansiedad ha desaparecido. Tomando la figura 13-6 como referente, sigue estos pasos:

1. **Busca un lugar tranquilo y seguro donde te puedas relajar, y piensa en algún incidente que en el momento te esté generando ansiedad; ahora pregúntale a tu inconsciente si sería conveniente deshacerse de esa ansiedad.**

2. **Ahora asciende sobre tu línea del tiempo de manera que alcances a ver tu pasado y futuro extendiéndose abajo, ante tus ojos.**

3. **Sin descender, continúa flotando sobre tu línea del tiempo hacia delante, hasta estar justo encima del evento que ahora te produce ansiedad.**

Figura 13-6:
Viaja en
el tiempo
para
superar la
ansiedad

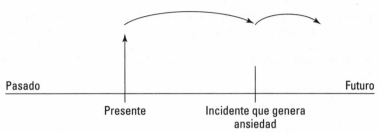

Pasado   Futuro

Presente   Incidente que genera
ansiedad

4. **Pídele a tu inconsciente que aprenda lo que necesita aprender del evento para deshacerte de la ansiedad de manera fácil y rápida.**

5. **Cuando tengas la información que necesitas, flota un poco más adelante hacia el futuro sobre tu línea del tiempo, hasta que estés 15 minutos después de la feliz conclusión del suceso que te generaba ansiedad.**

6. **Date la vuelta y mira hacia el presente. Nota que ahora estás tranquilo y que se ha desvanecido la ansiedad.**

7. **Cuando estés listo, flota de vuelta al presente.**

8. **Sólo por curiosidad, intenta la siguiente prueba: ve al futuro, al incidente que te producía ansiedad, y comprueba que la ansiedad ya no existe.**

Crear un futuro mejor

Ahora que ya sabes cómo viajar a lo largo y ancho de tu línea del tiempo, piensa en lo maravilloso que sería llevar a tu futuro un par de metas irresistibles.

Nunca olvides examinar cuáles son tus motivos a la hora de establecer y alcanzar tus metas para asegurarte de que tales objetivos se ajustan a todos los aspectos y áreas de tu vida, tal como se señala en el capítulo 3 en la sección "Para superar incluso a los mejores: crear resultados bien formados". Al examinar a conciencia nuestros motivos, nos aseguramos de que no haya por ahí algunas emociones negativas ocultas impulsándonos. Por ejemplo, si ahora quieres concentrarte en ganar mucho dinero, antes sería bueno saber si tal deseo surge de un sano afán de seguridad y comodidad para ti y los tuyos y también de ayudar a aquellos menos favorecidos, no porque quieres escapar de una niñez pobre y miserable. Examinar los motivos también te ayudará a identificar cualquier posible miedo inconsciente que pueda merodear por ahí, como por ejemplo: "De hacerme rico, la gente sólo querrá hacerse amiga mía por el dinero, no porque realmente me aprecien". Un análisis exhaustivo de estos asuntos contribuirá a la cristalización de las razones precisas detrás de sus deseos, y entonces podrá tomar las medidas necesarias para superar cualquier asunto inconsciente sin resolver.

1. **Busca un lugar tranquilo y seguro, donde te puedas relajar, y diseña tu objetivo.**

   En el capítulo 3 encontrarás lo que necesitas saber sobre cómo crear objetivos y metas.

2. **Ahora asciende sobre tu línea del tiempo, de manera que alcances a ver tu pasado y futuro extendiéndose abajo, ante tus ojos.**

3. **Sin descender, continúa flotando sobre tu línea del tiempo hacia delante, hasta estar justo encima del tiempo, para cuando quisieras haber alcanzado tu objetivo.**

4. **Date la vuelta, mira hacia el presente y permite que todos los sucesos a lo largo de tu línea del tiempo se alineen de manera que respalden tu objetivo, fijándote en todas aquellas cosas que tendrás que hacer y ajustar a lo largo del camino.**

5. **Cuando estés listo, flota de vuelta al presente hasta llegar a tu habitación.**

Curándonos a lo largo de la línea del tiempo

(Kate) Mi amiga Tara compartió conmigo una experiencia inspiradora. Tara sufría desde los 18 años de una sinusitis grave. Su condición era tan delicada que se veía obligada a tomar antibióticos tres o cuatro veces al año para aliviar los síntomas. Para cuando Tara asistió a un taller sobre la Terapia de Línea de Tiempo ya se había sometido a tres fallidas operaciones para remediar su sinusitis y los doctores le habían dicho que no tenía más remedio que convivir con su enfermedad o mantenerse a base de esteroides. Durante el taller, Tara descubrió que los síntomas se agravaban cuando necesitaba la atención de una persona en particular, cuando se veía abrumada por la gente y los eventos o cuando necesitaba que alguien la cuidara. Entonces se puso a explorar la posibilidad de que el comportamiento físico de su cuerpo fuera psicosomático. Al investigar sobre posibles creencias limitantes subyacentes y posibles beneficios ocultos que derivaban de su enfermedad, Tara comprendió que había levantado toda una Gestalt en torno a su enfermedad. Recordó que, cuando era niña, su hermano había recibido atención

en exceso por parte de su madre porque el niño sufría de asma y que, por el contrario, la única vez que Tara recibió atención similar fue cuando padeció una crisis de amigdalitis. El padre de Tara también sufría de sinusitis crónica, de manera que la enfermedad de Tara además le otorgaba algo en común con su padre. También creía que no podía deshacerse de los síntomas de su enfermedad por sí sola. Sin embargo, Tara aceptó que le era posible recibir la atención de la gente sin necesidad de estar enferma, que podía pedir amor y cariño y que no había nada de malo en reconocer y admitir las circunstancias en las que se sentía abrumada. Viajó hacia atrás en su línea del tiempo al momento cuando, en su opinión, ocurrió por primera vez el evento emocionalmente significativo (EES). Comprendió que aquel instante coincidió con los primeros celos que sintió por la atención que recibía su hermano. Y logró deshacerse de la Gestalt asociada a tal suceso. Desde entonces, marzo de 2002, no ha tenido episodios de sinusitis ni ha vuelto a recurrir a antibióticos.

Capítulo 14

Todo en orden bajo cubierta

* *

En este capítulo

▶ Descubrir que nuestro inconsciente puede tener partes en conflicto

▶ Aprender a superar comportamientos contraproducentes

▶ Experimentos para integrar partes del inconsciente

▶ Extrapolar la solución personal de conflictos a nivel de equipos, organizaciones y naciones

* *

¿**R**ecuerdas haber participado o visto un juego de tira y afloja con una cuerda? Aunque ambos equipos gastan una enorme cantidad de energía, al menos durante un buen rato ninguno de los dos logra arrastrar al otro. Todo conflicto, ya sea en tu interior o con otra persona, se parece a ese juego, donde los dos equipos tiran en direcciones contrarias sin llegar a ningún lado.

Cuando el conflicto se produce en nuestro interior, por lo general los contrincantes son nuestra mente consciente y el inconsciente. "No sé qué me pasó", "Perdí el control", "Una parte de mí quiere esto y otra lo otro...". Frases como estas nos dan una idea de lo que es y de cómo opera nuestro inconsciente, aunque no nos hayamos dado cuenta. Tomemos por caso una persona que sabe que fumar le hace daño, pero sigue fumando porque el inconsciente anhela estar en compañía de sus amigos, casi todos los cuales fuman.

La Enciclopedia PNL (a la que puedes acceder en www.nlpu.com) define conflicto así: "Psicológicamente hablando, el conflicto es una lucha mental, algunas veces inconsciente, que resulta cuando distintas representaciones del mundo se mantienen en oposición o exclusividad". En otras palabras, un conflicto surge cuando dos mapas del mundo entran en colisión. Si los dos mapas se reconcilian, es posible eliminar el conflicto y en este capítulo te diremos cómo hacerlo.

Una jerarquía del conflicto

El conflicto puede ocurrir a distintos niveles de una jerarquía constituida por la identidad, los valores y las creencias, las capacidades y habilidades, el comportamiento y el entorno. De manera que, cuando te estés preguntando por alguno de los conflictos a los que te enfrentas, te puede ser muy útil conocer el nivel al que tendrás que enfrentarlo. Por ejemplo, si tú, en tanto que gerente, consideras que en el fondo es la gente la que hace que tu compañía tenga éxito pero te concentras más en la tecnología que en la gente, quizá necesites modificar tu conducta para que se ajuste a las necesidades de tu personal y, en último término, a tus creencias.

Ahora bien, esta jerarquía de los niveles lógicos también se conoce como niveles neurológicos, porque están conectados a nuestros procesos mentales y, por lo tanto, con el cerebro y sus interacciones con el cuerpo. (En el capítulo 11 encontrarás más información sobre niveles lógicos.) Tales niveles neurológicos operan según una jerarquía —parecida a los escalones en una escalera— donde la identidad equivaldría al travesaño más alto y el entorno al primero de abajo. Si se logra identificar el verdadero nivel lógico con el que estamos lidiando, entonces el conflicto será más fácil de resolver.

A continuación veremos algunos ejemplos de conflictos a los que te podrías enfrentar en los distintos niveles lógicos:

✔ **Identidad:** Con frecuencia nos vemos en la obligación de desempeñar múltiples roles (tanto en nuestra vida privada como en nuestro trabajo) que tiran de nosotros en diferentes direcciones... seamos padres o hijos. Quizás tú quieres ser a la vez "buen padre" y "empleado comprometido". Quizá quisieras ser un "un buen tipo amable y poco complicado" y a la vez "un gerente que genera alta rentabilidad". Quizás haces esfuerzos por ser un "buen hijo que ayuda a sus padres" o un "voluntario que ayuda a la comunidad" al mismo tiempo que quiere formar parte de la *jet set* internacional.

✔ **Valores y creencias:** A veces tenemos un conjunto de creencias que no parecen cuadrar muy bien entre sí o no coinciden con nuestros valores. Quizá queremos ser felices pero pensamos que no lo merecemos. Quizá valoramos tanto la salud como el dinero, pero en el fondo creemos que es imposible tener ambas al mismo tiempo. Quizá tenemos en alta estima la vida en familia y el éxito a nivel global pero no tenemos modelos que podamos seguir en los que estos dos valores estén cómodamente sentados el uno al lado del otro en calidad de iguales.

✔ **Capacidades y habilidades:** Quizá poseemos una maravillosa mezcla de habilidades y capacidades pero no encontramos la manera de usarlas a plenitud y satisfacción. Así, quizá nos vemos luchando por encontrar un trabajo que satisfaga nuestra habilidad para construir y hacer cosas con nuestras manos y al mismo tiempo emplear nuestra capacidad para controlar a un equipo de gente. Quizá seas un gran músico y también un excelente médico de profesión y no sabes dónde invertir tu energía.

✔ **Conducta:** Podemos llegar a vernos comportándonos de manera que no nos conducen al logro de nuestros objetivos. Por ejemplo, ¿te has visto alguna vez ante la urgencia de realizar un trabajo importante pero haber pasado horas ordenando tu mesa o tus archivos? O quizá te has visto alguna vez deseando iniciar una dieta pero de pronto te has encontrado con la tostada bien untada de mantequilla dentro de la boca sin saber cómo había llegado hasta allí.

✔ **Entorno:** En ocasiones podemos enfrentarnos a un dilema respecto a los lugares que frecuentamos o a la gente con la que pasamos la mayor parte de nuestro tiempo. Quizá nos estamos relacionando con la gente equivocada, por ejemplo personas a las que en el fondo no les interesa nuestro bienestar o a las que nuestra familia desaprueba. Quizás una parte tuya desea irse de casa e independizarse; o quizás una parte tuya anhela vivir en tu país de origen pero otra añora explorar el mundo: quieres estar en dos lugares al mismo tiempo pero no logras establecerte en ninguno.

Tan pronto como te oigas a ti mismo (u oigas a otros) decir cosas como "En fin, una parte de mí quiere... y otra desearía..." ten la absoluta seguridad de que te enfrentas a un conflicto interno que se resiste al razonamiento lógico.

Sólo estamos en absoluta armonía con nosotros mismos cuando cada uno de los niveles lógicos está alineado con los otros. El conflicto personal surge cuando lo que queremos lograr o lo que creemos o quizás incluso lo que este momento estamos haciendo no se ajusta a los otros niveles de la jerarquía. Así, la meta de conseguir un salario astronómico puede entrar en conflicto con tu identidad de "soy buen marido y padre" porque no dispones de tiempo para estar con tus seres queridos. La resolución de conflictos se logra discutiendo, pensando y haciéndose preguntas respecto a uno mismo y a la gente que se ve afectada por nuestras decisiones, y pensando cómo encontrar nuevas formas de alcanzar nuestras metas y alinear nuestros niveles lógicos.

Del todo a las partes

Nuestros recuerdos están ordenados según una Gestalt, que no es más que la asociación de una serie de recuerdos relacionados. Una Gestalt puede empezar a formarse cuando vivimos una experiencia que genera, en primer lugar, una respuesta emocional, vivencia conocida como Evento Emocional Significativo o EES. A partir de la premisa de que en algún punto nuestro inconsciente es un todo integral, las partes se constituyen a partir de un EES. Y como resultado del EES, se forma una frontera en torno a una parte del inconsciente que ahora queda separada del resto. Esta parte empieza a funcionar como una especie de "mininosotros", "miniyo", con su personalidad, valores y creencias propias. Del mismo modo que nuestro "yo" consciente, esta parte exhibirá conductas que tienen intenciones y propósitos expresos. Desafortunadamente, estos comportamientos pueden entrar en conflicto con la verdadera intención de la parte. Alguien que cree que jamás fue amado de niño puede desarrollar tendencias que le llevan a robar en tiendas y supermercados porque su inconsciente añora atención y reconocimiento a pesar de que la atención que va a recibir con esta conducta no sea precisamente la que desea.

Las intenciones de las partes

Uno de los principales presupuestos de la PNL es que todo comportamiento tiene una intención positiva. Por ejemplo, la intención de una persona que se fuma un cigarrillo puede ser relajarse. (Ve al capítulo 2 para más información sobre los presupuestos PNL.) A veces la conducta que nuestra parte inconsciente nos obliga a exhibir no satisface su necesidad subyacente. Un alcohólico puede beber para adormecer el dolor que le dejó el abandono de su esposa. En efecto, la parte inconsciente pide a gritos un poco de amor, pero la conducta que se manifiesta, beber en demasía, no satisface aquella necesidad subyacente. La respuesta descansa en descubrir y comprender cuál es la necesidad real y satisfacerla positivamente. De manera que si el alcohólico logra salir de su estupor y reconocer que lo que necesita no es alcohol sino amor, quizá deje de beber, se ordene, aprenda las lecciones que le dejó su fracaso matrimonial y se levante dispuesto a conseguir el amor que quiere.

Llegar al meollo del problema

Con frecuencia una parte de nuestro inconsciente nos puede crear problemas. Las razones detrás de dichos problemas pueden no ser fáciles de entender de manera lógica. Por ejemplo, en un momento dado podemos desarrollar un súbito temor por una actividad cotidiana como desplazarnos al trabajo o encontrarnos con gente. Ahora, es posible que demos con el verdadero propósito oculto detrás de la intención de la parte que lo genera, volviendo hacia atrás y examinando cada razón o intención a medida que estas surgen. Cuando llegamos al verdadero propósito subyacente de la parte, nos será posible asimilarlo para incorporarlo a este todo integral más grande que es nuestro inconsciente. La anécdota a continuación ilustra lo que ocurre cuando el inconsciente dirige o impulsa la motivación de la parte. Más adelante en este mismo capítulo, en la sección "Ser íntegro: integrar nuestras partes", podrás ver cómo integrar dos partes en conflicto.

Oliver era un exitoso joven graduado con honores en administración de empresas que tenía su carrera empresarial muy bien delineada. Sabía lo que quería lograr y bien escalonados los tiempos para ir alcanzando sus metas. Estaba encantado el día en el que lo ascendieron al puesto de sus sueños como vicepresidente de Planificación y Estrategia en una importante corporación. Pero justo a punto de embarcarse en un viaje para visitar las distintas instalaciones en Europa, ocurrió la catástrofe. Oliver empezó a despertarse a media noche con el corazón palpitante, ahogándose y con sudor frío. Su médico le aseguró que no era nada fisiológico.

Al hablar sobre las posibles razones de su condición con un practicante de PNL, Oliver pudo señalar varios asuntos relacionados con su ascenso: estaría fuera de casa durante periodos más largos; se vería obligado a vivir en hoteles y, por último, tendría menos tiempo para hacer deporte, algo que Oliver hacía con verdadera pasión. Oliver y su guía en PNL examinaron cada una de estas capas de objeciones y pormenores y las descartaron por superficiales en lo que concernía a su salud física.

Durante un estado de relajación profunda, Oliver recordó una ocasión en la que reprobó matemáticas siendo niño. Tanto el profesor como los padres de Oliver esperaban mucho del chico, y él sentía que los había defraudado al no haber superado la rigurosa prueba. Oliver comprendió que, aunque el ascenso le daba la oportunidad de asumir lo que había sido el trabajo de sus sueños, el puesto tenía demasiada envergadura y entonces su inconsciente lo protegía contra una posible humillación tras un nuevo fracaso. Y lo hizo generando el malestar físico que terminaría por interponerse en el camino a su trabajo soñado.

Con la ayuda de su guía en PNL, Oliver comprendió que sus padres y el profesor lo habían empujado más allá del nivel de sus capacidades y, de alguna manera, lo habían condenado al fracaso. Pero también reconoció que había tenido éxito en su carrera gracias a sus habilidades y que podía destacarse mucho. Aprendió que podía cometer errores y enfrentarse al fracaso y que también esto estaba bien siempre y cuando fuera lo suficientemente flexible para aprender de los reveses y utilizar la lección para seguir adelante.

Cuando queremos lograr algo en nuestra carrera o en un proyecto muy cercano a nuestro corazón, siempre podemos estrellarnos contra un muro. Conviene entonces buscar un lugar tranquilo y tiempo suficiente para examinar qué cosas podemos estar haciendo para levantar barreras que nos impidan llegar a nuestra meta.

¡Socorro! ¡Tengo un conflicto conmigo mismo!

Sabotearnos a nosotros mismos es uno de los síntomas que podemos llegar a manifestar cuando una parte de nosotros entra en conflicto con otra y, entonces, todos y cada uno de los intentos que hacemos para alcanzar un objetivo se ve minado por una de esas partes en conflicto. A continuación exponemos dos maneras frecuentes de sabotearnos que no debes perder de vista.

Escucha la voz de tu inconsciente

Igual que ocurre en cualquier intento por comunicarnos, si comprendemos que el autosabotaje no es más que la manera como nuestro inconsciente intenta comunicarse con nosotros, podemos ayudar en el proceso examinando la intención positiva detrás del comportamiento que nos impide alcanzar nuestra meta. Es posible cambiar la conducta contraproducente por otra más positiva pero que al mismo tiempo satisfaga las intenciones del inconsciente. Por ejemplo, el fumador que quiere dejar de fumar pero sigue haciéndolo porque añora la compañía de sus amigos que fuman, podría satisfacer su necesidad de amistades creando un nuevo grupo de amigos que no fuman o dedicándose a una nueva actividad que le ayude a crear amistades con estilos de vida más saludables.

Tomar partido

Lo más probable es que termines por optar por una de las dos partes en conflicto tras establecer que una de las dos no te conviene y, por tanto, la eliminas a pura fuerza de voluntad. En ese caso el resultado es similar a lo que ocurre cuando apretamos un globo lleno de aire. Si el globo no está lleno del todo, el aire desplazado se traslada al otro extremo. Ahora, si está completamente lleno, el globo revienta. Del mismo modo, al tiempo que sofocamos una parte de nosotros mismos, la parte aparecerá en otro lado, ya sea mediante un comportamiento anómalo, un síntoma fisiológico (un globo deforme) o un colapso nervioso (el estallido).

Fiona sufría de un eccema tan horrible que siempre se cubría completamente el cuerpo. Durante una terapia descubrió que los síntomas eran consecuencia de haber sido agredida en el colegio, lugar donde lo único que siempre quiso hacer fue esconderse. Ahora su inconsciente, a su estilo, le ofrecía una manera de esconderse.

Ser íntegro: integrar nuestras partes

Cuantas más partes hay, más posibilidades de conflicto... de modo que el ideal al que deberíamos aspirar es el de la unicidad absoluta o integridad completa. Las dos técnicas más utilizadas para integrar partes en conflicto se conocen como el *apretón visual* y el *reencuadre*.

No todas las partes del inconsciente están en conflicto unas con otras. Sin embargo, tomamos conciencia de las que están en conflicto cuando nos topamos con problemas como querer ser saludables pero no poder dejar de fumar o querer ser delgados pero no evitar atiborrarnos. Bien, podemos lidiar con estas partes revoltosas a medida que se manifiesten. Si se trata de más de dos partes, podemos organizarlas en pares.

El apretón visual

En principio, este proceso implica, primero, identificar las partes en conflicto, y luego, descubrir su común intención antes de integrarlas.

A la hora de integrar tus partes, ten en cuenta lo siguiente:

✔ Cuando intentas descubrir qué quiere cada una de las partes, es posible que recibas una respuesta negativa. Por ejemplo, si lo que quieres es hacer más ejercicio, una respuesta negativa podría ser: "Pero no quiero dedicar demasiado tiempo al ejercicio". Lo que debes hacer para lograr un resultado positivo es decirte algo así: "Quiero hacer un ejercicio que se ajuste a mi estilo de vida".

✔ Siempre es mejor trabajar con la ayuda de un guía en PNL o por lo menos con un colega que pueda controlar tus respuestas y sea capaz de estimularte con ellas.

Para que el siguiente ejercicio tenga éxito, primero debes saber cuál es la intención común de cada una de las partes antes de intentar integrarlas. Es útil hablarles a las partes y hacerles ver que cada una de ellas tiene buenas intenciones respecto a la otra y que el conflicto lo único que hace es impedir a ambas partes alcanzar su común propósito.

1. **Identifica dos partes en conflicto.**

   Por ejemplo, un parte quiere gozar de buena salud al mismo tiempo que otra ofrece una descomunal resistencia cada vez que quieres salir a hacer ejercicio.

2. **Siéntate en un lugar tranquilo, donde nadie se acerque a molestarte.**

3. **Pídele a la parte problemática que salga y se pose sobre una de tus manos.**

   En el ejemplo del paso 1, esta sería la parte a la que no le gusta hacer ejercicio.

4. **Imagina que la parte es una persona y ahora mira qué aspecto tiene, cómo se expresa y qué siente.**

5. **Pídele a la parte no conflictiva que salga y se pose sobre tu otra mano.**

   En el ejemplo del paso 1, esta sería la parte que quiere ser saludable.

6. **Imagina que la parte es una persona y ahora mira qué aspecto tiene, cómo se expresa y qué siente.**

7. **Empezando por la parte conflictiva, pregúntales a las dos por su intención y propósito positivos: "¿Cuál es tu intención y propósito positivo?" Repite la pregunta hasta que ambas partes comprendan que ambas tienen la misma intención.**

   La parte reacia al ejercicio quizá diga cosas como, "me canso mucho", "hay que conservar energías" o "en realidad lo que yo quiero es hacer del mundo un lugar mejor". En contraste, la parte que quiere gozar de buena salud quizá diga: "Me encanta la efervescencia que siento", "gano energía" o "quiero hacer del mundo un lugar mejor".

8. **Pregúntale a cada una de las partes qué recursos podrían ser útiles a la otra para cumplir el propósito positivo que ambas quieren alcanzar.**

   La parte reacia a hacer ejercicio quizá diga cosas como "tengo imaginación suficiente para concebir soluciones mejores" o "conozco y entiendo los problemas de la gente". A su vez, la parte saludable quizá diga: "Tengo la energía necesaria para cambiar el mundo" o "Tengo la disciplina que se necesita para cambiar el mundo".

9. **Junta tus manos con un apretón e integra las dos partes y sus respectivos recursos viendo ahora a un nuevo tú, oyendo aquello que tu nuevo yo quiere decir y reconociendo los nuevos sentimientos y emociones que quizás te emarguen.**

10. **Utilizando las técnicas aprendidas en el capítulo 13, vuelve atrás en el tiempo, al punto antes de tu concepción, y sigue tu línea del tiempo hasta hoy, ahora, con tu nuevo ser recién reintegrado, cambiando tu propia historia a lo largo de tu línea temporal.**

No olvides que tus recuerdos no son más que un reducto de tu mente. Si en el pasado optaste por tomar una decisión como "el ejercicio me aburre y me cansa", el resto de tu línea del tiempo está montada sobre esa decisión.

Si ahora logras resolver tal asunto integrando tu antigua decisión con la nueva de querer ser saludable, podrás cambiar tu línea del tiempo de manera que se acomode a tu nuevo ser saludable.

Cambiar el marco: hacer como si...

El sentido y significado de una interacción siempre depende del contexto en el que esta tiene lugar. De manera que, al cambiar el contexto —el marco— de una experiencia, podemos cambiar su significado. Por ejemplo, si alguien te critica por ser muy subjetivo, podrías agradecérselo porque sabes que eso puede significar que eres bueno con la gente o que tienes ideas originales.

El marco de referencias al que aludimos diciendo "hacer como si..." es excelente para resolver conflictos porque nos permite fingir o aparentar y explorar posibilidades en las que de otro modo no hubiéramos pensado.

Cuando entramos en conflicto, ya sea con nosotros mismos o con un tercero, utiliza los siguientes marcos de referencia del tipo "hacer como si..." para ayudarte a resolver el problema.

✔ *Salto en el tiempo*: Viaja unos seis meses o un año al futuro; desde allí, mira hacia el presente y pregúntate qué has hecho para resolver el problema.

Álvaro tenía un puesto bien pagado en el que estaba más o menos contento. Sin embargo, su jefe tenía sus favoritos en el departamento en cuestión y Álvaro sentía que le estaban marginando. Álvaro llevaba tiempo pensando que le gustaría trabajar para una gran multinacional pero sentía que sus habilidades no estaban a la altura. En fin, el hecho es que él optó por utilizar el método de crear resultados bien formados (ver capítulo 3: "Asume el control de tu vida") para diseñar su puesto ideal. Intentó también el cambio o salto de tiempo adentrándose cinco años en su futuro, asumiendo que ya tenía el trabajo soñado. Entonces comprendió que, primero, tendría que trabajar para una de las compañías rivales de su actual empresa y que dos años más adelante terminaría trabajando en su puesto ideal para la multinacional de su preferencia.

✔ *Cambio de persona*: Imagina que eres alguien (un tercero) a quien respetas y pregúntate qué harías si pudieras cambiar de cuerpo con esa otra persona durante un día.

Georgina realmente admiraba a la actriz Amanda Tapping (la oficial Samanda Carter en la serie de televisión *Stargate*). Georgina hizo como si cambiara de cuerpo con Amanda Tapping y descubrió que, a pesar de que su actual trabajo, ofreciendo apoyo informático para sistemas de computadoras, le servía para pagar la hipoteca, en realidad no satisfacía su alma. Como Amanda Tapping, sin embargo, Georgina descubrió que en realidad quería trabajar en el cine, trayendo a la vida historias creadas por la imaginación de la gente. Aunque Georgina sabe muy bien que el mundo del cine ofrece muchos riesgos, ya dio el primer paso matriculándose a media jornada en un curso de redacción de guiones cinematográficos.

✔ *Cambio de información*: Supón que ya tienes toda la información que necesitas para encontrar una solución a tu problema; ¿qué sería esa información y, de tenerla, cómo cambiarían las circunstancias?

Georgina utilizó el cambio de información para desglosar las cosas que debería hacer para vivir su sueño de convertirse en guionista de cine. Por consiguiente, empezó a tomar unos cursos nocturnos de redacción de guiones y además se puso a trabajar los fines de semana en un instituto vecino, en proyectos que realizaban algunos estudiantes. En la actualidad se encuentra pensando en trabajar a media jornada en alguna productora de cine para poder pasar más tiempo en busca de su sueño.

✔ *Cambio de función*: Pídele a tu hada madrina que agite su varita mágica y cambie un componente en el sistema dentro del cual estás sintiendo una molesta restricción. Por ejemplo, crees o sientes que no progresas en tu trabajo, o tu matrimonio pasa por un mala racha. ¿Qué cambiarías en el entorno y como incidirías sobre el resultado?

Cristina trabajaba como enfermera en una clínica veterinaria con mucho movimiento; amaba su trabajo pero no dejaba de sentir que le faltaba algo en la vida. Pidió ayuda a su hada madrina. El inconsciente de Cristina —en este caso, su hada madrina— le llevó a reconocer que ella quería hacer el bien allí donde realmente la necesitaran seres humanos y animales que no podían pagar una costosa clínica veterinaria. Hoy por hoy, Cristina trabaja en una reserva animal en la India, sigue amando lo que hace y se siente completamente realizada.

Mejores y mayores conflictos

Si has leído este capítulo desde el comienzo, es probable que ya te hayas formado una idea clara respecto a los conflictos intrapersonales (conflictos en el interior de una persona) y sobre cómo empezar a resolverlos. Con todo, quizá lo que ahora te estés preguntando es si será posible extrapolar este modelo de conflicto intrapersonal. La respuesta es que sí, se pueden desarrollar los mismos principios a las relaciones y negociaciones que tienen lugar entre dos personas, dentro de un equipo de trabajo, una familia o un grupo social; entre empresas y organizaciones diferentes, e incluso entre entidades internacionales de mayor escala. A continuación veremos algunos ejemplos de estos conflictos mayores:

✔ **Conflicto interpersonal:** Cuando dos o más personas responden a necesidades diferentes que no se pueden satisfacer al mismo tiempo.

✔ **Conflicto intragrupal:** Aquel que se da entre dos o más personas dentro de un mismo grupo, por ejemplo un equipo o un departamento de una institución.

✔ **Conflicto intergrupal:** Aquel que se da entre dos o más grupos de personas, por ejemplo peleas entre pandillas o entre compañías por liderar el mercado.

✔ **Conflicto internacional:** Allí donde dos o más naciones entran en disputa debido a sus necesidades.

✔ **Conflicto global:** Cuando y donde las necesidades humanas no pueden verse satisfechas a pesar de que la gente no pertenezca a ningún grupo, como sería el caso de un grave agotamiento del agua potable.

Para negociar un resultado exitoso, en todas estas situaciones es posible usar el proceso que se esboza en el ejercicio que presentamos a continuación.

Este ejercicio se basa en el proceso utilizado por la PNL para integrar partes en conflicto, como se expone en las secciones "El apretón visual" y "Cambiar el marco: hacer como si...", tratadas antes en este mismo capítulo.

1. **Imagina que te encuentras desempeñando el papel de negociador de conflictos entre partes en disputa.**

2. **Pregúntale a cada una de las partes: "¿Cuál es tu intención positiva?" Sigue preguntando a las dos partes hasta dar con algunas necesidades esenciales que ambas partes acepten compartir.**

3. **Pídele a cada una de las partes que reconozca el territorio en común y que lo resguarden.**

4. **Quizá recurriendo al marco de "hacer como si..." exploren soluciones alternativas al problema (ve a la sección "Cambiar el marco: hacer como si..." en este mismo capítulo).**

5. **Decide qué recursos puede llevar cada parte a la mesa de negociaciones para ayudar a resolver el conflicto.**

6. **Siempre ten en mente el propósito común y haz lo posible por buscar un resultado en el que todos ganen.**

Y recuerda, parafraseando a Einstein, es mucho más importante tener imaginación que conocimiento, porque el conocimiento nos encasilla en el reino de lo conocido mientras que la imaginación nos permite descubrir y crear nuevas soluciones. De manera que recurre a tu imaginación para crear un poco de pensamiento lateral, capaz de generar soluciones novedosas.

Parte V

Palabras seductoras

En esta parte...

Se examina el poder del lenguaje... y compartimos contigo los secretos de los mejores comunicadores del mundo. Verás cómo el lenguaje que utilizas no se limita a describir tus vivencias sino que también es capaz de crearlas. Si quieres saber cómo aprovechar al máximo una anécdota o una historia o cómo embelesar a un auditorio entero (¡en vez de dormirlo!), también encontrarás información al respecto.

Hemos añadido, además, un capítulo en el que compartimos las preguntas más poderosas que se pueden hacer cuando se trata de llegar al meollo de un asunto.

Capítulo 15

El meollo del asunto: el metamodelo

¿Alguna vez le has pedido a alguien, incluso a ti mismo, que diga lo que piensa? ¡Qué bueno sería que hablar fuera tan fácil!

Siempre estamos usando palabras para expresar nuestros pensamientos e ideas, para explicar y compartir nuestras experiencias con otros. En otra parte en este libro (ver la figura de la rueda de la comunicación en el capítulo 7) afirmamos que, cuando la gente habla cara a cara, sólo parte de lo que las personas quieren decir lo desciframos de las palabras que salen de sus bocas. El lenguaje corporal, todos aquellos movimientos y gestos además del tono de la voz, se encargan de transmitir el resto.

Las palabras apenas ofrecen un modelo, un símbolo de nuestra experiencia; jamás podrán describir la totalidad del asunto. Igual que ocurre con un iceberg, las palabras son sólo la punta que sale a la superficie del glaciar. En PNL se habla de la *estructura superficial del habla*. Bajo la superficie descansa el resto del iceberg, el verdadero hogar de la experiencia total e integral. En PNL esto se conoce como la *estructura profunda*.

En este capítulo queremos llevarte de la estructura superficial hasta la estructura profunda para que puedas ir más allá de la vaguedad de las palabras que usamos al hablar en la vida cotidiana y ser más específico sobre lo que quieres decir. Conocerás la magia del metamodelo, una de las más importantes contribuciones de la PNL para aclarar el sentido de lo

Ha sido un día largo y difícil

Una sobremesa después de cenar en mi casa (Kate) suele ser así: "Entonces qué, ¿mucho trabajo hoy en la oficina?" Al relatar los acontecimientos más importantes del día, nuestra conversación suele girar en torno a lo que constituye un día de duro trabajo. Ahora bien, me pregunto: ¿un lapso de doce horas, sentados en una cálida y cómoda oficina, rodeados de lo último en computadoras y de maquinitas de café se puede considerar una dura jornada laboral?

La pregunta surgió mientras veíamos en televisión un documental sobre el mantenimiento de carreteras en el que mostraban a unos hombres cambiando de lugar conos y señales de tráfico a altas horas de la noche. Coincidimos en que eso sí era trabajo duro, trabajo en serio comparado con la realidad de un día duro para nosotros y la mayoría de nuestros amigos y colegas en una oficina.

¿Qué es un día duro para ti? Con esta mera oración podemos evocar gran cantidad de significados distintos. Las cualidades de la experiencia laboral si administramos un hogar o trabajamos en una oficina serán, comparativamente hablando, muy distintas, por ejemplo, a las de un bombero que se enfrenta a un incendio o a las de un obrero que coloca ladrillos expuesto a los elementos.

Así, una afirmación como "un día difícil" podrá interpretarse de mil maneras. Para atisbar el verdadero significado de lo que una persona dice, necesitamos más información… además de las palabras: todo aquello que no se dice, que queda fuera. Mientras continúas leyendo este capítulo, verás cómo podemos acceder de manera fácil a información relevante que te evitará saltar a conclusiones erróneas sobre la experiencia de otro.

que la gente dice. Nadie hace nunca una descripción cabal del proceso de reflexión mental que subyace a las palabras que profiere. Si lo hiciera, no terminaría de hablar. El metamodelo es una herramienta que te ayudará a acercarte y acceder más y mejor a la experiencia que los demás han cifrado en palabras.

Recoge información específica usando el metamodelo

Richard Bandler y John Grinder, los fundadores de la PNL, descubrieron que, cuando la gente habla, adopta de manera espontánea tres procesos clave relativos al lenguaje, procesos que denominaron así: *eliminación* (o *supresión*), *generalización* y *distorsión*. Estos procesos nos permiten contarles a los demás nuestras experiencias mediante palabras sin necesidad de entrar en interminables detalles y aburrirles hasta decir basta.

Estos procesos tienen lugar permanentemente, todos los días, a lo largo de nuestros encuentros cotidianos. Eliminamos información al no contar la historia completa. Hacemos generalizaciones cuando pasamos de una experiencia a otra. Y distorsionamos la realidad dejando volar nuestra imaginación.

La figura 15-1 muestra cómo nos percatamos del mundo real a través de nuestros sentidos: el visual (imágenes), el auditivo (sonidos), el cinestésico (tacto y emociones) y el gustativo (sabores). Sin embargo, todo lo que percibimos de la realidad pasa por unos filtros que ajustan o cotejan la información frente a aquello que ya sabemos a través de unos procesos de generalización, distorsión y supresión o eliminación. Así elaboramos nuestro mapa personal o modelo mental del mundo real.

Observando y analizando cuidadosamente a dos terapeutas con mucha experiencia mientras trabajaban hablando con sus pacientes, Bandler y Grinder construyeron el metamodelo lingüístico de la PNL para explicar el vínculo que se daba entre el lenguaje y la experiencia.

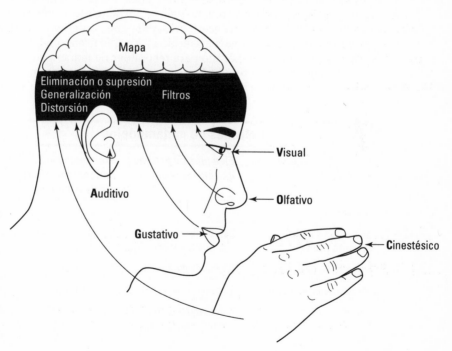

Figura 15-1:
Modelo de la
PNL de cómo
percibimos y
sentimos el
mundo que
nos rodea

A ambos les interesaba encontrar las reglas que determinaban cómo usamos el lenguaje los seres humanos. Estaban bajo la influencia de sus propios conocimientos de lingüística y gramática transformacional, una idea que generó representaciones sobre cómo la gente describe y registra su experiencia mediante el lenguaje. Sus resultados los publicaron en 1975 en un libro titulado *The Structure of Magic* (La estructura de la magia). A pesar de que su trabajo inicial provenía de la psicoterapia —en tanto que querían enriquecer las capacidades de quienes se dedicaban a "ayudar a la gente"—, los modelos a los que llegaron aportaron luces (a personas como tú y nosotras) sobre situaciones tan cotidianas y corrientes como hablar con amigos, parientes y colegas.

El metamodelo ofrece una serie de preguntas que nos permiten superar las supresiones, distorsiones y generalizaciones que hace la gente. Reconocerás algunas de las preguntas. Son preguntas que hacemos cuando queremos aclarar sentidos o significados, aunque quizá no nos hubiéramos dado cuenta de ello. Formuladas con amabilidad y tacto, estas preguntas nos permiten recoger información para hacernos a una idea más clara de lo que la gente en realidad quiere decir.

La tabla 15-1 resume algunas de las muchas maneras en las que podemos suprimir, generalizar y distorsionar una experiencia mediante el lenguaje que usamos. Por el momento no te preocupes por el nombre de los patrones de la PNL; por ahora es mucho más importante que agudices los oídos y escuches bien lo que dice la gente. A medida que aprendes a detectar los patrones de tus metamodelos preferidos y los que prefieren los otros, te verás cada vez mejor preparado para responder de manera adecuada. Te ofrecemos algunas sugerencias respecto a qué decir cuando buscas información que te ayudaría a estar seguro de que entiendes lo que la otra persona quiere decir.

Tabla 15-1 Patrones de metamodelos

Patrones de metamodelos de la PNL	Ejemplos de patrones que quizás escuches	Preguntas para recoger mayor información o ampliar el punto de vista del otro
Eliminación		
Eliminación simple ¡Necesito ayuda!	Estaba fuera ¿En qué necesitas ayuda?	¿Dónde exactamente?
Verbos poco específicos	Mi mujer me fastidia	¿Por qué te irrita?
Comparaciones	Es mejor que yo	¿Mejor para qué?
Juicios	Estás equivocado hechos concretos?	¿Quién lo dice y cuáles son los

Tabla 15-1 *(Continuación)*

Patrones de metamodelos de la PNL	Ejemplos de patrones que quizás escuches	Preguntas para recoger mayor información o ampliar el punto de vista del otro
Nominalizaciones va bien Cambiar es fácil	Nuestra relación no funcionando bien? ¿Cambiar qué es fácil?	¿Por qué no estamos
Generalización		
Operadores modales de posibilidad	No puedo... es imposible	¿Qué te lo impide?
Operadores modales de necesidad	Tenemos que hacerlo... es necesario	¿Qué ocurrirá si no lo hacemos?
Cuantificadores universales por mis sentimientos Siempre lo hacemos así	Jamás se preocupa ¿Todas y cada una de las veces? ¿Qué ocurrirá si lo hacemos de otro modo?	¿Nunca jamás?
Distorsión		
Equivalencia compleja de ser famoso	Con ese nombre, debe tiene que ser famoso?	¿Por qué con ese nombre
Lectura de la mente	Te va encantar esto...	¿Cómo lo sabes? ¿Quién lo dijo?
Causa y efecto La hice sentir muy mal	Su voz me irrita ¿Haciendo qué exactamente?	¿Por qué te irrita su voz?

Eliminación o supresión: qué poco específico eres

Cuando escuchamos a alguien, de manera natural ignoramos muchísimos sonidos que nos evitan el esfuerzo de procesar todas y cada una de las palabras. Del mismo modo, cuando hablamos economizamos muchos detalles que podríamos compartir. Esto se conoce como *eliminación* o *supresión*

Figura 15-2:
El lenguaje de la supresión

por la sencilla razón de que algo se ha omitido. La figura 15-2 ilustra algunas situaciones cotidianas de eliminación y supresión.

Simple y llanamente, nuestro sistema nervioso central recibe aproximadamente dos millones de fragmentos o *bits* de información por segundo. Imagina el tiempo y la energía que necesitaríamos para procesar todos y cada uno de esos fragmentos: ¡una tarea imposible, nos fundiríamos con tanta información!

Para ayudarnos a operar con máxima eficiencia, la eliminación se constituye en un valioso mecanismo de selección. Prestar atención selectiva es, en efecto, un proceso de eliminación. Y las supresiones en el lenguaje que usamos nos invitan a llenar los espacios en blanco: a imaginárnoslos, inventárnoslos. Si yo te digo, "Me compré un coche nuevo", tú inmediatamente empezarás a adivinar más información. Si no te cuento qué coche nuevo compré, te formarás tus propias ideas respecto a la marca, el color y el modelo.

Sin embargo, el inconveniente de la eliminación es que puede llegar a limitar y restringir nuestra forma de pensar y entender. Por ejemplo, podemos llegar a desarrollar un hábito en aquello de eliminar cierto tipo de información y señales que otros nos están enviando. Los elogios y las críticas son ejemplos clásicos. Hay personas expertas en suprimir los elogios que reciben y que, sin embargo, se especializan en registrar muy bien las críticas. Del mismo modo, también ignoran el éxito y sólo ven los fracasos. Si esto te suena, creo que ha llegado la hora de ir acabando con ese hábito.

Para recoger información que ha sido eliminada, pueden serte útiles las siguientes preguntas:

> ¿Quién? ¿Qué? ¿Cuándo? ¿Dónde? ¿Cómo?
>
> ¿Precisamente qué?
>
> ¿Exactamente qué?

Generalización: cuidado con los "siempre", "debemos" y "tenemos que"

Observa a un niño aprendiendo a montar en bicicleta por primera vez. Como verás, le presta suma atención a aquello de mantener el equilibrio y la dirección. Quizá necesite de unas ruedecitas estabilizadoras para empezar mientras adquiere destreza suficiente. Sin embargo, un par de semanas o meses después, ya será perfectamente competente y no tiene que volver a aprender a hacerlo cada vez que vuelve a montarse en una bicicleta: ha generalizado una experiencia para toda la vida.

Nuestra habilidad para generalizar a partir de experiencias pasadas es otra destreza más que nos ahorra enormes cantidades de tiempo y energía al aprender sobre el mundo. Y estas experiencias generalizadas las representamos en palabras. Piensa, por ejemplo, en el término "silla". Todos sabemos cómo es una silla. Seguro que te has sentado en miles de ellas y las has visto en cientos de formas distintas. De niños, sin embargo, aprendimos la palabra para representar una silla particular. Y luego hicimos la generalización, de manera que la próxima vez que viéramos una silla, pudiéramos nombrarla. Ahora (y desde hace ya mucho tiempo), cuando vemos una silla, sabemos qué es y cómo funciona.

Pero la capacidad de hacer generalizaciones también puede limitarnos la experiencia de muchas opciones y diferencias en otros contextos. Cuando hemos sufrido una mala experiencia, es posible que esperemos que toda experiencia semejante sea siempre igual y que siga ocurriendo una y otra vez. Un hombre que ha padecido una serie de desencuentros amorosos puede llegar a la conclusión de que "todas las mujeres son un quebradero de cabeza" y decidir que jamás va a encontrar a una mujer con la que pueda ser feliz.

Romilla y yo (Kate) conducíamos por una autopista a la salida de una reunión cuando, de pronto, mi colega hizo gala de su maravillosa habilidad natural para hacer generalizaciones al decir: "¡Dios mío! ¿Te has dado cuenta de que todo el mundo tiene mi coche?" Sorprendida, le pregunté cómo podía ser eso. Entonces me señaló que en los últimos diez minutos había visto por lo menos 15 Mini Coopers nuevos. Se trataba del coche del que Romilla se había enamorado y estaba pensando comprarse. Lo único que podía ver por todos lados eran las posibles combinaciones de colores en los que venía el nuevo coche. Yo, por supuesto, no había visto ni uno —después de todo no estaba interesada en un coche nuevo— y sólo me concentraba en el tráfico para salir de Londres.

Piensa en las generalizaciones que sueles escuchar sobre culturas o grupos particulares:

> Los ingleses toman té.
>
> Los americanos hablan a gritos.
>
> Los escoceses son muy tacaños.
>
> Los italianos conducen como locos.
>
> Las madres solteras le cuestan mucho dinero a la sociedad.
>
> No se puede confiar en los políticos.

Estas reflexiones son tan rígidas y tan en blanco y negro, que no dan cabida a la rica gama de grises y se convierten en generalizaciones sobre otra gente y otras situaciones que ayudan poco o nada. Deténte y escucha bien lo que dices. Cuando oigas esas palabritas que pueden delatar una generalización como "todos", "nunca", "siempre", etc. (la figura 15-3 ofrece varios ejemplos de generalizaciones de uso cotidiano), imponte un reto: "¿Todo el mundo es así? ¿Todos los clientes hacen eso? ¿Tenemos que hacerlo así?"

Figura 15-3:
El lenguaje de
las generali-
zaciones

Cuando escuches a alguien (incluso a ti mismo) generalizando, haz (o hazte) las siguientes útiles preguntas. Estas harán que te detengas y pienses si quizás estás limitando el número de opciones y te invitarán a adoptar una perspectiva más amplia.

¿Qué te detiene o te impide hacer algo?

¿Siempre? ¿Nunca? ¿Todos?

En ese caso, ¿qué ocurriría si...?

Imagina que sí puedes, ¿entonces qué?

Para empezar a explorar tus ideas respecto a lo que crees posible e imposible, a continuación incluimos un ejercicio fácil que puedes hacer en diez minutos. Pero ten cuidado: ¡puede cambiarte la vida!

1. **Observa las frases que siguen y anota algunas de las afirmaciones que hayas hecho (a ti mismo o a los demás) durante la semana pasada, que empezaran con estas palabras:**

   "Yo siempre..."

   "Debo..."

   "Tendría que..."

   "Jamás..."

   "Debería..."

   "Me toca..."

2. **Ahora detente.**

3. **Vuelve sobre la lista y, para cada afirmación, hazte las siguientes tres preguntas:**

   "¿Qué ocurriría si yo no...?"

   "¿Cuándo resolví eso...?"

   "¿Esta afirmación es cierta y me sirve ahora?"

4. **Examina tu lista a la luz de las preguntas que acabas de formular.**

5. **Genera una nueva lista revisada y reemplaza las palabras "yo siempre", "debo", "tendría que", "jamás", "debiera" y "me toca" por la palabra "decidí" u "opté por...".**

Al realizar este ejercicio no has hecho más que examinar algunos de los tipos de generalizaciones que sueles hacer (y que en PNL se conocen como *operadores modales* y *cuantificadores universales*). Luego, a partir del paso número 3, formulas unas preguntas del metamodelo para explorar opciones personales, propias. Al revisar las afirmaciones reformuladas como se indica en el paso número 5, vuelves a asumir el control de tus propias decisiones y comportamiento.

Distorsión: ese toque de fantasía

Disraeli estaba en lo cierto cuando dijo: "La imaginación gobierna el mundo". La *distorsión*, ese proceso mediante el cual cambiamos el significado de una experiencia frente a nuestro propio mapa de la realidad, es un ejemplo de lo que quería decir Disraeli. La figura 15-4 muestra algunos ejemplos de distorsión.

El problema de la distorsión, sin embargo, es que la mayoría de la gente no se da cuenta de que la distorsión no necesariamente representa la verdad. Es más, por el contrario, sólo suele representar la percepción de quien la hace. Por ejemplo, ¿te ha ocurrido alguna vez que, al salir de una reunión con un grupo de gente, todos hayan entendido de manera distinta lo que allí ocurrió? ¿O que al salir con un grupo de amigos de ver una película o una obra de teatro todos lo hayan hecho con una interpretación completamente distinta respecto al mensaje que suponen que la película o la obra de teatro quería transmitir? En fin, la distorsión se da cuando tomamos un aspecto de una experiencia y la cambiamos según lo que ocurre en nuestro interior.

La creatividad descansa sobre la capacidad que tenemos para distorsionar la realidad de manera que se establezcan nuevas e interesantes conexiones. La ciencia ficción y las tiras cómicas hacen distorsiones para entretener y

Sustantivos abstractos y la prueba de la carretilla

Lo que realmente nos gusta del metamodelo es que nos ayuda a precisar afirmaciones vagas. Si me dices, "El amor es doloroso", en realidad yo necesitaría más información para entender exactamente qué te está pasando.

No es fácil reaccionar o responder ante sustantivos abstractos, aquellos como amor, confianza, honestidad, cambio, miedo, dolor, obligación, responsabilidad, impresión. En la PNL este tipo de términos se conocen como *nominalizaciones*. Son palabras donde un verbo (amar) se ha convertido en un sustantivo (amor) que resulta difícil de definir de una manera en la que todo el mundo coincida. Así, para que me sea posible extraer mayor sentido a tu afirmación, me veré obligada a convertir de nuevo el sustantivo en un verbo para sacar más información y luego responder. Mi respuesta a tu afirmación anterior sería: "¿De qué forma específica te duele tanto la manera como estás amando a esa otra persona?".

Imagina una carretilla. Si piensas en un sustantivo cualquiera y puedes imaginarlo dentro de esa carretilla, entonces se trata de un sustantivo concreto: una persona, una maceta, una manzana o una mesa son ejemplos de sustantivos concretos. Las nominalizaciones son todos aquellos sustantivos que no pasan la prueba de la carretilla. No nos es posible meter el amor, el miedo, una relación, un dolor... dentro de nuestra carretilla. Sin embargo, al reformular tales conceptos en tanto verbos, les volvemos a insuflar, por decirlo de algún modo, acción y responsabilidad, y hacerlo, ayuda a la gente a explorar más opciones.

lo mismo se puede decir del arte, la poesía y la literatura. Ir a cine o a ver una obra de teatro, igual que leer una novela, nos proporciona libertad para descubrir nuestro propio sentido y establecer conexiones propias. La distorsión respalda nuestra habilidad para explorar nuestro mundo interior y nuestros sueños, y nos permite dar rienda suelta a nuestra imaginación.

Al mismo tiempo, también puede ser contraproducente ponernos a leer la mente de los demás. Entre otras cosas, aquello de leer la mente es otro ejemplo más de distorsión. Nunca podremos saber en qué está pensando otra persona, a pesar de que quizá tengamos algunos indicios interesantes. Entonces, cuando a una distorsión negativa se le suma una generalización, la cosa se puede tornar harto enfermiza o nociva. Un ejemplo de lo anterior es el caso de un niño que llega a casa del colegio y dice: "Todo el mundo me mira siempre que entro en clase y piensan que soy un tonto".

Abstente de emitir juicios sobre lo que la otra gente piensa mientras no hayas recogido suficiente información específica y cotejado esta con los hechos.

A continuación vamos a ver otro par de preguntas para que te las formules cuando quieras examinar un poco más los sentidos y significados distorsionados:

"¿Quién lo dice?"

"¿Cómo lo sabes?"

"Exactamente, ¿cómo *x* conduce a *y*?"

¿Algún tenista por ahí?

Hay ocasiones en las que la gente quiere algo de manera tan desesperada que creerá que lo que quiere que sea es cierto aunque toda evidencia demuestre lo contrario. Como profesor y preparador de tenistas, John Woodward encuentra que, en las ligas menores del tenis, no hay nada más frustrante que los padres demasiado competitivos.

"Son tales las ganas que tienen de ver ganar a sus hijos, que se ciegan ante los hechos del juego. Sólo ven lo que quieren ver, aunque no sea ni remotamente cierto, hasta tal punto que, mientras observan a sus hijos durante un partido, vociferan 'faltas' y 'fueras' a favor de sus estrellitas en ciernes. ¡Y los abuelos son aún peores! Una vez vi a un abuelo atacar con un paraguas a un contrincante de su nieto porque estaba convencido de que su muchacho había ganado una bola que todo el resto del mundo vio que había sido 'fuera'."

Reproducido con el permiso de John Woodward.

Utilizar el metamodelo

Las preguntas del metamodelo son una poderosa herramienta verbal en el ámbito de los negocios, la formación, la educación, la terapia y la vida en general. Nos permiten utilizar el lenguaje para ganar en claridad y acercarnos más a la experiencia de otros. Quizá te sea útil adoptar el metamodelo cuando quieras:

✔ **Conseguir más información** para entender mejor los objetivos y la envergadura de un nuevo proyecto.

✔ **Aclarar lo que otra persona quiere decir** para saber a ciencia cierta qué tiene en mente esa persona. ¿Están en la misma onda o haciendo suposiciones que creen entender?

✔ **Descubrir tus limitaciones y las de los demás** para trabajar sobre creencias y conductas habituales que quizá puedan ser perjudiciales.

✔ **Ampliar la gama de opciones** para explorar maneras distintas de hacer las cosas para ti mismo y para los demás.

Dos pasos sencillos

Cuando utilices el metamodelo, cuestiona primero las distorsiones, luego las generalizaciones y por último las eliminaciones o supresiones. Si empiezas por estas últimas, corres el riesgo de conseguir más información de la que puedes controlar.

Para usar el metamodelo, sigue estos pasos:

1. Escucha atentamente las palabras e identifica el patrón (distorsión, generalización o supresión).

   Remítete a la sección "Recoge información específica usando el metamodelo" al comienzo de este capítulo para encontrar una explicación sobre las pistas del lenguaje que te pueden ayudar a reconocer qué patrón sigue una persona al hablar.

2. Interviene con la pregunta adecuada.

   Para detectar distorsiones, pregunta:

   • ¿Cómo lo sabes?

   • ¿Qué pruebas tienes?

   Para detectar generalizaciones, pregunta:

   • ¿Siempre ocurre lo mismo? ¿Nunca?

   • ¿Qué ocurriría si...?

Para detectar supresiones, pregunta:

- Cuéntame un poco más...
- ¿Qué, cuándo, dónde, quién, cómo?

Un par de advertencias

Hay muchas maneras de preguntar: se pueden hacer preguntas considera-das y valiosas y otras que parecerían un interrogatorio de la Santa Inqui-sición. A continuación veamos un par de puntos que debes recordar... ¡No queremos que acabes peleándote con tu mejor amigo!

✔ Una buena comunicación mediante compenetración, o *rapport*, es lo primordial; sin ella, nadie te va escuchar. Para más información res-pecto a cómo crear un buen diálogo, dirígete al capítulo 7.

✔ La gente tiene que confiar en sí misma para estar dispuesta a abrirse cuando se trata de asuntos delicados. Márcale el ritmo. Encontrarás más información sobre seguir, dirigir y marcar el ritmo de alguien, en el capítulo 7.

✔ Asegúrate de que tienes claro lo que buscas o quieres lograr —tus re-sultados— al hacer las preguntas; de lo contrario te llenarás de infor-mación irrelevante además de que puedes pecar de ser poco amable.

✔ Usa un tono de voz amable y pausado, y formula preguntas delicadas. Conviene introducir las preguntas en medio de conversaciones y reuniones en curso antes que dispararlas como un encuestador callejero.

✔ Practica el metamodelo en ti mismo antes de salir disparado a interro-gar a parientes y amigos sin haber sido invitado. Hazlo con confianza y firmeza. De lo contrario, igual que Tomás en el ejemplo que veremos a continuación, la gente puede empezar a preguntarse qué demonios está ocurriendo y no agradecer tu nuevo y súbito interés.

Los viernes por la noche, tras una dura semana de trabajo en la Bolsa de Valores, Andrés se relaja un rato tomando una cerveza en su bonito bar fa-vorito, cerca de donde vive. Tras tomar un curso en PNL, no veía la hora de poner a prueba el metamodelo. Su compañero y amigo, Tomás, arquitecto, comentaba los hechos de la semana, en particular se refería a un altercado más bien serio que había tenido con un colega respecto a un proyecto im-portante.

Tan pronto como Tomás empezó su diatriba aseverando: "Nunca vuelvo a trabajar con ese tipo", Andrés se cuestionó su afirmación diciendo: "¿Cómo que nunca? ¿Estás seguro? ¿Qué pasaría si lo hicieras?"

Tomás se desconcertó y respondió: "Nuestra sociedad no va a funcionar; simplemente ya no nos comunicamos".

Andrés, feliz de haber pillado dos nominalizaciones seguidas en una misma oración, le interrumpió diciendo: "¿Cómo crees que podrías llegar a ser un buen socio de ese tipo? ¿Cómo podrías comunicarte con él?"

A lo que Tomás, horrorizado, respondió: "¿Pero ahora qué te pasa? Solías estar de mi parte".

En su entusiasmo por practicar la PNL, Andrés olvidó adecuarse al tempo de su amigo y entrar con delicadeza en el meollo del asunto haciendo uso sutil del metamodelo. Aquella noche, lo único que quería Tomás era quejarse un rato en compañía de un amigo dispuesto a escucharlo y comprenderlo.

Capítulo 16

Hipnotiza a tu auditorio

- -

En este capítulo

▶ Descubrir los trances cotidianos

▶ Descubrir el arte de ser ingenioso "con cierta vaguedad" a la hora de hablar

▶ Ayudarse del inconsciente

- -

Primera escena. Conduces tu coche a lo largo de una carretera un día cualquiera. Se trata de un tramo de carretera que conoces bien, uno por el que has viajado docenas de veces. Sabes hacia dónde vas. Llegas tu destino, detienes el coche y, de pronto, te das cuenta de que en realidad no tienes un registro mental de los últimos kilómetros transcurridos.

Segunda escena. Estás sentado con un grupo de gente. Quizá se trata de una reunión o algún tipo de clase o charla. De pronto pareces despertarte sobresaltado cuando una persona se gira para hacerte una pregunta: "¿Qué opinas de ese asunto?" Ay, Dios. Estabas en las nubes. En realidad, no tienes ni idea de qué están hablando.

Entonces, ¿qué ha ocurrido en estos dos casos? Que habías caído en lo que llamamos un *trance cotidiano*. Tu mente empieza a divagar, estás soñando despierto... un excelente ejemplo de la capacidad que tenemos para eliminar o suprimir los detalles de lo que nos rodean y hundirnos o perdernos en el relajado patrón que nos ofrece el trance. Escenas como las anteriores se dan todos los días y en todo el mundo, a cada instante.

En este capítulo entraremos, con los pies primero (no de cabeza), en el mundo del trance, y hablaremos sobre cómo utilizarlo en beneficio propio y ajeno. De manera más específica, hablaremos un poco más sobre ciertos patrones de discurso que podemos adoptar para comunicarnos con mayor eficacia, sondeando el inconsciente de los demás.

Milton H. Erickson: el maestro en su oficio

En tanto cautivante maestro y terapeuta, Milton H. Erickson (1901-1980), inspiró y encantó a quienes se le acercaron en busca de conocimiento para ser curados. Sus prácticas terapéuticas tuvieron resultados muy positivos en mucha gente y de ahí que fue considerado uno de las más influyentes hipnoterapeutas de nuestros tiempos.

Causó profunda impresión e impacto en John Grinder y Richard Bandler, los fundadores de la PNL, quienes incorporaron a su trabajo el modelo de Erickson en 1974 y luego publicaron varios libros en lo que demostraban los patrones lingüísticos que allí encontraron. Constituyen la base del modelo Milton en PNL, modelo que, de manera deliberada, adopta un lenguaje en el que el significado es vago, contrario a lo que hace el metamodelo del que se habla en el capítulo 15, donde lo que se busca es promover que la información sea más específica.

Erickson se destacó fundamentalmente por su capacidad para hacer entrar en trance a sus pacientes y lograr cambios reales que curaban a la gente. Primero, pautaba el ritmo de la vida de la gente para describir qué estaban sintiendo y viviendo antes de hacer ninguna sugerencia, para luego conducirlos a una nueva forma de pensar. Su estilo terapéutico era mucho más "permisivo" que el de hipnoterapeutas anteriores. Queremos decir que adoptó un enfoque flexible que trabajaba con el mapa del mundo de sus pacientes, respetando siempre su realidad y utilizando esta última como punto de partida de su trabajo. Con suma delicadeza ponía en trance a sus clientes mediante comentarios generales antes que afirmaciones como: "Ahora entrará usted en trance". Estaba convencido de que todo paciente disponía de los recursos que necesitaba y consideraba que su papel como terapeuta era ayudar al cliente a acceder a tales recursos.

El idioma del trance: el modelo Milton

En tanto que seres humanos, tenemos una sorprendente capacidad para entender lo que dice la gente... incluso cuando dicen disparates. Hay momentos en los que es muy valioso ser ingeniosamente vagos, no específicos en lo que concierne al contenido de lo que decimos, para permitir que la otra persona llene los vacíos. Cuando se elabora un lenguaje ingeniosamente vago, la gente puede tomar lo que quiera de lo que le decimos como mejor le venga.

El *modelo Milton* es un conjunto de patrones lingüísticos al que podemos recurrir para conducir a alguien a un estado de trance, un estado de conciencia alterado en el que dicha persona pueda acceder a sus recursos inconscientes, hacer modificaciones y resolver sus problemas. El modelo Milton recibe su nombre de Milton H. Erickson, un hombre considerado el más influyente de los hipnoterapeutas de nuestros tiempos; en el recuadro "Milton H. Erickson: el maestro en su oficio" encontrarás más información sobre su técnica.

El modelo Milton utiliza exactamente los mismos patrones que el metamodelo, excepto que lo hace al revés (acércate al capítulo 15 para encontrar más detalles sobre el metamodelo). Por decirlo de alguna manera, el modelo Milton "corta a trozos" para adoptar, intencionalmente, un lenguaje vago que es, por tanto, susceptible de muy amplia interpretación. Mientras que el metamodelo busca recoger más y mayor información, el modelo Milton busca llegar más allá del detalle. En la tabla 16-1 se esbozan las diferencias entre estos dos modelos.

Tabla 16-1	El metamodelo frente al modelo Milton
Modelo Milton	*Metamodelo*
Utiliza un lenguaje más general.	Utiliza un lenguaje más específico.
Pasa de la estructura superficial profunda.	Pasa de la estructura profunda a la superficial.
Busca una comprensión general.	Busca ejemplos precisos.
Pretende acceder a los recursos inconscientes.	Pretende hacer consciente la vivencia.
Mantiene al paciente concentrado en su interior.	Mantiene al paciente concentrado en lo exterior.

Patrones lingüísticos y el modelo Milton

En la tabla 16-2 hemos resaltado algunos de los patrones lingüísticos clave del modelo Milton. Igual que ocurre en el metamodelo, en el modelo Milton también se señalan tres tipos de patrones. Aquí podrás ver las mismas supresiones, generalizaciones y distorsiones que se dan en el lenguaje o discurso normal y cotidiano (explicadas en el capítulo 15). No son más que la manera en que entendemos nuestras experiencias cotidianas y las transformamos en lenguaje.

Como comprenderás si observas la comparación entre los dos modelos que presenta la tabla 16-1, el modelo Milton hace afirmaciones de naturaleza deliberadamente general. El efecto que se busca con ello es que se relaje la persona con la que hablamos, mientras que el metamodelo hace preguntas con el objeto de obtener detalles específicos ajenas a las afirmaciones generales.

Tabla 16-2	Patrones de PNL del modelo Milton
Patrones	*Ejemplos de "lenguaje vago" que podemos utilizar para cuestionar supresiones, generalizaciones y distorsiones y para conducir a la persona a un estado receptivo*
Eliminación	
Eliminación simple	Creo que ya estás listo para escucharme.
Verbos poco específicos tiempo...	Mientras intentas entender esto a tu debido
Indicadores referenciales poco específicos	Habrá personas que han sido importantes para ti.
Comparaciones	Se despertará cada vez más tu curiosidad.
Juicios las superaste.	Recuerda que has pasado malas rachas y
Nominalizaciones nuevos amigos.	Estás aprendiendo cosas nuevas, haciendo
Generalización	
Operadores modales de posibilidad descubrir nuevas maneras...	Puedes alcanzar más éxitos... eres capaz de
Operadores modales de necesidad donde debe llegar.	Tienes que sacar adelante esto y llevarlo a
Cuantificadores universales	Cada vez que te sientas así...
Distorsión	
Equivalencia compleja ayuda que necesitas.	Esto significa que estás recibiendo toda la
Lectura de la mente	Sé que cada vez te interesa más.
Causa y efecto más y más.	Cada vez que tomes aire, intenta relajarte

Otros aspectos del modelo Milton

Erickson utilizaba otros recursos lingüísticos para comunicarse mejor con sus pacientes. A continuación te ofrecemos algunos.

Muletillas interrogativas

La muletilla interrogativa es una pregunta que se añade al final de una afirmación para invitar a un acuerdo. Las muletillas interrogativas son una herramienta lingüística deliberada y muy eficaz que se encarga de distraer la mente consciente del interlocutor con algo en lo que sí puede coincidir. Su efecto consiste en que la afirmación que antecede a la pregunta llega al inconsciente y allí actúa:

> Fácil, ¿verdad?
>
> Tu salud es importante, ¿lo sabes, no?
>
> Tú puedes, ¿no es cierto?
>
> Hora de relajarte, ¿no te parece?

 Aunque jamás hayas leído o sabido nada sobre la hipnosis, permítenos recordarte dos de las palabras más poderosas que tiene el idioma español y que a la vez son ejemplo de una muletilla interrogativa; ellas son: *es correcto*. Con todo, no lo creas al pie de la letra; ponlas a prueba.

Órdenes implícitas

Las órdenes o preguntas tácitas son oraciones a las que se les ha incorporado el resultado que Erickson esperaba de sus pacientes, como puede verse en las partes en cursiva de las oraciones que se incluyen a continuación. El propósito de la orden implícita es enviar directrices al inconsciente al tiempo que la mente consciente las bloquea. Erickson enfatizaba la orden con el tono de la voz, por ejemplo haciéndola más profunda cuando tocaba el elemento directriz.

> "Me pregunto si *aprenderá a relajarse y a sentirse cómodo* en poco tiempo."
>
> "Lo interesante es saber *cuándo fue la última vez que aprendió algo de manera tan fácil*."

La ilusión de las alternativas

Con el recurso de la doble opción se le ofrece a la gente una alternativa, pero limitada. Lo que hacemos es cubrir las alternativas asumiendo el resultado que esperamos.

> "¿Cuándo vas a ordenar tu cuarto, antes o después de almorzar?" (típica para usar con adolescentes o parejas desordenados).
>
> "¿En qué color lo prefiere, en azul o en verde?" (¿y qué tal esta cuando estás en una tienda comprando algo?)

Al tiempo que adoptamos lecciones en comunicación como las de Erickson, es importante no olvidar que lo que decimos es importante, sin embargo es nuestro trato con la gente lo que tiene mayor efecto.

Haz el siguiente ejercicio para entender mejor la diferencia entre el modelo Milton y el metamodelo. Todo lo que necesitas es un amigo dispuesto. Uno de los dos hará de vendedor y el otro de cliente.

✔ **Vendedor:** Imagina que eres un vendedor y que tu tarea es venderle un objeto o servicio a tu colega. Tu tarea consiste en persuadirlo para que compre algo sin darle el menor detalle respecto a lo que estás vendiendo: observa el interés que puedes despertar en tu colega al tiempo que haces lo posible por ser ingeniosamente vago en tu oferta al modo del modelo Milton.

✔ **Cliente:** Imagina que eres un cliente y que tu tarea consiste en sacarle más información específica al vendedor que ahora te atiende. Cuestiona y desafía la vaguedad del vendedor usando las sugerencias que se dan en el capítulo 15 sobre los patrones del metamodelo para sonsacarle más detalles a su charla general.

Luego, pregúntate cuál de los dos papeles pudiste desempeñar con mayor naturalidad. ¿Prefieres tener en cuenta la gran idea general o te sientes más cómodo cuando hablas sobre el detalle?

El cuento está en la manera de contarlo

Parte de la terapia de Erickson consistía en inventarse historias —cuentos pedagógicos— que ayudaban a la gente a entender la situación en la que se encontraba. Erickson estaba confinado a una silla de ruedas, pero desarrolló una extensa práctica terapéutica, viajó muchísimo, enseñó y dio seminarios hasta el fin de sus días.

Es posible acceder a enormes cantidades de transcripciones de los cuentos y seminarios de Erickson, que además son una encantadora lectura. Con todo, quienes tuvieron el privilegio de conocerle en persona señalan que el material por escrito sólo contiene una parte del toque mágico del hombre. Si piensas un momento en la ecuación de la que hablábamos en el capítulo 7, "Para crear más y mejor compenetración o *rapport* al comunicarnos", quizá recuerdes que las palabras sólo son una pequeña parte del proceso de cualquier comunicación: logran aproximadamente un 7 % del efecto. Las sonrisas, los gestos y el tono de la voz de Erickson, su respeto por sus pacientes y su curiosidad instintiva son los ingredientes de los que carecen los textos transcritos.

El arte de la vaguedad y por qué es tan importante

A medida que te familiarices con el modelo Milton, podrás hacer lo que otros ya han venido haciendo antes que nosotros: empezar a notar algo del lenguaje que oímos mientras escuchamos a todas las personas con las que nos cruzamos. Notarás que la mayoría de gente domina la capacidad para comunicarse a nivel general. En otras palabras, que la mayoría de la gente domina el arte de la vaguedad, lo que a su vez permite entrar en contacto con los demás de una manera fácil, ¿no te parece?

El asunto está por todas partes; sólo considera las siguientes oraciones:

> "Podremos hacerlo".

> "Las cosas sólo pueden mejorar".

> "No tiene por qué ser así".

> "Algún día todos seremos libres".

> "Todo el mundo tiene problemas".

¿Te son familiares estas afirmaciones, no? Palabras como estas están en boca de todo el mundo, políticos, estrellas de cine, adivinos y periodistas. Las oímos todas las mañanas por la radio y aparecen en los periódicos, en tu horóscopo y en las páginas de anuncios donde nos muestran los "últimos productos" que no nos podemos perder. Nos tranquilizan, nos relajan. No tenemos más remedio que estar de acuerdo con las afirmaciones generales.

Buenas razones para ser ambiguos, imprecisos, vagos

El poder del lenguaje vago descansa en el hecho de que logramos poner a la gente en un estado distinto. Distrae a la gente del mundo exterior... y entonces es más fácil conectar con todo el mundo en un grupo o comunicarnos con empatía con alguien a quien no conocemos bien. Cuando somos deliberadamente vagos:

✔ Quienes nos escuchan encuentran sus propias respuestas que, a su vez, serán más potentes y duraderas.

✔ Nos evitamos aquello de inculcar nuestras ideas o de hacer sugerencias indebidas que obstaculicen el camino.

✔ Nuestros clientes sentirán que tienen mayor control porque están en libertad de explorar otras posibilidades que nosotros jamás hubiéramos imaginado.

Adicionalmente, al ser vagos también abrimos nuestro propio mapa. Recuerda que el lenguaje que usamos también nos afecta a nosotros... no sólo a los demás. Con frecuencia la gente se impone sus propios límites por cómo habla y se expresa sobre sí misma... Aquellos nocivos virus de la mente como "no soy lo suficientemente bueno" o "jamás podré hacer eso" saltan a la cabeza y bloquean nuestro camino al éxito. El modelo Milton puede ayudarte a:

✔ Descubrir maneras de actuar que te proporcionarán mayor poder.

✔ Despertar tu curiosidad natural.

✔ Pensar con mayor claridad.

✔ Encontrar momentos en los que diste lo mejor de tí y volver a un estado con más recursos.

La PNL ha tomado la idea de "cortar en trozos" del mundo de la tecnología informática; no significa nada más que fragmentar las cosas en *bits* o pedacitos. El concepto de la PNL que se ilustra en la figura 16-1 nos muestra que, para que podamos procesar información, esta debe venir en fragmentos del tamaño indicado —ya sean pequeños detalles o la perspectiva general— dependiendo de qué sea lo más indicado para nuestro interlocutor. A partir de lo que puedes leer en el capítulo 15 sobre el metamodelo, en este capítulo y en el 17 verás que al explorar distintas maneras de dar información a la gente al nivel de detalle o tamaño del trozo necesario, estamos contribuyendo a una mejor comunicación.

El modelo Milton es un estilo de comunicación que asciende y se concentra en un nivel muy alto de generalización; el metamodelo, por el contrario, desciende y se concentra en detalles muy específicos. Y cuando recurrimos a cuentos, historias y metáforas, todo lo que hacemos es movernos hacia los lados —"troceo lateral"— de modo que se ajuste al mismo nivel de detalle pero usando anécdotas y metáforas para que la gente pueda hacer nuevas conexiones.

Figura 16-1: "Trocear" hacia arriba y hacia abajo con el lenguaje

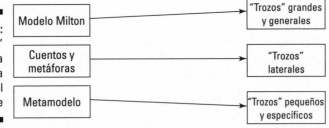

Profundicemos más

La hipnosis existe desde el siglo XVIII; por lo general, se considera que su fundador fue Franz Anton Mesmer. La *hipnosis* —o trance— es un estado natural de atención concentrada. Se trata de un estado en el que nos concentramos de manera correcta en nuestros pensamientos y emociones internas antes que en el mundo que nos rodea.

Gracias a la más reciente influencia de Erickson, la PNL considera que la hipnosis y nuestros trances cotidianos son una ruta segura y valiosa para llegar a nuestro inconsciente o a todo aquello distinto a la conciencia, es decir, para llegar a todos aquellos pensamientos, emociones, sentimientos y vivencias de los que, por lo general, no estamos al tanto.

Erickson decía que sus pacientes eran sus pacientes precisamente porque no estaban en comunicación y contacto con su inconsciente, sugiriendo así que la salud mental implica una buena comunicación entre las dos partes. Su estilo de hipnosis consigue que el inconsciente ayude a hacer cambios en los patrones de pensamiento y comportamiento. Funciona mediante un terapeuta que habla con alguien, de manera que ese otro "interiorice". En ese estado alterado o de "ensueño", la mente se relaja. Cuando el inconsciente es más accesible, el terapeuta ayuda a hacer cambios, ya sean dejar de fumar, deshacerse de una fobia o miedo, o cualquier otro cambio que contribuya a mejorar la salud y el bienestar del paciente.

Ya hemos repetido varias veces a lo largo de este libro que la mente consciente apenas puede lidiar con 7±2 trozos de información en un momento dado. El verdadero trabajo de cambio tiene lugar a nivel inconsciente. El modelo Milton permite hacer cambios ajustándose al tempo de la realidad de la persona implicada, es decir, reconocer, aceptar y respetar las cualidades de las vivencias de otro ser que bien pueden ser muy distintas a las nuestras. El modelo distrae la mente consciente y permite que la persona acceda a su inconsciente.

Algunas personas viven esta experiencia de la hipnosis de manera muy profunda. Otras, no tanto. De cualquier modo, nuestro cerebro reduce su actividad; el movimiento muscular, el promedio de parpadeo y el reflejo de tragar se hacen más lentos.

Para sentirnos cómodos con la idea de la hipnosis

Las palabras son poderosas, evocan todo tipo de recuerdos y sensaciones. Sacuden nuestra imaginación y la ponen en acción. Si te mencionáramos una palabra, hipnosis, ¿en qué piensas, qué te imaginas? Si te pidiéramos que nos dejes hipnotizarte, ¿te lo pensarías un segundo y luego dirías "está bien"? ¿Qué te viene a la cabeza?

Si alguna vez has sido hipnotizado recordarás que se trata de un estado agradable y tranquilo. Si no, quizá te despierte la curiosidad o te dé pavor. "No jueguen con mi cabeza", casi te oímos decir.

Algunos hipnotizadores del mundo del espectáculo le han dado mal nombre a la hipnosis al alentar a sus conejillos de Indias para que realicen todo tipo de actos embarazosos y asustándonos con aquello del gran poder que un hipnotizador tiene sobre la mente de un sujeto. De aquí que no sorprenda que mucha gente se muestre escéptica ante la hipnosis.

Cuando lo difícil pasa a ser fácil

El hipnoterapeuta Tom McGuire utiliza los patrones lingüísticos de Milton para distintas funciones: desde aprender a liberar tensión y ansiedad hasta para dejar ciertos hábitos, controlar el dolor y mejorar el rendimiento en deportes o al hablar en público.

"En ocasiones podemos estar combatiendo contra los problemas, utilizando todos nuestros recursos conscientes pero, sin embargo, ser incapaces de alcanzar una solución satisfactoria", dice Tom. Pone un ejemplo de la lucha contra el sobrepeso: "Primero reconozco que los clientes han hecho esfuerzos por adelgazar en el pasado. Entonces pongo énfasis en la palabra 'esfuerzo' y la asocio con los métodos a los que han recurrido. Luego les explico que, con la ayuda del inconsciente, puede ser muy fácil obtener el resultado deseado, y los clientes empiezan a activar imágenes sobre cómo se verían y sentirían si lo lograsen". "El método Milton asume que el inconsciente de cualquiera de ellos ya sabe cómo perder peso.

Entonces reclutamos al inconsciente para que nos ayude a lograr lo que queremos. No hay que obligarle a que nos ayude. Al ver que no entramos en mayores detalles respecto a cómo será posible, al cliente le entra una gran curiosidad y esta curiosidad pasa a ser el combustible que impulsa el inconsciente."

"Muchos clientes me han contado que se han visto dejando comida en las estanterías de los supermercados cuando salen a comprar, pero se han dado cuenta después de hacerlo. Otras veces me dicen que no han sentido hambre y, por lo tanto, se olvidan de comer entre comidas. En otras ocasiones piensan en comida pero acto seguido dejan de hacerlo. Sin lucha alguna, mera curiosidad. Para mí, esta manera indirecta de abordar el problema encarna el modelo Milton y además es sumamente respetuosa con el cliente."

Reproducido con el permiso de Tom McGuire.

Si es tu caso, quizás agradezcas otra manera de verlo. Piensa en la hipnosis como un estado de adormecimiento o duermevela en el que se facilita la posibilidad de hacer cambios. Los diccionarios definen *hipnosis* como "Un estado de relajación y concentración artificialmente inducido en el que áreas más profundas de la mente se vuelven accesibles".

Sin embargo, la verdad es que la hipnosis sólo funciona si permitimos que lo haga. Cada uno de nosotros tenemos el poder de controlar nuestros pensamientos, actos y palabras. Y la razón es muy sencilla. Nuestro inconsciente es nuestro amigo, no nuestro enemigo. Como explicábamos en el capítulo 2, uno de los presupuestos de la PNL es que "el inconsciente es benévolo". En otras palabras, la PNL presupone que el inconsciente está allí para cuidarnos. (Freud, por el contrario, trataba el inconsciente como algo a lo que se debía temer, que trabajaba en nuestra contra, hogar de todos nuestros impulsos reprimidos y fuera de control.)

Contrario a la creencia popular, bajo hipnosis la gente tiene absoluto control de su situación. El hipnoterapeuta no es más que un moderador y su cliente rechazará cualquier sugerencia que no encuentre apropiada.

Los trances cotidianos

A lo largo del día pasamos por una serie de experiencias o vivencias muy parecidas a un trance. Salimos y entramos en ellas varias veces en un solo minuto. ¡Qué fascinante protección tenemos nosotros, los seres humanos, contra la sobrecarga de información!

La cosa tiene su lado positivo: el trance nos permite meditar, hacer planes, descansar y relajarnos. Al soñar despiertos, abrimos la mente a nuevas ideas. Y también realza a nuestra creatividad natural... Allí establecemos nuevas relaciones entre distintas ideas y resolvemos problemas.

El lado negativo aparece cuando repetimos ansiedades y dejamos de reaccionar ante el mundo exterior. Es posible que, de ocurrir esto, necesites un descanso o incluso ayuda externa. La terapia ayuda a la gente a salir de trances negativos. Con frecuencia, el trabajo de la hipnosis consiste en sacar a la gente de un trance para traerla de nuevo a la realidad.

¿Qué haces para relajarte? ¿Para ponerte en ese encantador y sereno estado en el que estás en paz contigo mismo y con el mundo? Hazle la misma pregunta a cualquier amigo, pariente o colega, y verás cómo recibirás sugerencias muy diversas. La relajación es un ligero trance cotidiano que nos da tiempo para equilibrar estados intensos.

Pensamiento grupal

¿Has notado cómo las reacciones en grupo ante un suceso suelen ser mayores y más poderosas que la suma de las partes? Es probable que hayas asistido a un concierto de rock, una reunión religiosa, un gran partido de futbol o te hayas visto en medio de una gran congestión en un aeropuerto. Para bien o para mal, todos tenemos la capacidad de vincularnos en un trance grupal, una histeria de masas.

Pensamiento grupal es un término que acuñó Irving Janis para designar situaciones en las que la gente se ve arrastrada por las ilusiones y percepciones de un grupo. En tanto que psicólogo social en la Universidad de Yale, a Janis le fascinaba la cuestión de cómo grupos de expertos, particularmente en la Casa Blanca, llegaban a conclusiones y decisiones tan desastrosas.

Uno de los ejemplos más famosos fue aquel intento de invasión abortado de la isla de Cuba, en la bahía de Cochinos, por parte de 1200 exiliados anticastristas. La invasión, lanzada el 17 de abril de 1961 por la administración de John F. Kennedy, casi conduce a una nefasta guerra. "¿Cómo pudimos ser tan imbéciles?"

se preguntaba más tarde el presidente. En retrospectiva, el plan parecía completamente erróneo, insensato. Sin embargo, hasta entonces, nadie lo había cuestionado. Kennedy y sus asesores, sin darse cuenta, habían creado y luego compartido unas ilusiones que les impidieron pensar de manera crítica y enfrentarse a la realidad.

Janis creía que, cuando los presidentes o sus asesores se veían presas del "pensamiento grupal", no estaban siendo estúpidos, perezosos o malvados. Los veía, más bien, como víctimas de "una manera de pensar en la que la gente se involucra cuando está profundamente comprometida con un grupo interno muy unido, cuando la búsqueda de consenso por parte de los miembros del mismo supera o anula su genuino interés de valorar de manera realista cursos de acción alternativos".

Cuando la gente opera bajo la influencia del "pensamiento grupal", automáticamente somete a la prueba del "conservemos la armonía del grupo a toda costa" todas y cada una de las decisiones que tiene que tomar. Otro trance cotidiano que quizá te resulte familiar.

A continuación veremos una manera sencilla para inducirte un trance o inducirlo en los demás: simplemente reúnete con un grupo de personas. Dediquen 20 minutos a contarse unas a otras lo que hacen para relajarse. Hablen de ello con delicadeza y decidan qué les llama la atención.

Te retamos pues, personalmente, a que te preguntes: "¿Dispongo de tiempo para relajarme y me permito soñar despierto?" Abre espacio y tiempo para la relajación diaria y semanal en tu agenda como tónico vital y dador de vida. Toma conciencia de tus trances y no te permitas caer en aquellos que son negativos.

Cuando yo (Kate) le pregunté a un joven amigo, un adolescente con una marcada preferencia auditiva y un metaprograma del tipo "alejarse de" (más información sobre los metaprogramas en el capítulo 8), cuál era su actividad preferida para relajarse, su respuesta fue la siguiente: "Encontrar un buen libro y refugiarme en algún lugar agradable con la puerta cerrada. Es buenísimo cuando uno está enfadado por algo porque se distrae con lo que está leyendo, se involucra con los personajes y, de pronto, se le olvida qué nos tenía tan enfadados". Apenas dos horas después, esa misma noche, acababa de terminar una conversación telefónica más bien tardía y me sentía muy tensa, tras absorber fuertes vibraciones negativas por parte de un cliente ansioso, y sabía que no iba a poder dormir hasta que no estuviera bien relajada. Seguí el consejo de mi joven amigo, abrí una nueva novela, me hundí en el sofá y me sumergí en la lectura de tal modo que muy pronto toda la angustia había quedado atrás... y siguió una noche en la que dormí a pierna suelta. A veces, las soluciones más sencillas son las mejores.

Es cierto el viejo consejo de que, cuando se tiene un problema, es bueno "consultarlo con la almohada" ya que a la mañana siguiente se nos presenta alguna salida. Cuando se le da un descanso a la mente consciente, el inconsciente tiene la oportunidad de procesar o buscar información y entonces el cerebro puede empezar a trabajar de manera positiva. Cuando te enfrentes a un problema, al tiempo que te diriges a la cama, pídele a tu inconsciente que te ayude a encontrar una respuesta y toma nota de lo que se te ocurra a la mañana siguiente, al despertar.

Si nos vemos atascados en un problema, la hipnosis simplemente acelerará la ayuda que necesitamos para encontrar la solución.

Capítulo 17

Historias, fábulas y metáforas: contando cuentos para llegar al inconsciente

• •

En este capítulo

▶ Redescubrir nuestra habilidad para contar historias

▶ Hablar de manera que la gente recuerde nuestro mensaje

▶ Entretener al tiempo que informamos e influimos

▶ Ayudar a la gente a resolver sus problemas

Se cuenta que Nan-in, un maestro japonés de la era del emperador Meiji (1867-1912), recibió un día a un profesor universitario que venía a indagar sobre el Zen. Nan-in le ofreció té. Llenó la taza del visitante y, sin embargo, siguió sirviendo. El profesor observó hasta que ya no pudo contenerse.

—Ya está llena la taza, no cabe más —dijo el profesor.

—Igual que esta taza —dijo Nan-in—, usted está lleno de sus propias opiniones y especulaciones. ¿Cómo podré enseñarle algo sobre el Zen si no vacía antes su taza?

¿Qué ha ocurrido mientras leías estas palabras? ¿Qué se te cruzó por la cabeza? Tu reacción a esta pequeña historia es exclusivamente tuya. Del mismo modo, de preguntarle a un grupo de gente por su reacción ante una historia, recibiríamos muchas respuestas completamente distintas. Las historias llegan donde las palabras por sí mismas no alcanzan. Nos hablan a un nivel inconsciente.

A través de historias y relatos podemos hacer llegar nuestro mensaje de manera mucho más eficaz que recurriendo a una argumentación lógica.

Sintonizan con la experiencia de la gente, sus recuerdos y emociones. En términos de la PNL, los cuentos, las historias y los relatos ayudan en la construcción de una buena comunicación y *rapport*. Nos permiten transmitir información de manera indirecta, acompañan la realidad actual de una persona para obtener diferentes resultados y conseguir que se abra a nuevas posibilidades. De manera que mientras estás cómodamente sentado, vamos a comenzar...

Cuentos, metáforas y tú

El cerebro es una máquina natural para cotejar patrones (en el capítulo 4 encontrarás más detalles sobre lo que ocurre en tu mente) y siempre estamos clasificando, ordenando, ajustando. Cuando escuchamos algo nuevo, decimos: "Ajá, así es. Eso me recuerda esto o aquello". El cerebro reconoce espontáneamente patrones. Los cuentos, las historias y las metáforas nos transportan a otro lugar y nos ponen en un trance: un estado de relajación profunda en el que somos muy recursivos y nuestro cerebro, por supuesto, reconoce patrones.

La PNL define las *metáforas* en términos de historias o figuras retóricas que implican una comparación. La razón por la cual se sugiere en PNL que las historias y las metáforas son una herramienta valiosa para la comunicación es porque distraen la mente consciente y la sobrecargan, de manera que empieza a desarrollar procesos. Entretanto, el inconsciente entra en acción para salir con soluciones creativas y ofrecer los recursos que necesitamos. Así, somos capaces de establecer nuevos sentidos y significados, y resolver problemas.

Las historias de tu vida

Vivimos en un mundo de historias. También tú eres un avezado contador de historias. ¿No nos crees? Considera lo siguiente: cuando le cuentas a un amigo o compañero los sucesos del día, lo que estás haciendo es contar una historia. Cuando chismorreas por teléfono con tus amistades o le describes un proceso comercial a un cliente, estás contando una historia. Los hechos no tienen que ser ficticios para que se califiquen como una historia.

Los fundamentos de contar historias

Las buenas historias, ya relaten hechos reales o imaginarios, tienen cuatro ingredientes básicos. Piensa, por ejemplo, en uno de los muchos cuentos de hadas que vienen repitiéndose generación tras generación, como *El mago de Oz*, *Caperucita Roja* o *La Cenicienta* y pregúntate si puedes ver en ellos los siguientes elementos:

✔ Los personajes: Se necesita un héroe o una heroína, además de los buenos y los malos.

✔ La trama: La línea argumental del viaje que hace el héroe.

✔ Un conflicto: El reto que asume el héroe o las dificultades a las que se enfrenta.

✔ Una solución: El resultado o las consecuencias de todo lo que ocurre al final (¡y ojalá no termine todo en un mar de lágrimas!).

Al oír o contar historias se compromete el hemisferio izquierdo del cerebro para procesar las palabras y las secuencias de los argumentos, y el hemisferio derecho en términos de la imaginación, la visualización y la creatividad.

Algunas historias se cuentan sólo para entretener, pero también se pueden usar con una buena variedad de propósitos:

✔ Para concentrar la atención

✔ Para ilustrar un asunto

✔ Para dar una lección que la gente recuerde

✔ Para sembrar nuevas ideas

✔ Para ayudar a la gente a que reconozca sus problemas

✔ Para convertir una idea compleja en una sencilla

El cuentista itinerante

A lo largo de la historia la gente siempre ha contado historias, mitos y leyendas, y siempre ha utilizado metáforas para comunicar un mensaje. La tradición oral y la palabra escrita antecedieron al actual multimedia como forma crucial de comunicación. Los cuentistas eran viajeros que se desplazaban de pueblo en pueblo pasando información importante de viva voz. Sin el lujo del correo electrónico y de PowerPoint, recurrían al ritmo, la rima y la visualización para beneficiar la memoria. Cuanto más fantástica y estrafalaria sea la historia, mejor la recordaremos.

✔ Para cambiar el estado de ánimo de la gente

✔ Para cuestionar un comportamiento

✔ Para divertirse

El arte de contar historias

Los cuentos y las metáforas, en tanto que comunicación, operan del mismo modo en el mundo de los negocios a como lo hacen en contextos sociales o religiosos. En las empresas se cuentan historias para:

✔ Comunicar información

✔ Transmitir los valores de la organización

✔ Instruir a la gente

✔ Otorgar a quien escucha el beneficio de su sabiduría

✔ Ayudar a equipos de gente a evaluar opciones y tomar decisiones

Las historias involucran a la gente de manera más completa. Por eso los ejemplos tomados de los clientes y los estudios de caso funcionan tan bien a la hora de reforzar un mensaje en asuntos de negocios. Son muchísimo más poderosos que la mera promoción de producto.

En muchas compañías se generan historias sobre el nacimiento de la misma que logran mantener a la gente en contacto con sus valores fundamentales. Durante los primeros años de existencia en Hewlett-Packard, todos los que trabajábamos allí teníamos que ver con la historia del comienzo de Bill Hewlett y Dave Packard en un garaje en California, sus luchas para sobrevivir camino al éxito en Palo Alto y su continua dedicación a los principios básicos de los que había testimonio escrito y a los que se aludía entre todos sus 100000 empleados como "El camino HP". Las leyendas corporativas llegan a la gente y la conducen para crear una unidad de propósito. Ayudan a conservar la misma sensación de unidad y trabajo en común que se siente en compañías más pequeñas, a pesar de que la organización ya se había convertido en una corporación gigantesca. En Hewlett-Packard, los empleados respetaban a los fundadores de la empresa porque se identificaban con dos seres humanos cercanos que se convirtieron en reconocidos líderes corporativos gracias a su habilidad, agallas y determinación. Sentíamos que Bill y Dave seguían valorando tanto a la gente como el rendimiento del negocio, de una manera especialmente increíble en ese mundo del alegre contratar y despedir que era usual en la cultura de los negocios.

También recordamos al antiguo presidente de la corporación, Lew Platt, durante una charla en un congreso de mujeres de HP, contando la historia de cómo había criado a sus hijos tras la muerte de su esposa. Habló sobre su temor a recibir una llamada para anunciarle que su hijo estaba enfermo justo en el momento en el que se dirigía a una importantísima reunión de negocios. Lew sabía cómo conectar con el corazón de un auditorio hablando a partir de su experiencia personal.

Pero esto de contar historias no es una habilidad que debamos confinar a los líderes de grandes negocios. En el trabajo, tú puedes empezar a desarrollar tus propias historias como herramienta para hacer llegar tu mensaje a colegas y clientes, además de a tus jefes. Estas historias no tienen que ser largas ni elaboradas en exceso. Puedes empezar señalando algunos de tus éxitos o experiencias interesantes y construir a partir de ellas, hasta convertirlas en una anécdota que puedes sacar de la manga en el momento oportuno.

Persigue tus sueños

Sahar Hashemi, cofundadora de Coffee Republic, la cadena británica de cafeterías especializadas en café, cuenta su historia de altibajos para levantar una empresa de 30 millones de libras esterlinas a partir de cero. Habla apasionadamente sobre cómo abandonó su muy bien pagado pero espiritualmente aniquilador puesto como abogada internacional para seguir un sueño.

"Cuando haces un trabajo que odias, pierdes el optimismo. Cuando empiezas a hacer algo que amas, tocamos partes de nosotros mismos que no sabíamos que tuviéramos. Yo tenía un sueño sobre quién era y lo que debía hacer para convertir todo en la misma cosa."

Enamorarse de una idea la convirtió en empresaria. Su misión consistía en llevar a las calles de Londres el delicado café *latte* y los *muffins* libres de grasa que tanto había disfrutado en Nueva York. Y subraya la importancia de no haber tenido la menor idea sobre cómo lograrlo, ya que eso nos obliga a pensar desde fuera de la barrera. Aunque montó el negocio con su hermano, Bobby, un ex banquero, se encontraron con la respuesta negativa de 19 bancos antes de dar con uno dispuesto a prestarles el dinero con el único respaldo de su plan de negocio.

Para alentar a otros a que sigan sus pasos, Sahar sugiere tres herramientas esenciales: la primera, simple y llanamente, trabajar muy duro; la segunda, un sistema para asumir el fracaso: esperar siempre nueve negativas antes de recibir un "sí"; y la tercera, persistir... Esto fue lo que la mantuvo andando los primeros seis meses durante los cuales escasos clientes visitaban su negocio.

Historias tomadas de tu experiencia personal pueden llegar a darle mucha vida a un tema más bien árido, como, por ejemplo, servicio al cliente, control de calidad, programas de *software* o medidas de seguridad.

En la misma tónica, si quieres influir sobre un cliente para que te compre tu producto o para que tome la decisión acertada, es mucho más probable que te escuche mientras le cuentas cómo otro cliente resolvió un problema similar. Este estilo menos directo puede llegar a ser mucho más eficaz que dar una opinión sobre lo que quisieras que hiciera el cliente.

Del mismo modo, si quieres administrar tu progreso profesional, no esperes a que tu jefe se entere de lo que haces durante la evaluación anual de tu rendimiento. Como algunos de nuestros clientes más exitosos han aprendido, un par de historias que muestren logros, introducidas en medio de las conversaciones normales a la hora del almuerzo o del café, pueden ser más efectivas que la evaluación final.

Un regalo para la siguiente generación

La tradición de contar historias forma parte de nuestro rico legado para conectar entre sí generaciones pasadas, presentes y futuras. Tenemos desde los mitos griegos, las leyendas del rey Arturo y las fábulas de Esopo hasta todos los escritos modernos. Las historias que cuentas sobre tu vida (o las que escuchas sobre la vida de otros) cumplen la misma función: conectar a las generaciones entre sí.

¿Qué historias te gusta oír y contar sobre tu vida? Quizás hayas escuchado historias de familia sobre tu nacimiento, tu primer día en la escuela, sucesos y gente importante en tu infancia. La verdad puede llegar a ser más extraña y más entretenida que la ficción. Las leyendas se cuentan una y otra vez, y se adornan con nuevos detalles.

Los cuentos y las leyendas de familia que se transmiten de forma oral se pierden cuando las familias se dividen y las generaciones desaparecen. Yo (Kate) tengo una vecina, Margaret, cuyo pasatiempo de rastrear ancestros va mucho más allá de la mera reconstrucción del árbol genealógico. El legado más permanente que le ha venido dejando a su familia consiste en una fascinante antología de cuentos e historias. Junto al árbol genealógico, Margaret recogió anécdotas de todos los miembros vivos de la familia y las publicó para que la familia y las generaciones posteriores disfrutaran y entendieran mejor su legado. De hacer tú lo mismo, ¿qué historias te gustaría registrar para la posteridad?

A continuación vamos a hacer un juego con las anécdotas familiares. Coge cinco tarjetas en blanco y escribe una de las siguientes palabras en cada una de ellas: farsa, drama, comedia, tragedia, telenovela. Escoge una de las tarjetas, piensa en una anécdota familiar y cuenta una historia en un estilo que se ajuste al indicado en la tarjeta.

Metáforas poderosas

Igual que la gente cuenta historias todo el día, nuestras conversaciones cotidianas están ricamente bordadas con metáforas. Considera los siguientes ejemplos:

¡Mira, eso parece la jungla!

¡Lo controla con un dedito!

¡Ese tipo es un quebradero de cabeza!

¡Es una caja de música!

¡La tensión en el ambiente se podía cortar con una navaja!

Hay quienes dicen que una imagen vale más que mil palabras; pues bien, una metáfora vale más que mil imágenes.

Las metáforas en la PNL

La palabra *metáfora* proviene del griego y literalmente significa "trasladar, transportar". Una metáfora hace una comparación, establece un paralelo entre dos cosas que a veces no tienen relación. Y puede convertirse en una poderosa e imaginativa manera de describir una situación; puede ayudar a que el interlocutor recapacite sobre sí mismo; o a que vea una situación difícil desde una nueva perspectiva y, por tanto, ofrecer una nueva manera de resolverla.

En PNL las metáforas se utilizan en un sentido más amplio que el que les asigna la gramática... Se utilizan para ayudar a la gente a pasar de un contexto a otro. En la PNL, este desplazamiento se conoce como *troceo lateral* o *transversal*. Como se explica en el capítulo 15, trocear consiste en subir o bajar el nivel de detalle de un asunto (hacia arriba, para obtener la perspectiva general, o hacia abajo, para llegar a lo específico) y así comunicarnos con alguien al nivel adecuado.

Como dice Nick Owen en su libro *The Magic Metaphore* (Crown House Publishing, 2001, cita reproducida con permiso): "Las metáforas no son meros adornos poéticos o retóricos, también son una poderosa herramienta para dar forma a la percepción y la experiencia".

En mis (Kate) prácticas de formación invito a la gente a que elabore representaciones propias. Durante un taller, Janet, una de las participantes, buscaba maneras creativas para animar una presentación que pensaba hacer frente a un grupo de adolescentes. En su calidad de orientadora profesional, Janet visita colegios, donde necesita motivar a los grupos para que opten por algún programa de aprendizaje de distintos oficios. Al principio, Janet se levantaba y les explicaba a los jóvenes las opciones disponibles, con la esperanza de que la escucharan gracias a su propio entusiasmo y conocimiento del asunto. Más tarde, mientras pensaba en maneras de pulir su presentación a punta de metáforas e historias, dio con la idea de recurrir a la metáfora de un teléfono móvil: algo con lo que todos los jóvenes se podían identificar. Comparó las distintas carreras y opciones con las sofisticadas funciones que ofrecían los últimos modelos de telefonía móvil. Y así logró superar el obstáculo que separaba a la orientadora de los estudiantes, además de que se dio cuenta de cómo podía desarrollar una conversación más animada. Gracias a la atractiva metáfora, descubrió un enfoque novedoso respecto a cómo animar e inspirar a los jóvenes.

Para practicar esto de crear metáforas y, de paso, para divertirte un rato, intenta realizar el siguiente ejercicio. Necesitarás a tres personas: la persona A tiene un tema específico que se ha de tratar (por ejemplo, la escritura de un libro) y quiere comunicarlo de manera diferente. Sigue estos pasos:

1. **La persona A dice: "[Tema] es como..."**

   Si se trata del ejemplo de cómo se escribe un libro, entonces la persona diría, "Escribir un libro es como...".

2. **La persona B piensa en un objeto... cualquier objeto para completar la oración "Escribir un libro es como...".**

   La persona B podría decir, por ejemplo, "una manzana".

3. **La persona C se encargará de hacer la conexión.**

   Por ejemplo, podría decir: "...porque podemos hincarle los dientes".

Este ejercicio es excelente para crear una buena sobremesa. Y puedes usarlo para comunicar un mensaje de manera memorable.

Usar metáforas para encontrar nuevas soluciones

Uno de los cuentos que narra Robert Dilt en su libro *Sleight of Mouth* (*El poder de la palabra*) trata sobre un paciente en una clínica psiquiátrica que se cree Jesucristo. Pasa los días sin hacer nada productivo, divaga por ahí en su delirio, fastidiando e ignorado por los otros pacientes. Todos los intentos de los psiquiatras y sus ayudas por sacarlo de su delirio resultan fallidos.

Un día aparece un nuevo psiquiatra en escena. Tras observar un buen rato al paciente en silencio, se acerca al joven. "Tengo entendido que usted tiene alguna experiencia como carpintero", le dice el psiquiatra. "Pues... sí, supongo que sí", replica el paciente. El psiquiatra entonces le explica que están construyendo una nueva sala de juegos en la clínica y que necesitan la ayuda de alguien que sepa de carpintería. "Nos encantaría contar con su ayuda", dice el psiquiatra. "Quiero decir, si usted es una de aquellas personas a las que les gusta ayudar a los demás."

Y la historia termina bien. El paciente se involucra en un proyecto, vuelve a interactuar con la gente y logra salir del hospital y conseguir un trabajo estable.

En esta historia terapéutica, el nuevo psiquiatra sintoniza con el paciente elaborando su propia metáfora. Si el paciente cree ser Jesucristo, el psiquiatra acepta el hecho sin intentar contradecirlo. Al contrario, lo que hace es trabajar con la creencia del paciente y adopta su misma metáfora, Jesús el carpintero, para propiciar la cura.

Con frecuencia terapeutas de todas las disciplinas trabajan con las metáforas de sus clientes para modificar o cambiar los problemas. Tú también puedes trabajar a partir de las metáforas de otro para ayudar a la comunicación en las conversaciones cotidianas, que bien podrían tener los siguientes propósitos:

- ✔ Dar malas noticias como retrasos en un proyecto o un cambio de empleo.
- ✔ Calmar a un adolescente nervioso que se prepara para unos exámenes.
- ✔ Explicar un tema complicado a un grupo de personas.
- ✔ Dar ánimo o confianza a un niño.

Juegos de palabras con asuntos como el clima y la naturaleza —desde lluvias y tormentas hasta cielos soleados, o comparar un reto con trepar a una montaña o cruzar un río— pueden reducir la tensión. También sirve relatar un mensaje en términos de los deportes preferidos del amigo al que intentas ayudar, como por ejemplo el golf, el tenis, navegar a vela o el fútbol pueden ayudar a la hora de provocar cambios en la manera de pensar.

A modo de ejemplo, si un colega se te acerca en la oficina para decirte "Este proyecto es una verdadera pesadilla", puede ser muy útil arrojar aquí y allí un par de palabras relativas al sueño para obtener más información o para generar un estado mental más positivo. Así, podrías decir lo siguiente: "¿Qué aspectos del proyecto te desvelan?", "¿Hay partes que te aterran?",

"Quizá sería bueno que todos lo consultaran con la almohada", "¿No te gustaría mandar por un tubo el asunto de una vez por todas?" y "Entonces, en la peor de las pesadillas, ¿cómo acabaría la cosa?"

Antonio es un terapeuta que trabaja con pacientes que tienen adicciones. Una vez nos dijo: "Tuve una cliente que me contó que le encantaba beber hasta que el asunto se le fue de las manos. Para empezar, describió el placer que le suscitaban sus salidas de copas preferidas: la anticipación y el aroma de la primera copa, lo bonita que estaba la botella, bien presentada. Pero cuando empezó a describir la sensación de impotencia que sentía a medida que la sobrecogió la adicción, el alcohol se transformó en un espíritu feo y maligno que la rondaba y asustaba. Pasado el tiempo, fuimos capaces de trabajar a partir de la historia de la mujer, desarrollar el argumento y reelaborarlo de manera que tuviera un final feliz. Entonces le fue posible creer en un futuro donde podía liberarse de su adicción, que estaba haciendo estragos con su vida".

Metáforas directas e indirectas

La PNL distingue entre dos tipos de metáforas, las indirectas y las directas.

✔ Una *metáfora directa* es aquella en la que se compara una situación con otra en donde el vínculo o la relación es obvio en términos de contenido. Un ejemplo sería comparar el aprender a usar un nuevo *software* con aprender a conducir. Ambas tienen que ver con el aprendizaje.

✔ Una *metáfora indirecta* forma una comparación que, por lo menos a primera vista, no es obvia. Así, podría comparar el aprender a usar un *software* con preparar una cena o programar unas vacaciones. Estas metáforas indirectas constituyen la base de las campañas publicitarias más creativas.

Cuando yo (Kate) monté una empresa de formación con otros dos socios, ellos realizaron una sesión para compartir ideas y encontrar un nombre memorable y distinto al predecible "ABC Asociados". Escogieron Watercress (Berro) como metáfora indirecta de las sutiles connotaciones de habilidades sencillas, un enfoque fresco y novedoso y de construir algo a partir de fuerzas ocultas.

A continuación vamos a ver un juego para practicar en grupo con el que podrás divertirte. Se basa en el uso de metáforas para alentar nuevas maneras de pensar.

Reúne un grupo de tres personas y sigue estos pasos:

Metáforas isométricas

El hipnoterapeuta Milton Erickson obtuvo increíbles éxitos con gente muy enferma contándoles historias terapéuticas mientras ellos escuchaban desde un trance muy relajado y receptivo. Los clientes sacaban entonces su propio significado de las historias y lo aplicaban a su situación para mejorar su salud.

La técnica de Erickson tras estas historias especialmente elaboradas que él solía contar a sus clientes se conoce en PNL como una *metáfora isométrica*. Isométrico significa que tiene dimensiones o medidas iguales. Así, el terapeuta construirá una historia sobre un tema o sujeto completamente distinto que corre paralela a la estructura del problema del paciente y la utiliza para conducirle a la solución deseada.

1. **Una persona (A) piensa en algún asunto que esté intentando resolver en ese momento. A describe el asunto a B y C.**

2. **Las otras dos personas (B y C) piensan individualmente en un objeto distinto. (El objeto puede ser común o extraño, por ejemplo un trozo de pan o unas gafas color rosa.)**

3. **Primero B y luego C les cuenta una historia a los otros dos. Cualquier historia que se les ocurra; la única regla es que el objeto aludido tiene que aparecer en el cuento.**

Reproducido con el permiso de Ian McDermott, International Teaching Seminars.

Construye tus propias historias

Cuando se cuentan historias, las más cautivantes siempre son aquellas que nos salen del corazón. En esta sección hemos recogido algunas ideas para que desarrolles tu propio repertorio de historias y fortalezcas tus habilidades como buen cuentista. Aunque nunca te hayas imaginado haciendo esto, pronto sabrás recoger ideas para narrar tus propias historias y organizar tus pensamientos para lograr un mayor efecto.

Mientras empiezas a construir tu historia favorita, piensa en lo siguiente:

✔ Cómo empezar y terminar tu historia. Algunos comienzos excelentes se pierden (y pierden a sus lectores) mucho antes de cruzar la meta final.

✔ Qué ocurre en la mitad para darle interés dramático: ¿cuáles son los hitos, las batallas, los dilemas o conflictos interesantes a lo largo del camino?

✔ Quiénes son los protagonistas: ¿quién es el héroe y quiénes son sus ayudantes? ¿Cómo harás que sean personajes inolvidables?

✔ Desarrolla el contenido dentro de un marco sólido.

Utilizar el diario personal e íntimo del creador de historias

Las experiencias cotidianas pueden constituir la base de tus historias. A continuación vamos a ver una forma de recoger y registrar argumentos que más adelante podrás adaptar según el caso.

1. Busca una situación que te haya suscitado una emoción. Escribe la emoción que te generó.

   Por ejemplo: alegría, risa, miedo, ira, sorpresa, confusión, incredulidad.

2. Ponles nombre a los personajes.¿Quiénes estaban implicados?

3. Cuenta lo que ocurrió mencionando tres puntos clave del argumento.

4. Cuenta cuál fue el resultado, en otras palabras, ¿cómo acabó?

5. Describe algún elemento gracioso o interesante de lo que se comunicó en esa ocasión.

6. Explica qué aprendiste de todo ello.

7. Haz una lista de ideas para desarrollar esa historia: identifica dónde, cuándo y a quién le vas a contar la historia.

Las historias se desarrollan y cambian con el tiempo. Vuelve sobre tu diario a intervalos regulares para ampliar tu repertorio. Escucha con atención a los oradores que te inspiran o te divierten y quizás encuentres que sus argumentos suelen ser sencillos. Tómate la libertad de registrar las historias interesantes que oigas por ahí y dales un giro personal para hacerlas propias.

Otras maneras de ejercitar tus músculos como cuentista

Aprender a contar historias bien contadas es una maravillosa habilidad que vale la pena aprender: una historia bien contada cautiva al auditorio y continúa en la cabeza de la gente tiempo después de que otros detalles del evento se hayan olvidado. A continuación vemos unas sugerencias para que afines tu técnica.

✔ Empieza por contar historias sencillas y aventúrate más a medida que tus habilidades vayan mejorando.

✔ Acércate a la sección infantil de las bibliotecas y busca todo tipo de ejemplos de historias y cuentos populares y de hadas que podrás adecuar a casi cualquier contexto. Uno de nuestros clientes considera que *Alicia en el país de las maravillas* es uno de los mejores libros de negocios jamás escrito.

✔ Recuerda que, cuando cuentas una historia, el foco de atención eres tú. Practica y vive tu historia de manera que, cuando estés actuando, puedas dominar la atención del público y reunir a todo el mundo en torno a ti. Apréndete el comienzo y el final de memoria y simplifica la estructura, de manera que conste sólo de unos pocos puntos clave.

✔ Cuenta las historias graciosas con cara de palo y verás cómo tienen mayor efecto sobre el publico que si lo haces con una sonrisa de oreja a oreja. El factor sorpresa es muy poderoso.

✔ Aférrate a ese ingrediente esencial que es la compenetración o *rapport* para mantener a la gente escuchando. (Acércate al capítulo 7 para ver más detalles sobre cómo crear y lograr la compenetración al comunicarnos.)

✔ Ordena bien la hora, el lugar y el entorno en el que cuentas tu historia. Asegúrate de que la gente esté relajada y se sienta cómoda. Las fogatas son lugares ideales para contar historias... lo mismo puede decirse de unas cómodas sillas o a la sombra verde de los árboles una somnolienta tarde de verano.

✔ Piensa en tu voz como un instrumento musical afinado. Disfruta explotando al máximo tus capacidades para darle a tu voz todo el espectro expresivo que seas capaz de darle.

✔ Hablar desde el corazón suele tener mucho más impacto que hacerlo leyendo un guión o un libro... y la gente no esperará que te sepas el discurso al dedillo.

✔ Estimula los sentidos de tu auditorio para que puedan ver imágenes vívidas, para que oigan los ruidos, entren en contacto con sus emociones, e incluso alcancen a oler y saborear el delicioso cuento que has preparado para ellos. Delicioso.

✔ Dispón de un excelente comienzo. Para encontrar algunos ejemplos de comienzos memorables, revisa el recuadro "Para enganchar a la gente".

Lo que me recuerda... Añadir giros a nuestras historias

¿Has notado cómo, en una novela, el escritor abre una serie de líneas argumentales o "giros" que luego corren paralelas a lo largo del libro?

Uno de los más grandes libros de relatos de todos los tiempos, *Las mil y una noches*, una antología de mil cuentos, nos narra la historia de un rey, Sahriyar, que tenía un grave problema de conducta: le dio por matar a una sucesión de jóvenes esposas vírgenes tras la primera noche de bodas.

Para enganchar a la gente

Érase una vez... nótese cómo toda gran historia intriga al lector desde el principio. Piensa, por tanto, sobre cómo empezar tu historia para atraer la atención y conservar el interés. A continuación vemos algunos comienzos como "aperitivos":

"En un lugar de la Mancha, de cuyo nombre no quiero acordarme, no ha mucho tiempo que vivía un hidalgo de los de lanza en astillero, adarga antigua, rocín flaco y galgo corredor". Miguel de Cervantes, *Don Quijote de la Mancha*.

"Pudo haber ocurrido en cualquier lugar, en cualquier época y pudo haber sido mucho peor". Elizabeth Jane Howard, *The Sea Change*.

"Muchos años después, frente al pelotón de fusilamiento, el coronel Aureliano Buendía había de recordar aquella tarde remota en que su padre lo llevó a conocer el hielo". Gabriel García Márquez, *Cien años de soledad*.

"Estoy condenado a recordar a un niño con voz quebrada, pero no por su voz, ni porque fuera el ser más pequeño que jamás hubiera visto, ni siquiera por haber sido el instrumento de la muerte de mi madre sino porque, gracias a él, creo en Dios". John Irving, *Una oración por Owen Meaney*.

"Ya termine siendo el héroe de mi propia vida o aunque cualquier otro ocupe ese lugar, estas páginas deben dar fe". Charles Dickens, *David Copperfield*.

Y por último, siéntate, relájate y disfruta otra historia de la tradición sufí

Había una vez un pequeño niño que golpeaba un tambor todo el santo día y gozaba cada instante haciéndolo. No dejaba de hacer retumbar su tambor sin importar lo que otros hicieran o dijeran. Un grupo de gente que se hacía llamar sufí y otras almas bienintencionadas fueron convocados por los vecinos para pedirles que hicieran algo respecto al muchacho.

El primer sufí le dijo al niño que, si continuaba haciendo tanto ruido, terminaría por reventarse los tímpanos; pero este razonamiento era demasiado avanzado para el niño, que no era científico ni académico. El segundo le dijo que tocar el tambor era una actividad sagrada que sólo debía hacerse en ocasiones especiales. El tercero ofreció tapones para los oídos a los vecinos; el cuarto dio un libro al niño; el quinto dio a los vecinos un método para controlar la ira mediante un proceso de bio-retroalimentación; el sexto enseñó al niño unos ejercicios para tranquilizarse y le explicó que toda la realidad era pura imaginación. Sin embargo, como ocurre con los placebos, todos y cada uno de estos remedios servía un rato y nada más... ninguno a largo plazo.

Finalmente se acercó un sufí de verdad. Observó la situación, le pasó al niño un martillo y un cincel y le dijo: "Me pregunto qué habrá dentro del tambor..."

Al ritmo que el rey venía acabando con la población femenina, la fuente de posibles novias empezaba a secarse. Sin embargo, gracias a la astucia de Sherazad, hija de un gran príncipe del reino y quien sería la próxima víctima del rey, el patrón (de conducta) se quebró. Se dice que Sherazad tenía una colección de mil y un libros de historias y poesías, entre otras cosas porque le fascinaban las vidas de los reyes y las generaciones pasadas.

El día de su boda, entretuvo al rey con un cuento que aún no terminaba para cuando los sorprendió el amanecer. La curiosidad del rey pudo más que su costumbre y le perdonó la vida para conocer el fin del relato... y así una y otra y otra vez mientras se desplegaban las mil y una leyendas... hasta que el rey acabó con su hábito de matar a sus nuevas novias.

También tú puedes añadir variantes de historias a tu caja de habilidades. Se trata de un recurso avanzado para incorporar a tus historias ya sea durante una presentación, una formación o en un entorno social.

Lo que debes hacer es empezar una historia y, antes de terminarla, simplemente decir: "Ah, lo que me recuerda... o ¿les he contado aquella vez que...?" Así las historias quedan en suspenso; la gente se pregunta qué habrá ocurrido y cómo va a terminar. Este recurso te permite mantener la atención y concentración del auditorio en tanto que el cerebro se esfuerza por poner la confusión en orden. Puedes hacerlo con toda la naturalidad del mundo, mientras pasas de un tema a otro. Eso sí, no olvides cerrar las historias al final o, de lo contrario, irritarás a tu auditorio.

Capítulo 18

Hacer las preguntas correctas

● ●

En este capítulo

▶ Identificar los presupuestos que te impiden dar lo mejor de ti

▶ Ir al meollo del asunto

▶ Conseguir que las decisiones difíciles sean más fáciles

● ●

Cuando sabemos cuál es la pregunta "correcta", obtenemos resultados mucho más pronto. A lo largo de este libro, y fieles al verdadero espíritu de la PNL, hemos evitado a toda costa hacer juicios de valor; de manera que, con toda razón y derecho, ahora podrías afirmar que no existen preguntas "correctas" ni "equivocadas"... sólo preguntas diferentes.

Hagamos unas precisiones. Cuando hablamos de preguntas "correctas" en realidad estamos buscando preguntas incisivas: aquellas que ponen el dedo en la llaga, o mejor, en el meollo del asunto, y que producen un resultado positivo en el menor tiempo posible. Las preguntas "incorrectas" o "equivocadas" son aquellas que nos sacan de quicio, que nos ponen a divagar y conducen a callejones sin salida, quizá recogiendo información interesante pero irrelevante.

A lo largo de este libro hemos explicado y demostrado que tu lenguaje es muy poderoso, que desencadena una respuesta emocional en ti y en los otros. Es precisamente debido a esto que, a medida que empieces a escoger tu lenguaje de manera consciente, te será posible marcar una gran diferencia. En este capítulo recogemos algunas de las preguntas más útiles para formular en distintas ocasiones y hacer que te ocurran cosas a ti y a los demás. Saber qué preguntas hacer puede marcar la diferencia:

✔ Pon tu brújula en la dirección correcta.

✔ Toma las mejores decisiones.

✔ Ayuda a otros a asumir mayor responsabilidad.

✔ Escoge y motiva a la gente.

Antes de empezar: consejos y estrategias sobre cómo hacer preguntas

Antes de apresurarnos con la pregunta crucial que probablemente te gustaría que te contestáramos, a saber, "¿Cuáles son las preguntas mágicas que realmente pueden marcar la diferencia?", tómate un respiro y considera cómo hacer preguntas cuando estamos trabajando con otra gente... asunto que, por lo demás, es tan importante como qué preguntar.

En esta sección te alentamos a que cuestiones tu estilo y presupuestos, y a que adaptes tu conducta para que funciones de manera óptima, ya sea en calidad de cliente o de formador.

Depurar el lenguaje

¿Te has preguntado alguna vez cuántas de tus preguntas descansan sobre presupuestos de lo que tú deseas y el mapa de tu realidad más que sobre los deseos y el mapa de tu interlocutor? En tanto que seres humanos, nos es muy difícil no proyectar nuestras ideas, necesidades, deseos y entusiasmo sobre los demás... particularmente sobre quienes están más cerca de nosotros. Siempre estamos ejerciendo influencia sobre los demás. No podemos evitarlo. Por eso la mayoría de las preguntas no están limpias: siempre asumen algo, como en la famosa pregunta de "¿Cuándo fue la última vez que maltrataste a tu mujer?"

Incluso una palabra tan sencilla como "maltratar" significará cosas muy distintas para cada uno de nosotros. Al hacer la pregunta anterior, ¿estábamos pensando en un golpe o en una agresión verbal?

Los terapeutas pasan años de formación preparándose para trabajar con sus clientes de modo que operen como un "espejo limpio" y consigan reflejar sólo los asuntos del paciente, para que este reflexione sobre ellos. Algunos terapeutas, claro, brillan más que otros. Después de todo, ya está claro cuánto es posible llegar a comunicar simplemente levantando una ceja o reprimiendo una risita. (Esta era la razón por la cual Freud pedía a sus pacientes que se recostaran en un sofá mientras que él, como terapeuta, se sentaba detrás de la cabeza del paciente.)

Si quieres ser respetuoso con los puntos de vista de los demás, evita predisponer el resultado de una discusión. ¿Acaso estás recomendándole a alguien hacer algo basado en lo que tú harías?

Cuídate también de las generalizaciones o posibilidades limitantes que mencionamos en el capítulo 15 sobre el metamodelo. Escucha bien lo que dices y, si te oyes pronunciando instrucciones que empiezan con palabras como debe, debiera, es indispensable, no puede, etc., entonces es hora de dejar de dirigir la acción e imponer tu punto de vista a los demás.

Imagina que entrenas a alguien. Quizás un colega, un amigo o un pariente. Durante una sesión de este tipo es esencial tener muy clara la meta antes de empezar. Así, podríamos preguntar:

"¿Sobre qué queremos trabajar hoy?"

La anterior pregunta es sencilla, directa y se centra en que estamos trabajando en algo.

El *coaching* consiste en explorar y retar a nuestros clientes, conducirlos a que asuman la responsabilidad de lo suyo y entren en acción. Las preguntas limpias o depuradas nos ayudan. Es muy importante que toda sugerencia sea formulada de manera que la gente piense por sí misma.

Así, una pregunta limpia, capaz de dirigir al cliente para que piense con cuidado y por sí mismo, podría ser la siguiente:

"Me pregunto de qué se trata todo eso"

En español hay un dicho que reza así: "La curiosidad mató al gato". Afortunadamente no hemos oído hablar de que la curiosidad mate a los seres humanos. Una perspectiva muy distinta sería la siguiente: La curiosidad conduce al conocimiento. Escoge el dicho que mejor te vaya.

Lo que importa es nuestra manera de ser

Admitámoslo desde ahora, ¿alguna vez le has gritado a alguien "¡No me grites!"? Absurdo, ¿verdad? Esperar que alguien haga lo que a todas luces no demostramos con nuestro comportamiento. Sin embargo, lo hacemos todo el tiempo. Es fácil ver en los demás los defectos que queremos cambiar en nosotros.

El arte de hacer que otros cambien consiste en ser modelos de ese comportamiento deseado nosotros mismos. Si queremos que alguien sea curioso, nos toca mostrar curiosidad. Si queremos que alguien sea positivo y servicial, nos toca reflejar ese comportamiento. Si consideras que alguien no debe tomarse las cosas tan en serio, inyecta un poco de diversión a los procedimientos.

En vez de esperar a que la gente cambie, lideremos el camino al cambio nosotros mismos. Una de las mejores lecciones que podemos transmitir es: "La gente te tratará como tú trates a la gente".

De modo que, al tiempo que formules tus preguntas, sé consciente de cómo te estás portando tú.

Oprimir el botón de "pausa"

El silencio es oro puro. Realmente conviene y ayuda hacer una breve pausa cuando alguien ha terminado de hablar... y eso, a su vez, nos da tiempo para pensar antes de hablar.

Las pausas otorgan a la gente un espacio crítico para procesar lo que acabamos de decir y a nosotros nos permiten evaluar nuestra respuesta.

El mero hecho de otorgarle a la gente un espacio tranquilo para que piense dentro de un marco bien estructurado de preguntas aporta muchos beneficios al mundo de los negocios y de la familia. Escuchar a los demás es un gesto generoso y muy poco desarrollado, e incluso subvalorado en la mayoría de las organizaciones. En su libro, *Time to Think* ("Tiempo para pensar"), Nancy Kline monta un andamiaje general que describe como un *entorno para pensar* en el que escuchar genera reuniones más productivas, se resuelven estrategias administrativas y se construyen relaciones más sólidas.

"Tomarse tiempo para pensar es ganar tiempo para vivir" (Nancy Kline).

Pon a prueba tus preguntas

Si en algún momento te surgen dudas respecto a si tu pregunta es la apropiada para ayudar a una persona o para mejorar una situación, dirígete a otro lado, detente y pregúntate:

✔ ¿Mi siguiente pregunta agrega valor a esta conversación? ¿Nos acerca a dónde queremos llegar? ¿O nos va a alejar aún más?

✔ ¿Qué resultado espero de todo esto?

Haz que las afirmaciones positivas sean la norma

Si yo te digo que no pienses en elefantes rosas, ¿qué ocurre? ¡Sí, claro, es ineludible: inmediatamente piensas en elefantes rosas! Del mismo modo, si

En busca de respuestas

Un día trabajaba un terapeuta con un paciente que le dijo que había tenido un sueño. Todo lo que el paciente podía recordar, sin embargo, era que en el sueño llovía y que había estado en un restaurante. Pero se despertó acalorado e inquieto.

Terapeuta: Ah, ¿será que el sueño tenía que ver con el pescado?

Cliente: No lo sé.

Terapeuta: Pero sabe que estuvo en un restaurante, ¿verdad?

Cliente: Correcto.

Terapeuta: ¿Es posible que el menú ofreciera pescado?

Cliente: Sí, casi todos los restaurantes ofrecen pescado en sus menús.

Terapeuta: Y llovía, ¿de manera que eso podría representar agua y peces en el agua?

Cliente: Bueno, pues sí, digamos que está en lo cierto.

Terapeuta: Parece que nos acercamos a algo. ¿Quizá se sentía usted como un pez que no sólo había sido pescado sino luego, además, cocinado? ¿Qué significaría todo eso?

Por supuesto, lo anterior es ficción; la realidad es muy distinta. Sin embargo, podemos ver lo fácil que es escuchar hasta un punto y luego conducir a alguien a nuestra interpretación subjetiva de los hechos.

le digo a un niño "¡No te comas esos caramelos antes de cenar!", ¿qué ocurre? Que el niño se verá impulsado a comerse los caramelos... De manera inadvertida, le hemos dado una orden.

El cerebro no distingue los negativos... ignora los "no" y piensa "sí... hazlo". Sería mucho mejor decirle al niño: "Ya viene la cena, así que aguanta tu hambre dos minutos más".

Descifrar qué es lo que queremos

Saber qué queremos puede ser el mayor de nuestros retos. Después de todo, se trata de un banquete que siempre está moviéndose y cambiando. Hay y habrá ocasiones en las que recibimos lo que creemos que queremos pero luego nos sentimos defraudados porque no era ni de lejos lo que queríamos en realidad. De manera que, para establecer qué queremos, debemos formularnos dos preguntas: "¿Qué quiero?" y "¿Qué me dejará aquello?" o "¿Cómo me afectará aquello?"

¿Qué quiero?

Si se puede hablar de una gran pregunta que se desprenda de la PNL esa sería: "¿Qué quiero?"

A veces sabemos con toda claridad qué queremos. Y es un buen punto de partida. Cuando sepas lo que quieres, dale la vuelta a la moneda y pregúntate: "¿Qué es lo contrario?" Y ahora, tras ese pequeño examen, vuelve a preguntarte: "Así, ¿qué quiero?"

A medida que empieces a articular tus respuestas, examina algunos detalles y permítete soñar un poco. Imagínate en el futuro; lleva rápidamente tu película personal a un tiempo en el que ya tienes lo que quieres y hasta un poco más allá. Recurriendo a todos tus sentidos, pregúntate qué se siente allí, cómo suena, cómo se ve. ¿Asocias algún aroma a aquello de alcanzar lo que deseas? Pregúntate en tu fuero interno si te parece bien. ¿Te estimula, te llena de energía? Ahora, si por algún motivo el asunto te preocupa o te deja exhausto, es una señal de que algo no va bien.

¿Cómo me afectará?

Cuando hayas pensado qué quieres y hayan surgido algunas palabras e ideas, la siguiente pregunta es: "¿Qué me dejará aquello?", o si lo prefieres, "¿Cómo me afectará aquello?" Quizá tengas ya una meta definida, a saber, presentar y ofrecer un nuevo proyecto o practicar un deporte, o dejar tu trabajo e irte a hacer montañismo en Nepal.

Pregúntate tres veces "¿Qué me dejará aquello?"... y exígete formularte la pregunta hasta encontrar valores que signifiquen mucho para ti. De lo contrario, estarás optando por hacer cosas que te dejarán deambulando por calles laterales, lejos de la ruta que conduce a donde quieres llegar.

Gabriel era un exitoso vendedor a quien estaban evaluando su rendimiento en el trabajo. Cuando empezó a trabajar bajo la tutela de un guía en PNL, su prioridad se centró en desarrollar ciertas habilidades que consideraba que necesitaba para allanar el camino que le llevaría a convertirse en el nuevo director de ventas de su compañía. Tras un par de sesiones en las que su guía le preguntó qué quería y qué le dejaría aquello, Gabriel hurgó un poco más allá respecto a lo que realmente deseaba, teniendo en cuenta todos los aspectos de su vida y de su trabajo. Y comprendió que, de alcanzar su meta profesional, tendría que dejar buena parte de la libertad y flexibilidad que le permitía su actual puesto. Comprendió que buena parte de su nuevo cargo deseado implicaba desplazarse desde la periferia hasta el centro de la ciudad a la hora pico y pasar el día entero sentado a una mesa en las oficinas centrales de la corporación, discutiendo objetivos, presupuestos y resolviendo los detalles legales del programa de pensiones de la compañía: "Como un perrito atado a una cadena", dijo.

De hecho, Gabriel florecía y prosperaba saliendo a visitar clientes y haciendo negocios. El ascenso no le daría lo que en realidad quería. Entendido esto, optó por reorientar la dirección de su carrera profesional y llevar sus habilidades a otra parte de la corporación. Desde allí, le fue posible usar su iniciativa para abrir nuevos territorios de venta en el extranjero.

Tomar decisiones

Siempre estamos tomando decisiones, ya sea salir al trabajo o quedarnos en casa, o qué preparar para comer y cenar, aceptar o no la invitación a ir al cine, cuánto gastar en una nueva computadora o en las próximas vacaciones, pasar o no las Navidades con nuestra familia.

Imagina entonces que un buen día soleado te encuentras muy contento en tu trabajo y de pronto recibes la llamada de un cazatalentos: hay una nueva oferta de trabajo, eres la persona que quieren y, eso sí, significaría ir a vivir a una ciudad al lado del mar, a unos 300 kilómetros de donde ahora vives. Ni siquiera habías considerado la idea de un cambio, pero te sientes halagado y, por lo tanto, hablas con ellos. El cambio parece bastante atractivo, ¿no sería bueno trabajar al lado del mar, en un clima como ese? Sin embargo, una vocecita insistente no deja de decirte al oído: "¿Será lo indicado? ¿Estoy absolutamente seguro?"

¿Debes aceptar o será mejor que te quedes haciendo lo que ya sabes hacer? ¿Cómo resolver el dilema?

A continuación te ofrecemos cuatro preguntas clave que podrás hacerte (o formular a un tercero) para guiar tu decisión... ya se trate de una que te cambiará la vida o de otra menor:

✔ ¿Qué ocurrirá si lo haces?

✔ ¿Qué ocurrirá si no lo haces?

✔ ¿Qué dejará de ocurrir si lo haces?

✔ ¿Qué dejará de ocurrir si no lo haces?

Las cuatro preguntas anteriores se basan en la lógica cartesiana y, por tanto, a veces te encontrarás con que se alude a ellas como (las) *coordenadas cartesianas*. Todo lo que necesitas recordar es que ofrecen un poderoso patrón lingüístico que nos permite examinar un tema desde distintos ángulos.

Con frecuencia trabajamos estas preguntas con nuestros clientes. Estas decisiones pueden ser mayores; asuntos como dejar o no a la mujer, cambiar de casa o de profesión, tener o no un hijo. Cuando llegamos a la última pregunta, quizá te detengas y pienses: "Esto es un enredo". Bien, eso significa que has llegado a un punto de ruptura en tu reflexión.

Si hacemos un cambio en un área de la vida a expensas de otra, lo más probable es que ese cambio no dure mucho. Así, por ejemplo, si cambias de trabajo pero te ves obligado a abandonar intereses o amistades importantes en el lugar donde ahora vives y trabajas, entonces dicho cambio no te hará feliz a largo plazo, en cuyo caso no durarás en el nuevo lugar.

No lo des por hecho; pon a prueba las preguntas respecto a algo sobre lo que estés deliberando. Verás cómo las preguntas te invitan a que examines tu decisión basándote en el impacto que esta decisión pueda tener sobre tu entorno... y de manera muy saludable; por eso la llamamos una *prueba ecológica*.

Cuestionar las creencias limitantes

La manera de pensar de la gente puede estar impidiéndote alcanzar una meta anhelada, pero existen tres preguntas que podemos hacernos para cuestionarnos esta forma de pensar. Para ayudar a otros (o a nosotros mismos) a superar una creencia limitante, se deben formular las siguientes tres preguntas que, además, se explican en la sección.

La mejor manera de formular las preguntas es dándole a la gente tiempo para que hable sobre el asunto relevante y, tan pronto como sospechemos que ya se ha desahogado, entonces formular las tres preguntas.

✔ **Pregunta 1: ¿Qué cosas supones o crees (sobre el asunto en cuestión) que te impiden o dificultan alcanzar tu meta?**

Hazte esta pregunta tres veces, hasta que estés seguro de que has llegado al meollo del problema... aquello que en PNL se conoce como una creencia limitante o restrictiva. A medida que profundizas, reformula la pregunta así: Correcto... ahora, ¿qué otra cosa me limita sobre este asunto?

Por ejemplo, la persona puede estar pensando: "No soy lo suficientemente bueno", "Nadie me deja", o "Simplemente no lo sé". Cuando se tiene una posición negativa como en estos tres casos, uno termina por no hacer nada para lograr lo que se quiere.

✔ **Pregunta 2: ¿Con qué otra creencia más positiva podría reemplazar la que ahora me limita, una creencia que sea la opuesta de la anterior?**

Esta pregunta gira la limitación hacia su lado positivo. Por ejemplo, el opuesto positivo de las suposiciones y creencias en el ejemplo de arriba se podría formular de manera positiva así: "Soy lo suficientemente bueno", "Alguien me lo permitirá", o "Sí sé cómo".

Es probable que tu colega o cliente se confunda o incluso se enfade con esta segunda pregunta porque contestarla es un reto. Si embargo, es crucial que nos sostengamos en ella si queremos generar un cambio en la perspectiva y así salir con una nueva creencia que ayude a alguien a cambiar y seguir adelante. De manera que no abandones la pregunta.

✔ **Pregunta 3: Si aquello (la nueva idea liberadora) fuera cierto... ¿qué ideas se te ocurren ahora para ayudarte a alcanzar tu meta?**

Con esta pregunta se cierra el proceso. A estas alturas, tu cliente saldrá con sus propias ideas sobre cómo seguir adelante: "Pues en ese caso, si ya supiera que soy lo suficientemente bueno, entonces haría XYZ".

Este interrogatorio funciona poniendo a la persona en un modo de pensar que podríamos llamar el estado de "como si". Si obramos creyendo que algo puede ser u ocurrir, entonces encontraremos la conducta o los comportamientos necesarios para llegar allí.

Yo (Kate) trabajé con una gerente que quería tener mucho éxito en su negocio pero que se encontraba luchando respecto a la decisión de tener un hijo. Su creencia limitante era: "No es posible ser buena madre y mujer de negocios exitosa al mismo tiempo". Trabajando con las tres preguntas, la mujer logró evaluar un nuevo presupuesto contrario: "Sí es posible ser una buena madre y una mujer de negocios exitosa al mismo tiempo".

Al trabajar dentro de este marco de las suposiciones, es decir, el marco del "como si", la mujer se abrió a muchas ideas sobre cómo podía controlar la compañía de manera que también pudiera ser madre. La mujer no sólo tuvo dos hermosos niños muy bien adaptados sino que estableció políticas en su empresa mucho más flexibles de las que se beneficiaron hombres y mujeres.

Encontrar a la persona indicada para el cargo: una cuestión de motivación

Aquello de conseguir a la persona indicada en el momento justo para el cargo preciso puede ser complicado. Sin embargo, formular las preguntas correctas puede ayudarte a establecer si las cualidades de una persona se ajustan a las necesidades del cargo.

Para encontrar el puesto indicado para alguien, es muy importante preguntarse antes respecto a las cualidades personales de la persona que necesitas para desempeñar bien dicho cargo, así como las habilidades técnicas que se requieren. Las siguientes cuestiones deben resolverse antes de reclutar a nadie.

✔ ¿Qué criterios esenciales necesita esa persona para que pueda desempeñar este trabajo bien? Genera por lo menos cinco palabras clave (pueden ser: trabajo en equipo, autónomo y emprendedor, creativo, servicio al cliente, aprendizaje, variedad, estabilidad, flexibilidad, bien organizado, reto intelectual, buen producto final, entorno placentero, viajar).

✔ ¿Habrá que motivarla para que obtenga resultados o para que pueda resolver ciertos problemas?

✔ ¿Necesitará automotivarse o más bien necesitará buscar consenso por parte de clientes o de un equipo?

✔ ¿El tipo de trabajo implicará seguir procesos o habrá muchas opciones respecto a cómo hacer las cosas?

Si utilizas las siguientes preguntas durante la entrevista podrás obtener información específica respecto a cómo se comportará la persona en un contexto dado, así como respecto a su destreza técnica para desempeñar el cargo que tienes en mente. Las preguntas se basan en los metaprogramas de la PNL (hay más información en el capítulo 8).

Las mismas preguntas sirven cuando quieras sondear cómo van las cosas con los miembros de tu equipo y qué ajustes serán necesarios para mantener motivada a la gente.

¿Qué espera de su trabajo?

Esta pregunta te permite cotejar los criterios o asuntos clave que tú buscas y necesitas frente a qué cosas son importantes para el candidato. Si oyes que la persona quiere gran cantidad de libertad y flexibilidad, dicho sujeto trabajaría bien en un medio creativo pero no si lo que quieres es que administre y ejecute de cerca el desarrollo de un nuevo sistema. Si el cambio lo estimula, será bueno para contratos a corto plazo, pero es poco probable que se quede más de uno o dos años, a menos que puedas darle nuevos roles.

¿Por qué es importante?

Tomando uno por uno cada criterio pertinente, pregunta: "¿Por qué es importante?" Esta pregunta te permitirá identificar la dirección hacia la que se inclina el candidato, ya sea alejarse del problema o ir a la solución del mismo. Quienes prefieren alejarse podrían contestar algo como: "El sueldo es muy importante, porque así no tendré que preocuparme por cómo pagar mi hipoteca". La persona que se inclina por la solución podría decir algo como: "El salario me importa porque así podré comprar una casa".

Las claves para entender a una persona están ocultas en el lenguaje que adopta. Por ejemplo:

✔ Si alguien está motivado hacia algo, podrás escuchar palabras como conseguir, obtener, lograr, incluir.

✔ Si alguien se inclina más bien a alejarse de algo, quizás escuches palabras como evitar, excluir, reconocer problemas.

¿Cómo sabe que ha hecho un buen trabajo?

Esta pregunta te permite identificar la fuente de la motivación de tu candidato. Si la persona está internamente enfocada, es decir, esas personas que lo saben en su fuero interno, quizá puedas motivarla usando el siguiente tipo de frase: "Sólo tú lo puedes saber", "Quizá quieras considerarlo", "¿Qué opinas?"

Si está enfocada hacia fuera, es decir, necesita del consenso de otros para convencerse y lo hace sumando hechos y cifras, quizá puedas motivarla con el siguiente tipo de frases: "Otros verán tu trabajo", "La retroalimentación que vas a recibir", "Lo dice fulano de tal".

Si vas a contratar a alguien para el departamento de atención al cliente, será muy importante que dicha persona valore la aprobación externa antes que confiar en su fuero interno. Sin embargo, si quieres encargar a alguien un proyecto para que lo desarrolle por sí mismo, una persona enfocada en lo externo puede verse en problemas si no consigue el consenso de los demás.

¿Por qué escogió el puesto que ahora tiene?

Esta pregunta es excelente si te interesa saber si a una persona la motivan y estimulan las opciones o si prefiere que se le diga lo que debe hacer.

Si alguien es del tipo que le gusta tener opciones, oirás palabras como: oportunidad, criterio, opción, posibilidades ilimitadas y variedad. Si, por el contrario, la persona se inclina más por los procedimientos, entonces es probable que te dé una respuesta pormenorizada paso a paso, la historia de cómo consiguió el trabajo que ahora tiene, y la oirás hablar de procesos recurriendo a frases como "la manera correcta", "el camino ya probado" y "la verdad".

Personas con ambos estilos pueden llegar a trabajar muy bien en un mismo equipo. Para motivar a la gente que se inclina por las opciones, ofréceles tantas opciones como puedas. Pídeles que se reúnan y produzcan ideas. Para motivar a tu gente con inclinación por los procedimientos, pídeles que se concentren en los sistemas y procesos necesarios para darle una estructura más sólida y más controlable al equipo.

Examínate

Para no salirte del camino que conduce a donde quieres llegar, ya sea en el día a día o a largo plazo, puede ser muy útil que te autointerrogues. De manera que permítenos dejarte una lista final de preguntas para que te las formules todos los días.

Examen diario

¿Qué quiero?

¿Cómo me afectará eso?

¿Qué me detiene?

¿Qué me importa aquí?

¿Qué cosas están saliendo bien?

¿Qué puede mejorar?

¿Qué recursos me respaldan?

Si aceptas el presupuesto de la PNL de que el fracaso no existe, que lo único que existe es la retroalimentación, entonces no temerás hacer preguntas por miedo a recibir respuestas que preferirías no escuchar. Sintonízate con la retroalimentación que recibes y la que reciben los otros sin dejar de formular las preguntas adecuadas.

Parte VI
Los decálogos

"LA LLAMAMOS ASÍ PORQUE CREEMOS QUE LA GENTE ES COMPLETAMENTE LIBRE Y, POR TANTO, RESPONSABLE DE LO QUE HACE CONSIGO MISMA Y PARA SÍ MISMA. AHORA DÍGAME, CABALLERO, ¿TODAVÍA QUIERE LA DOBLE CON ANCHOAS Y MOZZARELLA?"

En esta parte...

Comprenderás que la razón por la que los famosos decálogos de los libros *...para Dummies* son tan valorados es precisamente por la rapidez y sencillez con la que te ofrecen información relevante. Esta parte te dará una muestra del amplio impacto que puede tener la PNL sobre la vida cotidiana de padres, profesores, vendedores exitosos y el mero desarrollo personal. Aquí hay algo para todo el mundo.

Capítulo 19

Diez aplicaciones de la PNL

· ·

En este capítulo

▶ Un mapa para navegar por la PNL día a día

▶ Cómo disfrutar de los beneficios de la PNL

· ·

*E*n nuestra práctica como guías, consultoras y formadoras diariamente encontramos maneras de desarrollar la PNL. Pero nos resulta igualmente importante en casa y con nuestras amistades. ¿Cómo puedes tú hacer uso de la PNL? En este capítulo te hacemos diez sugerencias que esperamos te hagan pensar en aquello de aplicar el contenido de este libro.

Desarrollo personal

Cuando hayas leído este libro, esperamos que te vayas, por lo menos, con una lección. La PNL te ofrece un medio para aprender, crecer y desarrollarte; ahí está la opción, si la deseas. También puedes usar la PNL para formar y ayudar a otros (como se explica más adelante en este capítulo), pero para convertirnos en auténticos modelos de otras personas más nos vale antes habernos hecho fuertes y saludables.

En último término, la caja de herramientas de la PNL no es más que una colección de modelos y ejercicios, eso sí, acompañada de una actitud mental que te permite:

✔ Escoger tus estados emocionales más recursivos y usar anclas para conservarlos; el anclaje es una técnica mental para acceder y aferrarse a ese estado emocional bueno cuando te enfrentas a un reto. Se aprende más y mejor cuando nos sentimos a salvo y seguros para emprender algo nuevo. Para explorar, establecer y arrojar anclas, ve al capítulo 9.

✔ Dirigir tu modo de pensar de maneras distintas haciendo buen uso de los presupuestos de la PNL. Más información sobre este tema en el capítulo 6.

✔ Descubrir qué cosas hacen que funciones de manera óptima recogiendo información sobre cómo reflejas tu experiencia a través de tus sentidos, es decir, aquello que en PNL se conoce como sistemas representacionales. Para asimilar este asunto ve al capítulo 6.

✔ Asumir la responsabilidad de tu aprendizaje antes que sentarte a esperar que alguien lo haga por ti.

✔ Aumentar la claridad que tienes respecto a lo que realmente quieres en todos los aspectos de tu vida. Los resultados bien estructurados de los que hablamos en el capítulo 3 son esenciales para evaluar qué quieres.

✔ Aprender a hacer cambios en el más adecuado nivel lógico de la experiencia, para mejorar tu habilidad y aumentar la confianza en ti mismo... ya sea un asunto relativo al entorno, a la conducta, a las capacidades, a las creencias, a la identidad o al propósito. Encontrarás más información sobre esto en el capítulo 11.

✔ Aprender a marcar el ritmo de tu paso y el de los demás para asegurarte de no irte a pique por realizar demasiado esfuerzo y además aprender a compenetrarte para crear una buena comunicación o *rapport* de manera más rápida. Todo el capítulo 7 está dedicado a este tema.

Administrar nuestras relaciones personales y profesionales

"¡Socorro, esta relación no está funcionando!" Si crees que mantienes una mala relación con alguien, sabemos que puede ser una experiencia horrible, paralizante. Es como si nos cerraran la puerta en la cara. Una afirmación que oirás con frecuencia en la PNL es la siguiente: "Si lo que estás haciendo no funciona, haz algo diferente". Afortunadamente, la PNL ofrece un par de maneras para que te desatasques y abras las puertas para encontrar más posibilidades.

✔ **El metamodelo:** Es una herramienta clave y se describe en el capítulo 15. Te permitirá sumergirse bajo la superficie de ese vago lenguaje cotidiano como el que se manifiesta en oraciones del tipo "esto no me hace feliz" y, a partir de un par de preguntas, permite recoger información suficiente para retar los presupuestos que obstaculizan la posibilidad de tener relaciones felices y gratificantes. Sabiendo cómo comunicarnos con precisión, nos es posible llegar al meollo de lo que realmente queremos decir.

✔ **El metaespejo de la PNL:** Otra alternativa es volver sobre el metaespejo que se explica en el capítulo 7, donde te invitamos a que te ubiques en distintas posiciones de percepción. El metaespejo es una de las técnicas favoritas para explorar cuando te encuentras en situaciones complicadas, simplemente observando cómo te relacionas con los demás. Al ubicarnos desde distintas perspectivas para tenerlas en cuenta, salimos de la experiencia llenos de nuevas ideas para sacar adelante tales relaciones... o despedirnos con suma cortesía.

Negociar soluciones en las que todos ganamos

Supón que te encuentras ante una negociación que será importante en tu vida. Quizás has visto el hogar de tus sueños. ¿Cómo puede ayudarte la PNL a conseguir el mejor precio cuando te encuentras ante un agente inmobiliario que te presiona para que compres la casa con los más altos intereses hipotecarios al tiempo que intentas vender aquella en la que ahora vives con los intereses más bajos? Si dispones de ciertos principios y estrategias te será posible conseguir un negocio que sirva a todo el mundo. Estos principios siguen siendo válidos a la hora de negociar un puesto, comprar un coche, contratar personal para la oficina o asignar tareas domésticas a tus compañeros de departamento.

✔ Apuesta por el resultado positivo: Empieza con el resultado que deseas entre ceja y ceja; habla en lenguaje positivo. Concéntrate siempre en lo que quieres antes que en lo que no quieres. Para saberlo todo al respecto, consulta el capítulo 3.

✔ Compromete tus cinco sentidos: Precisa el resultado que esperas de manera específica imaginando cómo se verá, oirá y sentirá cuando hayas salido airoso de tu negociación. Al respecto, más en el capítulo 6.

✔ Toma nota de tu criterio, también conocido como botón clave de la comunicación: Concéntrate en los cinco elementos clave que realmente te importan; ordénalos por importancia y no dejes de volver sobre ellos para ver si estás logrando lo que quieres.

✔ Anota también los botones clave o el criterio del vendedor: ¿Qué es lo que quiere esa persona? Ponte en el pellejo del otro y recuerda qué quiere cada vez que entres en contacto con él.

✔ Consecuencias o subproductos positivos: Ten en mente qué elementos positivos te ofrece la casa en la que ahora vives y que no quieres perder. Puede ser el número de cuartos de baño, el jardín soleado o el acceso al transporte público.

✔ No pierdas de vista lo esencial: Prepárate para salir sin haber llegado a un acuerdo antes de dejarte llevar por el momento sólo para cerrar un negocio que en realidad no te satisface.

✔ Controla tu estado de ánimo: Guardar calma y compostura cuando te enfrentes a la negociación siempre será tu mejor opción. Lee sobre las anclas en el capítulo 9.

✔ Trocea: Se trata de la capacidad de cambiar el punto de vista de otro de manera que pueda ver el panorama completo o que se fije en los detalles, y hacerlo con seguridad y confianza para, entonces, pasar gradualmente a trozos, del detalle a lo general del contrato y llegar a un acuerdo en los puntos clave, y ahora, si lo deseas, descender de nuevo trozo a trozo a los asuntos menores pero pisando un terreno en común. El capítulo 15 te ayudará a ser específico cuando sea necesario y en el 16 se te indica cómo puedes poner a la gente en un trance relajado para que oiga con mayor claridad lo que tienes que decir.

✔ Compenétrate con todas las personas de la cadena: Incluso cuando no estés de acuerdo con el contenido de lo que dicen, ajústate y conviértete en un espejo que refleje el lenguaje corporal y el tono de voz que usan los demás. ¡No te imaginas lo bueno que es que todo el mundo escuche! Encontrarás toda la información que quieras sobre la importantísima capacidad de hacer que sea posible la compenetración o *rapport* en el capítulo 7.

Cumplir los objetivos de venta

Los principios de la PNL se relacionan con las buenas relaciones comerciales. Nos indican cómo sintonizar y compenetrarnos con *rapport*, cómo saber con claridad qué quiere el otro, entender sus valores y criterio, y nos enseñan a ser flexibles hasta cerrar el negocio o decidir abandonarlo porque sabemos que la cosa no cuajó.

La PNL te llevará a una situación en la que ganas sin dejar de ser considerado y respetuoso. Integridad es la palabra clave que nos viene a la cabeza. Los buenos vendedores son capaces de asumir el punto de vista del cliente y ajustan los beneficios del producto que ofrecen a las necesidades del comprador. A nadie le gusta que le vendan algo de manera descarada, pero todo el mundo quiere ser escuchado y encontrar soluciones a sus problemas; todo el mundo quiere productos y servicios que le ayuden a controlar un negocio o a gozar más de la vida; todo el mundo quiere lo que se conoce como el factor "sentirse bien". La PNL trata sobre la influencia y cómo la gente toma decisiones. Las ventas exitosas son aquellas que se ajustan a las necesidades del cliente a muchos niveles.

Se dice que "la gente compra por emoción y lo justifica con hechos". No importa si lo que vendes es un producto o una idea, conecta con la gente a nivel emocional. La gente primero te compra a ti y luego compra tu producto.

Hacer presentaciones impactantes

La capacidad de comunicarse bien es esencial para lograr el éxito. De hecho, quizá pienses que se trata de la habilidad más importante en lo que concierne a tu futuro. Quienes saben presentar bien cualquier cosa llevan la ventaja en muchos aspectos de la vida, ya sean políticos, deportistas, profesores, presentadores de televisión o el hombre de negocios del año. ¿Tienes la suficiente confianza en ti mismo como para ponerte al frente de lo que le parece importante? Si puedes presentar algo bien, adelante. O relájate y pásatelo bien.

¿Pero qué te detiene? En dos palabras: TÚ MISMO.

Lamentablemente, la mayoría de la gente que conocemos se paraliza de miedo al presentar cualquier cosa. Y si no les aterra, prefieren permanecer tras las bambalinas antes que dar un paso y enfrentarse a un auditorio.

La PNL puede marcar la diferencia de tres maneras:

✔ Te indica cómo presentar tus propósitos con claridad.

✔ Te indica cómo llegar a todo el mundo en un auditorio mediante el buen uso del lenguaje.

✔ Te indica cómo sentirte seguro de ti mismo a la hora de ponerte de pie delante de cualquier grupo.

Imagina que te han invitado a dar una charla en la reunión anual de tu club de jardinería. (Puedes sustituir jardinería por cualquier otra cosa.)

Al recurrir a la PNL, tu primera tarea consiste en hacer que tu cerebro se comprometa con el resultado que esperas de tu presentación. ¿Qué quieres que ocurra cuando hayas inspirado a la gente con tu discurso? Traza un mapa claro de lo que esperas que la gente aprenda de ti.

En segundo lugar, cuando empieces a desarrollar el contenido de tu charla, piensa VAC, es decir, piensa en lo Visual, lo Auditivo y lo Cinestésico (ve al capítulo 6 si quieres un par de consejos sobre cómo involucrar los sentidos que dominan a quienes te escuchan). ¿Cómo vas a conectar con aquellas personas a las que les gustan las imágenes, las que prefieren las palabras y las que creen en sus instintos? A medida que desarrolles tu guión, recuerda que a algunos les bastan los titulares y a otros les encanta el enredado meollo de los detalles.

La tercera cosa que debes tener en mente es que la PNL te ofrece las herramientas necesarias para prepararte mentalmente para cualquier presentación. Ten claro cómo quieres ser o estar durante tu presentación: ¿sonriente y jovial, serio y sentencioso, o quizás en un punto medio? Recuerda alguna situación de tu pasado en la que te encontrabas en algo parecido, de manera que puedas aferrarse o anclarte en esa experiencia previa para recuperar y asumir de nuevo ese estado de ánimo. Te será posible aprender a arrojar anclas leyendo el capítulo 9.

Y lo más importante, el Santo Grial del asunto, no te dejes limitar por los consejos y las técnicas. Todos presentamos las cosas de maneras distintas y no hay nada más refrescante que ser como somos. Cuando hablamos desde el corazón sobre algo que nos importa, cuando lo hacemos con verdadera pasión, la gente sintoniza con nosotros.

Administrar bien el tiempo y los recursos

Todos tenemos la misma cantidad de tiempo. La diferencia está en cómo lo usamos. ¿Cómo es posible que algunas personas se pasen la vida corriendo contra el reloj mientras otras andan por ahí tan tranquilas y a sus anchas?

Entender tu relación con el tiempo influye de manera importante en tu vida cotidiana. La PNL distingue entre aquellos que operan en-el-tiempo, es decir, quienes viven en y por el momento, y quienes operan a-través-del-tiempo. Vivir el momento es más fácil si vivimos en-el-tiempo. En el capítulo 13 te esperan varios consejos para viajar en el tiempo.

En calidad de guía, (Kate) recomiendo a mis clientes que dispongan sabiamente de su tiempo para que entiendan el impacto nocivo que tiene perder el tiempo haciendo lo que no quieren hacer y aprendan a liberar energía para invertirla en lo que realmente les motiva. Es un valioso recurso y, si lo perdemos o desperdiciamos, jamás podremos recuperarlo.

Hacer demasiado esfuerzo por satisfacer a los demás tiene el efecto contrario y terminamos por defraudarlos.

Dejarse guiar camino al éxito

¿Hay algo que te gustaría hacer sobre lo que quizás llevas pensando desde hace mucho tiempo pero que no sabes aún cómo lograr? ¿Sí? En ese caso, la guía que te brinda la PNL te puede ayudar a dar el salto de la idea al hecho.

Cuando estás en manos de un guía de PNL o de un coach entrenado, que sabe lo que hace, dicha persona sabrá y creerá en tu potencial… y te ayudará a alcanzar objetivos que parecían imposibles. Todo será muy divertido. En serio.

La ayuda de un coach te servirá para centrar la atención en los resultados que quieres lograr… te impedirá titubear por el camino, desperdiciando energía en cosas que no quieres. Te ayudará a sortear o prescindir de las barreras que te obstaculizan. Con la ayuda de un buen coach podrás cerrar la brecha que separa el lugar donde ahora estás del lugar donde quieres estar; te ayudará a pasar de tu estado actual al estado deseado.

La acción vuelve los sueños realidad. Una de las razones clave por las que la formación genera resultados es porque obliga a comprometerse a actuar. Otra es que nos ayuda a desmenuzar nuestras metas en fragmentos realistas y digeribles. Cuando trabajamos con un guía o con un coach nos comprometemos con otra persona. Es como si esa otra persona tuviera en la mano un cronómetro con papel y lápiz para registrarnos a intervalos y asegurarse de que vamos por buen camino.

Los principios de la PNL también se aplican para alcanzar el éxito en los deportes y en los negocios. Con frecuencia, encontrarás preparadores físicos que utilizan las técnicas de anclaje de la PNL para ayudarte a alcanzar ese estado de confianza en ti mismo que se necesita antes de un partido importante.

Con frecuencia formar consiste en ayudar a la gente a que restaure el equilibrio y la armonía. Yo (Kate) considero que la preparación y el entrenamiento son mucho más que destacar en el campo de golf o en las batallas de las salas de juntas. Mi posición es holista: todos los aspectos de la vida de una persona para ayudarle a crear su futuro. Preparo a ejecutivos de éxito que quieren sobresalir en su trabajo. Al examinar el panorama de sus vidas, así como de sus patrones laborales, la gente desata energía y toma la dirección indicada para alcanzar lo que quiere.

Si te distingues en un aspecto de tu vida pero en detrimento de otros, por ejemplo en tu trabajo, entonces tu vida en la oficina será maravillosa pero en tu casa será un desastre. Así, es muy probable que lleves una vida desequilibrada y corres el riesgo de que sea, además, poco saludable. Clientes que alcanzan sorprendentes éxitos en el mundo de los negocios, a veces pueden hacerlo a costa de su salud o de sus relaciones humanas. Y aquellos que llevan una vida muy cómoda y gratificante en casa, pueden descuidar su potencial profesional. Si te describe alguno de estos panoramas, encontrar un coach en PNL puede ayudarte a restaurar el equilibrio y la armonía.

Usar la PNL para respaldar tu salud

No sorprende que te cueste tanto seguir una dieta cuando no dejas de ver aquellos postres frente a tus ojos… y los postres pueden ser muy atractivos cuando se está estresado.

La verdad sea dicha, la PNL tiene mucho que ofrecerte si quieres conservar tu salud porque reconoce la inextricable conexión que se da entre cuerpo y mente. Concibe a la persona como un sistema que necesita el equilibrio para conservar la salud.

¿Has pasado por una de esas épocas en las que tenías mucho que hacer pero no el tiempo suficiente para hacerlo y poco qué decir sobre cuándo y cómo lograste hacerlo? ¿Quizá te hayas sentido como un hámster en una rueda? La mayoría de la gente pasa por épocas duras… Pasar altibajos es normal. La zona de peligro acecha cuando la gente no se da cuenta de lo que está ocurriendo y su vida cae en picado sin el menor control. Cuando la gente pierde el control en un aspecto de la vida, el cuerpo interviene para ponerle freno. Los dolores de cabeza, nuca y espalda suelen ser el resultado de la tensión, lo mismo que los ataques de ira o ansiedad; pueden ser señales de alarma que dispara el cuerpo para indicar que está perdiendo el control.

La PNL ayuda a la gente a mantenerse centrada en quiénes son y cuáles sus valores esenciales, y a permanecer en sintonía con su salud.

Una cliente de mi taller (Romilla) "Más allá del estrés", Cassy, estaba hecha polvo y con los nervios de punta en su esfuerzo por cumplir con sus compromisos laborales, lugar donde la acababan de ascender, y también por cumplir con las exigencias de su familia. Durante el taller, Cassy comprendió que estaba intentando satisfacer las exigencias de su jefe y de su familia porque tenía una profunda necesidad de amor que enraizaba en el hecho de haber sido adoptada. A pesar de haber tenido unos padres adoptivos cariñosos y una infancia feliz, Cassy siempre se sintió marginada porque su madre biológica la abandonó. Otro cliente se enteró de la historia de Cassy y le dijo: "Pero si la verdad es lo contrario, eres una de las elegidas". Daba gusto ver a Cassy mientras procesaba este nuevo giro en su identidad. Terminado el taller, pudo decir "no" a mucha gente en su vida y uno de los inesperados beneficios de su proceso fue que sus hijos se hicieron más responsables de sus propias vidas.

Conectar con el auditorio: consejo para guías y educadores

La PNL reconoce que todo el mundo aprende de distintas maneras y que la única persona que realmente sabe cuál es la forma adecuada de hacerlo es ella misma, el pupilo. Los buenos maestros asumen la responsabilidad de enseñar de manera que sus pupilos aprendan: sintonizan e inspiran. Lo que hace la PNL es trasladar el énfasis sobre el enseñar y al aprender. Así se logra que la gente empiece a darse cuenta de cómo aprende mejor.

El proceso de aprendizaje implica múltiples y ricas dimensiones más allá de la mera enseñanza de hechos o de recibir las repuestas correctas. Para aprender a conectar, sintonizar y perdurar, la gente debe ponerse en un estado de disposición positiva y receptiva para aprender. Lograr que tanto el guía como el grupo entren en un estado receptivo será mucho más importante que cubrir todo el currículo.

Si estás aprendiendo una nueva habilidad, despierta tu curiosidad respecto a cómo hacer para que esa destreza te funcione . Piensa en tu mejor experiencia pedagógica; aquella vez que en realidad gozaste aprendiendo. ¿Puedes mencionar tres cosas que recuerdes de esa experiencia? Yo (Kate) sé que aprendo mejor cuando me divierto, en compañía de otra gente y sintiéndome libre para experimentar y cometer errores. Pero, es obvio, esto no será cierto para otras personas cuando trabajo como guía.

La PNL te indicará cómo descubrir las preferencias de otros a la hora de recibir y asimilar información, de manera que, en tanto que maestro, será muy importante que reconozcas que algunas personas responden a las imágenes, otras a las palabras y otras al tacto o los sentimientos. Utilizar un lenguaje general al comienzo de una sesión te permitirá conectar con los distintos niveles de competencia en un grupo. Así, tu presentación podría empezar como sigue:

> *"Hoy cubriremos muchos aspectos del tema en cuestión. Es probable que alguno de ustedes ya tenga muchos conocimientos sobre esta área y tenga sus propias opiniones, ideas y experiencias para compartir.*

> *Para otros, los conceptos que aquí trataremos reforzarán lo que ya saben y, por tanto, tendrán tiempo para sentarse y reflexionar sobre las implicaciones de lo que, de antemano, saben hacer.*

Para otros, se abrirán nuevas perspectivas y, por tanto, durante el curso del día, tendremos la oportunidad de explorar nuevas formas de agregar valor y fuerza a lo que actualmente hacemos y usamos.

Ustedes sabrán cómo poner en práctica estas ideas".

Ten también en cuenta las distintas etapas del aprendizaje. Cuando aprendemos una nueva habilidad, como por ejemplo a conducir, pasamos por distintos niveles de competencia. Al empezar, somos misericordiosamente ignorantes, es decir, inconscientemente incompetentes. Simplemente no sabemos qué es lo que no sabemos. Luego pasamos a un estado de incompetencia consciente y despertamos a lo que no sabemos. A medida que mejora nuestra capacidad, nos volvemos conscientemente competentes hasta cuando, ya convertidos en choferes expertos, nos volvemos inconscientemente competentes y olvidamos lo que era ser un aprendiz. Precisamente por esto resulta tan difícil aprender en manos de alguien que es un experto: dicha persona puede estar tan distanciada de lo que es ser un principiante que simplemente nos dice, "hazlo" y no es capaz de cortar en pequeñas etapas fáciles la destreza que conoce.

Conseguir ese puesto

Cambiar de empleo puede parecerse a cambiar el tapiz de las paredes de nuestro cuarto o a comprar una nueva camisa azul. Es decir, podemos cambiar de trabajo y comprender que en realidad era el cambio lo que nos parecía atractivo antes que el trabajo en sí.

Con la ayuda de la PNL puedes estar en mejores condiciones para conseguir el trabajo indicado y no sólo cualquier trabajo. Una carrera profesional debe planificarse de manera proactiva o, de lo contrario, podemos vernos en una situación similar a la de *Alicia en el país de las maravillas,* y por tanto, no muy preocupados por aquello de a dónde queremos llegar... siempre y cuando exista algún lugar. Sin embargo, tomar decisiones bien formadas nos asegura que no tiremos a la basura un trabajo perfectamente bueno para terminar en algún lugar donde seremos infelices.

Haz que tu búsqueda de trabajo se realice en pos de un resultado bien estructurado ayudándote de la lista que se ofrece en al final del libro. Realiza la tarea sobre la persona que tiene poder suficiente para ofrecerte el trabajo de tus sueños y observa cómo opera el mapa del mundo de dicha persona. En el capítulo 7 se incluye otra lista de control que te ayudará a pensar sobre la persona en la que quieres influir.

Sé creativo en aquello de sobresalir de la multitud. Si fueras un producto, ¿cuáles serían tus rasgos y beneficios peculiares? Practica frente a un espejo ser la persona que ellos quieren contratar. ¿Cómo te vestirías y cómo hablarías? ¿Qué dirás respecto a ti mismo y a tus capacidades? Recuerda, tienes que creer en ti para que otros confíen en ti... y te compren.

Capítulo 20

Diez películas que incluyen procesos de PNL

*H*emos escogido diez películas. Son películas que pensamos que, en la mayoría de casos, nos levantan el ánimo y en otros nos invitan a reflexionar; pero, sobre todo, en todas ellas identificamos aspectos de la PNL. Señalamos algunos de esos rasgos en cada una de las películas para ilustrar el tipo de elementos a los que debes estar atento mientras pones a punto tus habilidades.

Mejor... imposible

El papel que representa Jack Nicholson de un solitario cascarrabias y obsesivo-compulsivo es francamente divertidísimo. La manera en que el perro de su vecino lo educa en aquello de crear una buena compenetración les encantará a quienes aman a los animales. Protagonistas: Jack Nicholson y Helen Hunt. Director: James L. Brooks. Productora: Columbia/Tristar Studios, 1997.

Quiero ser como Beckham

Una encantadora película sobre el poder femenino, la amistad y cumplir nuestros sueños a pesar de los obstáculos. Protagonistas: Parminder K. Nagra y Keira Knightley. Director: Gurinder Chada. Productora: Twentieth Century Fox Home Video, 2002.

El color púrpura

El mensaje de esta película es: "Sé honesto contigo mismo" o "Lo que no nos mata nos fortalece". Un conmovedor retrato del espíritu humano. ¡No olvides llevarte pañuelos! Protagonistas: Danny Glover y Whoopi Goldberg. Director: Steven Spielberg. Productora: Warner Home Video, 1985.

Campo de sueños

Esta película es un clásico sobre cómo cumplir nuestros anhelos manifestando nuestros sueños. Protagonistas: Kevin Costner y Ray Liotta. Director: Phil Alden Robinson. Productora: Universal Studios, 1989.

Frida

Una poderosa película sobre una mujer demasiado adelantada para su tiempo que vive su vida según su juicio. Protagonistas: Salma Hayek y Alfred Molina. Director: Julie Taymor. Productora: Miramax Home Entertainment, 2002.

Gattaca

Una inspiradora película de ciencia ficción donde, a punta de determinación, se superan unos "defectos" genéticos. Prueba que, aunque nos sirvan algo en bandeja de plata, no es garantía del éxito. Esta película ilustra cómo, centrándonos en nuestras metas, podemos superar incluso los más infranqueables obstáculos. Protagonistas: Ethan Hawke y Uma Thurman. Director: Andrew Niccol. Productora: Columbia/Tristar Studios, 1997.

Matrix

Una emocionante exploración, desde la ciencia ficción, de la realidad y sobre cómo podemos ver y lograr cosas cuando empezamos a creer en nosotros mismos. Protagonistas: Kenau Reeves y Laurence Fishburne. Director: Larry Wachowski. Productora: Warner Studios, 1999.

Cadena perpetua

Nominada para siete Oscar, incluyendo el de mejor película, mejor actor y mejor guión. Se trata de una película que exalta la amistad y la supervivencia en un mundo cruel. Protagonistas: Tim Robbins y Morgan Freeman. Director: Frank Darabont. Productora: Castle Rock, 1994.

Stand and Deliver

Una estupenda película basada en una historia real, sobre un profesor de bachillerato en un barrio de muchachos hispanos en Los Ángeles, que intenta motivar a sus alumnos para que crean en sí mismos y superen los estereotipos. Protagonista: Edward James Olmos. Director: Ramón Méndez. Productora: Warner Studios, 1988.

Las tres caras de Eva

Una película muy entretenida que introdujo la enfermedad mental en la conciencia del público. Protagonistas: Joanne Woodward y David Wayne. Director: Nunnally Johnson. Productora: Twentieth Century Fox, 1957.

La PNL en el cine

Ahora que ya te hemos dado un aperitivo sobre los rasgos de la PNL que puedes buscar en una película, ¿por qué no intentas pulir tus habilidades en PNL contestando a alguna de las siguientes preguntas?

✔ ¿Qué presupuestos de la PNL se demuestran en esta película?

✔ ¿Qué notas, con relación a la compenetración, o *rapport*, en esta película?

✔ ¿Qué mapas del mundo se describen y cómo encajan con tu realidad?

✔ Escuchando los diálogos, ¿qué notas sobre la manera de usar el lenguaje y los respectivos metaprogramas que asume cada persona? ¿Qué nos puedes decir sobre la banda sonora?

✔ ¿Qué mensaje transmite esta película sobre los sueños, las metas y los resultados?

✔ ¿Los personajes son víctimas de las circunstancias? De ser así, ¿cómo logran asumir el control de sus vidas?

✔ ¿Qué creencias y valores se demuestran en la película?

✔ ¿Cómo marcan y llevan el paso los personajes, uno respecto del otro?

✔ ¿Qué personajes, si los hay, muestran flexibilidad en su comportamiento?

✔ ¿Qué impacto visual tiene la película? ¿Cómo percibes la dimensión cinestésica del tacto y las emociones, además de, quizá, los sentidos del gusto y del olfato?

Parte VII

Apéndices

The 5th Wave   **Rich Tennant**

En esta parte...

*H*emos incluido dos plantillas muy útiles para ayudarte a construir buenas relaciones con los demás y diseñar resultados bien formados en todo lo que hagas.

Crear buena compenetración y comunicación mediante el "rapport"

· ·

El siguiente formulario es una copia del que se encuentra en el capítulo 7. Es probable que conozcas a algunas personas importantes con las que quizá quieras establecer unas relaciones más sólidas… ya sea en tu hogar o en tu trabajo. Al pedirte que lleves un registro por escrito, queremos recomendarte que encuentres tiempo para reflexionar sobre estas personas. Hacerlo te dará la oportunidad de concentrarte en lo que deseas de la interacción con ellas para alcanzar un resultado en el que todos ganen. Tómate la libertad de sacar cuantas fotocopias sean necesarias.

Llena el siguiente formulario para cualquier persona con la que desees comunicarte mejor:

Nombre: _____

Empresa/Grupo: _____

¿Qué relación tienes con esta persona? _____

De manera específica, ¿cómo querrías que cambiara la relación con dicha persona? _____

_____

_____

¿Cómo te afectaría eso? _____

_____

_____

¿Cómo afectaría a la otra persona? _____

_____

_____

¿Vale la pena invertir tiempo y energía? _____

_____

_____

¿Bajo qué presiones se encuentra la otra persona? _____

_____

_____

¿Qué es lo que más le importa a esa persona en este momento? _____

_____

_____

¿Conoces a alguien que haya podido compenetrarse bien con esa persona?

_____

_____

_____

¿Qué podría decirte de ella que te resultara útil para tu propósito de compenetración? _____

_____

_____

¿Qué otra ayuda podrías recibir para lograr el *rapport* que buscas? _____

_____

_____

¿Qué piensas hoy respecto a la idea de progresar en la relación con esa persona? _____

_____

_____

¿Cuál sería el primer paso que tendrías que dar para conseguirlo? _____

_____

_____

Apéndice B

Lista de control
de resultados bien formados

La lista de control que se incluye a continuación es un resumen del proceso de crear resultados bien formados que se describe de forma completa en el capítulo 3.

Tómate la libertad de sacar cuantas fotocopias sean necesarias.

Índice

• *F* •

• *N* •

• *T* •

• X •

• Y •

• Z •